L'ART D'ÊTRE PARENTS

Couverture

- Conception graphique: Katherine Sapon
- Photos: SuperStock

DISTRIBUTEURS EXCLUSIFS:

- Pour le Canada et les États-Unis:
  LES MESSAGERIES ADP*
  955, rue Amherst, Montréal H2L 3K4
  Tél.: (514) 523-1182
  Télécopieur: (514) 521-4434
  * Filiale de Sogides Ltée

- Pour la Belgique et le Luxembourg:
  PRESSES DE BELGIQUE
  96, rue Gray, 1040 Bruxelles
  Tél.: (32-2) 640-5881
  Télécopieur: (32-2) 647-0237

- Pour la Suisse:
  TRANSAT S.A.
  Route du Grand-Lancy, 2, C.P. 125, 1211 Genève 26
  Tél.: (41-22) 42-77-40
  Télécopieur: (41-22) 43-46-46

- Pour la France et les autres pays:
  INTER FORUM
  13, rue de la Glacière, 75624 Paris Cédex 13
  Tél.: (33.1) 43.37.11.80
  Télécopieur: (33.1) 43.31.88.15
  Télex: 250055 Forum Paris

Dr BENJAMIN SPOCK

L'ART D'ÊTRE PARENTS

Traduit de l'américain
par
Jacques Vaillancourt

Données de catalogage avant publication (Canada)

Spock, Benjamin, 1903-

L'art d'être parents

Traduction de: Dr Spock on parenting.

ISBN 2-7619-0898-8

1. Rôle parental. 2. Parents et enfants. I. Titre.

HQ755.8.S6614 1990 649'.1 C90-096356-5

L'ouvrage original anglais a été publié par
Simon and Schuster sous le titre
Dr. Spock on Parenting (ISBN 0-671-63958-7).

Dépôt légal: 2e trimestre 1990
Bibliothèque nationale du Québec

ISBN 2-7619-0898-8

Chère Ginger,
Pendant des années, j'ai souhaité avoir une fille. Tu as été la prime merveilleuse de mon mariage avec ta mère: une fille d'une grâce, d'une générosité et d'une beauté remarquables, de qui j'ai beaucoup appris.

Introduction

Élever ses enfants procure un étrange mélange de stress et de joie. Je me suis rendu compte, quand mes fils étaient petits, que j'étais toujours un peu tendu: je les surveillais; je me tracassais et je les réprimandais beaucoup plus que nécessaire. Mais lorsque j'étais loin d'eux, en tournée de conférences par exemple, je n'éprouvais à leur endroit que fierté et amour intenses. J'avais honte d'être incapable de leur témoigner mon bonheur de les avoir, de ne pas trouver les mots pour leur dire que je les acceptais tels qu'ils étaient; je le regrettais pour moi comme pour eux. Ce sont des grands-parents qui m'ont aidé à y voir clair. Ils me demandaient souvent: «Pourquoi n'ai-je pu tirer autant de joie de mes enfants que j'en tire de mes petits-enfants?» Peu à peu j'ai compris que les parents qui s'inquiètent et qui réprimandent leurs enfants sont la règle et non l'exception. Aimer ses enfants, ce n'est pas seulement les embrasser ou être fier d'eux, c'est aussi souhaiter que parents et amis reconnaissent leur politesse et leur serviabilité et vouloir que leurs enseignants apprécient leur assiduité au travail. C'est souhaiter qu'ils deviennent des travailleurs responsables, des voisins respectés, des conjoints et des parents dévoués. À un niveau tout à fait élémentaire, aimer ses enfants, c'est les garder en bonne santé et les protéger de tout accident. Toutes ces préoccupations condamnent les parents à se tracasser constamment. Mais ils ont, de temps à autre, leur récompense: un compliment, un succès, qui les encouragent à s'armer de patience.

Certains parents ont plus de chance que d'autres et peuvent tirer une satisfaction presque constante de leurs enfants, même durant l'adolescence de ceux-ci. Je me souviens de ma surprise, au cours d'une partie de base-ball où ma belle-fille Ginger, à la tête des meneuses de claque, rythmait leurs hourras, lorsqu'une mère me déclara avec un enthousiasme spontané et une lueur dans l'œil: «Comme les adolescents sont merveilleux! J'adore être avec eux.» Je les avais toujours considérés comme étant plus difficiles que les jeunes enfants. Leur besoin de se rebeller, et dès lors de mépriser les idées et les valeurs de leurs parents, me donnait l'impression qu'ils étaient l'ennemi, toujours prêts à faire fi de moi derrière mon dos. Je m'étais toujours senti relativement impuissant à les contrôler. En réalité, mes fils et ma belle-fille n'ont jamais eu besoin d'être surveillés; c'était simplement mon manque de confiance en moi qui me mettait sur la défensive. La vigilance de ma mère, expression de sa peur de voir ses enfants ruer dans les brancards si elle relâchait un seul instant sa poigne de fer, m'a également influencé dans ce sens. Notre façon fondamentale de voir les attitudes des enfants et d'y réagir ne se modèle-t-elle pas sur la conduite de nos parents à notre égard?

D'autre part, je me suis toujours senti à l'aise dans mes contacts avec les jeunes enfants; ils m'ont toujours donné beaucoup de joie. Non seulement ils n'essaient pas de se rebeller à toute occasion, mais ils croient que les adultes sont des êtres merveilleux — intéressants et pleins de sagesse, toujours prêts à raconter des histoires, à lever leur baguette magique et assez riches pour acheter tout ce qu'un enfant peut désirer. Les enfants de trois à cinq ans rendent aux adultes le grand hommage de vouloir être comme eux; ils s'y efforcent à longueur de journée.

Mais une fois âgés de six à onze ans, les enfants ne sont plus les petites êtres reconnaissants, flatteurs et charmants qu'ils étaient plus jeunes. Ils ne prennent plus leurs parents comme modèles, mais singent plutôt leurs pairs: apparence peu soignée, mauvaise tenue à table, langage corsé, attitude de raisonneurs. Ils citent leurs enseignants pour contredire leurs parents. Ils refusent les bonnes manières que ces derniers veulent leur inculquer. Mais ils n'en sont pas pour autant sceptiques ou méprisants devant les croyances de leurs parents. Ils ne cherchent pas à les provoquer. Ils ne s'adonnent pas au tabac, ni à l'alcool, ni aux drogues ni au sexe pour avoir l'air blasés.

Certains parents ont peur des bambins d'un an et encore plus de ceux de deux ans. Cette attitude se fonde sur des préjugés. Bien sûr, il faut faire preuve de tact et d'un peu d'ingéniosité pour les garder en main, du fait qu'ils goûtent pour la première fois à l'indépendance. Mais ils sont faciles à distraire et curieux de tout. Il faut être un peu borné pour ne pas trouver les moyens de les contrôler.

Outre les problèmes qui résultent du choc des personnalités entre enfants et parents, il y a les difficultés que la société impose aux familles d'aujourd'hui.

Les gens à faibles revenus deviennent de plus en plus pauvres alors que les riches continuent de s'enrichir. Le revenu réel a diminué, et, de ce fait, de plus en plus de mères ont dû rejoindre leur mari sur le marché du travail afin de faire vivre leur famille. La moitié des mères d'enfants d'âge préscolaire travaillent. C'est ce qui a fait ressortir le manque flagrant de garderies de qualité pour les familles à faibles revenus. Ces garderies devraient être subventionnées par l'État ou par l'industrie, comme c'est le cas dans de nombreux pays d'Europe. Dans notre société, nos enfants ne reçoivent pas leur dû.

La moitié des mariages aboutissent à un divorce, ce qui laisse supposer que nous nous sommes égarés. Quelles qu'en soient les causes, le divorce provoque l'apparition de symptômes sérieux de mal-être chez l'enfant et rend chacun des parents malheureux pendant au moins deux ans. Avec le remariage viennent les tensions qu'occasionne la famille reconstituée, ce que j'ai personnellement appris, non sans peine.

La grossesse, l'abus des drogues et le suicide ont pris, chez les adolescentes, des proportions alarmantes, ce qui m'incite à croire à une grave pénurie des croyances spirituelles nécessaires pour soutenir ces derniers durant cette transition souvent effrayante, et à penser que leurs parents aussi doivent manquer de convictions propres à les inspirer.

D'aucuns croient, devant le déclin constant du nombre de familles traditionnelles composées de deux parents et de deux enfants, que la famille est en train de disparaître une fois pour toutes. Selon moi, le problème central, primordial, n'est pas là. Il est évident que la cellule familiale est menacée de toutes parts, et les enfants qui ont connu le moindre semblant de famille l'idéaliseront; une fois adultes, ils voudront en recréer les valeurs positives pour leurs propres enfants.

La plus grande menace me semble venir des facteurs étrangers à l'amour qui agissent quelquefois sur la vie de la famille: matérialisme débridé, rivalité excessive, manque de convictions d'ordre spirituel, absence de joie et de satisfaction dans le travail, disparition de la famille étendue et de la collectivité restreinte et unie.

L'une des solutions que je propose face à ces déficiences et à ces contraintes — et que j'essaie d'expliquer dans le présent ouvrage —, c'est d'abord d'inculquer à nos enfants une forte envie non pas tant d'avancer dans la vie que de servir son prochain dans un esprit de coopération, de bonté et d'amour. Ils ne trouveront pas là un sacrifice, mais une inspiration.

L'autre solution, c'est de reconquérir nos gouvernements, de les arracher aux groupes de pression comme les fabricants d'armes et les entreprises géantes pour qui la seule quête est celle du profit maximum. Bien sûr, la recherche du profit est importante dans notre société, mais elle peut être humanisée. Il faut que nous nous intéressions davantage à la scène politique et que nous y devenions plus actifs, afin que nos gouvernements s'attachent à satisfaire nos besoins.

PREMIER CHAPITRE

L'angoisse dans nos vies

- POUVONS-NOUS RÉDUIRE NOS TENSIONS?
- TRAVAILLER OU NON À L'EXTÉRIEUR
- DES ENFANTS? PLUS TARD...
- POUVONS-NOUS ÉLEVER DES SUPERENFANTS?
- ENLÈVEMENTS ET ATTENTATS À LA PUDEUR

• POUVONS-NOUS RÉDUIRE NOS TENSIONS?

Pourquoi sommes-nous si tendus? D'abord, nous avons perdu les sources de sécurité et de réconfort auxquelles nos ancêtres recouraient il y a seulement quelques générations. Nous ne sommes même pas conscients de ce que nous avons perdu.

À l'époque où une grande partie de l'univers était considérée comme mystérieuse et connue seulement de Dieu, un nombre beaucoup plus grand d'entre nous étaient convaincus d'avoir été créés à Son image et d'être guidés par Lui à chaque heure du jour. Aujourd'hui, les sciences semblent s'être emparées du gros de l'autorité jadis dévolue à Dieu, et pourtant elles sont trop impersonnelles pour servir de guides. Pis encore, elles nous ont fragmentés et réduits au point de nous faire nous sentir pareils à de simples machines biologiques et psychologiques, à peine plus complexes que des animaux qui s'adapteraient à divers contextes sociologiques. C'est ainsi que nous avons perdu beaucoup de notre dignité d'individus. Nous n'avons plus d'âme.

Naguère les gens vivaient avec leurs parents ou près d'eux, dans le cadre de la famille étendue. Les jeunes couples trouvaient facilement de l'aide pour les soins des enfants, pour aplanir des difficultés conjugales ou mettre fin à des crises financières, ou en cas de maladie. Ils avaient toujours une gardienne sous la main. Voilà qui procurait un sens profond de sécurité affective, mais nous sommes trop ignorants pour que cela nous manque. En fait, nous avons pitié du couple qui accepte de prendre un grand-parent à la maison: «Ces pauvres Dupont, ils doivent vivre avec la mère de madame!»

La plupart d'entre nous ont déjà vécu au sein d'une petite collectivité unie, où ils étaient bien connus et pouvaient compter sur leurs voisins. Inversement, ils se sentaient obligés d'aider les autres et de participer aux affaires locales. De nos jours, pour trouver de meilleurs emplois, les jeunes se dépêchent de partir pour la grande ville où ils ne peuvent compter que sur eux-mêmes et où ils se sentent isolés. Ils ont tendance à déménager souvent; ils ne prennent pas racine. Nous considérons cette situation comme allant de soi, mais elle n'est pas sans exiger un fort tribut.

Les mères, comme les pères, travaillent à l'extérieur dans cinquante pour cent des familles comptant des enfants d'âge préscolaire. Quels que soient leurs motifs — d'ordre financier ou émotionnel —, elles ont droit à un travail, à une carrière. Toutefois, nous n'avons malheureusement pas résolu le problème que constitue la pénurie de garderies de qualité. Celles-ci doivent être subventionnées par l'État ou par l'industrie, mais nos gouvernements se disent financièrement incapables de le faire. C'est ainsi qu'un grand nombre de nos enfants sont négligés. Les effets de cette privation marqueront leur personnalité toute leur vie.

Les tensions de notre société contribuent sûrement au taux de divorce élevé que nous connaissons et qui a doublé au cours des quinze dernières années. Le divorce, en soi, crée de nouveaux symptômes de mal-être chez les enfants — et chez chacun des parents — pendant au moins deux ans. Viennent ensuite les tensions causées par la famille reconstituée, tensions qui peuvent durer de nombreuses années et qu'on ne peut imaginer avant de les avoir connues, comme j'en ai fait l'expérience. On prévoit que, d'ici le milieu des années 90, il y aura aux États-Unis plus de familles reconstituées que de familles ordinaires. Pour la première fois, les cellules familiales originelles deviendront la minorité.

Les facteurs qui contribuent à la hausse du taux de divorce sont la brièveté des fréquentations avant le mariage et la précocité du mariage dans la vie. Je soupçonne l'existence d'un autre facteur: le fait que de nombreux jeunes ont profité de tous les biens matériels et de tous les privilèges que leurs parents pouvaient leur offrir, y compris, dans certaines familles, la voiture reçue au seizième anniversaire. Voilà qui dépasse de loin ce que les jeunes s'attendent à recevoir dans d'autres pays industrialisés. La plupart de nos collèges et de nos universités n'ont pas eu autant d'exigences académiques qu'ailleurs au monde. En d'autres mots, nombre de jeunes ont pu obtenir presque tout ce qu'ils ont voulu sans fournir grand effort. Ils s'attendent donc à ce que leur mariage leur apporte tous les plaisirs et toutes les satisfactions imaginables. Ils ne sont pas conscients — leurs parents ne le leur ont pas dit — de ce que le mariage est un jardin que l'on doit cultiver sans cesse pour qu'il survive, avant même qu'il soit question de l'améliorer.

Les êtres humains, de par leur nature, trouvent beaucoup de satisfaction, dans les sociétés non industrialisées, à créer des objets beaux et bien faits, que ce soit pour les utiliser chaque jour — vases, contenants, outils, vêtements, décorations — ou pour les vendre. Mais notre approche du type «travail à la chaîne», dans les bureaux comme dans les usines, est plus efficace et plus rentable. Elle a donc privé des millions d'individus de toute satisfaction dans le travail, à part la paye. Les ouvriers européens ou nord-américains se plaignent de plus en plus de l'ennui et de la tension engendrés par un travail dénué de sens.

Notre société repose essentiellement sur la compétition. On compare les enfants les uns aux autres, à l'école comme à la maison, pour les inciter à fournir plus d'efforts. Certains parents les inscrivent à des cours du soir — musique, danse, athlétisme — ou les envoient dans des écoles spécialisées pour qu'ils apprennent, qui l'informatique, qui le tennis, qui le soccer. Dans les sports, on met moins l'accent sur le plaisir, des petites ligues aux ligues universitaires, que sur la performance et sur la victoire.

L'exemple le plus ridicule d'esprit de compétition exagéré, c'est celui où on tente de créer des superenfants en enseignant aux petits, à un an, à reconnaître Beethoven sur des petits cartons, ou encore à lire à l'âge de deux ans. Aucune recherche n'a jamais prouvé que l'acquisition précoce de telles habiletés ait plus tard quelque effet bénéfique. (Au moins nous n'avons pas encore atteint le degré de pression que l'on exerce sur les enfants au Japon, où un nombre choquant et grandissant d'entre eux se suicident au cours de leurs années d'école élémentaire parce qu'ils estiment que leurs notes ne satisferont pas leurs parents.)

Par ailleurs, dans le monde adulte, les cadres supérieurs souffrent très souvent d'ulcères et négligent souvent femme et enfants dans leur course effrénée vers le sommet ou dans leurs efforts pour y rester.

Pour nous, une partie du problème provient de ce que notre société est trop matérialiste. Toutes les sociétés doivent l'être jusqu'à un certain point, mais dans la plupart des régions du monde, ce matérialisme est compensé par des convictions spirituelles: devoir servir son Dieu (comme en Iran), faire passer sa famille avant ses désirs personnels (comme dans certains pays d'Europe) ou devoir servir son pays (comme en Israël).

Au cours des vingt dernières années, le taux de suicide chez les adolescents a quadruplé en Amérique. La raison principale, à mon avis, c'est que les convictions des jeunes ne sont pas suffisamment fortes pour les soutenir durant ces années déroutantes et stressantes de leur vie. Une autre raison, dont l'authenticité est bien établie, c'est leur découragement devant la possibilité que l'holocauste nucléaire ait lieu avant qu'ils n'aient eu le temps de se marier ou d'entreprendre une carrière.

La violence au foyer est à la fois la cause et l'expression des tensions qui fermentent dans beaucoup de familles. La brutalité à la télévision et au cinéma multiplie les cas de violence dans la société. Car les statistiques ont prouvé que chaque fois qu'un adulte ou un enfant assiste à des actes de violence, il se désensibilise et devient plus brutal. Pourtant, on estime que l'enfant américain moyen aura regardé dix-huit mille meurtres avant d'avoir atteint ses dix-huit ans. C'est ainsi que nous créons par centaines de milliers des gens insensibles et violents. Cela ne revient pas à dire qu'un enfant élevé par de bons parents deviendra une brute. Mais tout le monde est plus ou moins poussé dans cette direction.

Il y a aussi la peur de l'anéantissement nucléaire, que nous prévoyons dans un avenir assez rapproché, mais contre lequel peu d'entre nous prennent des mesures politiques. Cette crainte est justifiée. Chaque président parle de désarmement pour la forme, mais trouve toujours des excuses pour amasser encore plus d'armes de destruction. Les sondages d'opinion révèlent que de soixante à soixante-dix pour cent des gens sont en faveur d'un désarmement négocié et vérifiable, parce que la course aux armements ne nous a pas apporté plus de sécurité, au contraire. Il semble clair que seul le désarmement nous permettra de léguer un monde intact à nos enfants et à nos petits-enfants. Il me semble également clair, maintenant, que les gouvernements ne peuvent procéder au désarmement en raison de nombreuses pressions exercées sur eux: la puissance politique et financière des fabricants d'armes, l'appétit insatiable du Pentagone et ses cris d'alarme répandant partout que les Soviétiques sont sur le point de nous devancer, et la peur de la plupart de nos élus d'être accusés par leurs adversaires politiques de négliger la sécurité nationale et d'être dupes des Russes. Je crois donc que seul le peuple peut obtenir le désarmement, par ses votes mais aussi par des pressions politiques continues. Jusqu'à maintenant, seul un faible pourcentage de ceux qui croient au désarmement sont assez motivés pour amorcer de telles pressions de masse.

Cette litanie de tensions et d'horreurs n'est pas destinée à vous déprimer ou à vous paralyser. Je crois que nous pouvons résoudre tous nos problèmes si nous arrivons d'abord à les reconnaître. Mes solutions peuvent se ranger sous deux grandes rubriques: éducation des enfants et action politique.

Une autre façon d'élever ses enfants

Je crois que nous devrions élever nos enfants en exerçant sur eux *beaucoup* moins de pression relativement à l'esprit de compétition et à l'avancement: plus jamais de comparaison entre les enfants, ni à l'école ni à la maison, pas de notes non plus. Que l'athlétisme redevienne un divertissement et qu'il soit organisé par les enfants et les adolescents eux-mêmes.

Plutôt que d'élever nos enfants en leur présentant la réussite comme objectif principal, je crois que nous devrions leur inspirer des idéaux: rendre service aux autres, coopérer avec eux, être bons et les aimer. Nul besoin de prêcher ces valeurs avec grandiloquence. L'exemple des parents est le meilleur outil d'apprentissage. En outre, les êtres humains qui ont été élevés dans l'amour aiment rendre service aux autres, et cela permet aux enfants de se sentir bien dans leur peau et plus mûrs.

Vers l'âge de deux ans, l'enfant veut, par exemple, dresser la table. On devrait lui permettre de disposer les couverts — qui ne risquent pas d'être cassés —, le complimenter sur son obligeance et l'encourager à l'occasion en lui promettant qu'un jour il pourra disposer les assiettes. Cependant, quand il oublie de rendre service, vous devez réprimer l'envie de le gronder. Il faut lui rappeler gentiment à quel point son aide vous est précieuse, comme vous le feriez avec un bon ami qui partagerait votre foyer. (Dans les garderies, jour après jour, le personnel encourage les enfants à ranger leurs jouets et à aider à servir et à desservir.) On devrait encourager les adolescents à faire du bénévolat dans les hôpitaux ou à donner des leçons particulières aux plus jeunes.

On ne devrait pas donner de notes à l'école. (J'ai déjà enseigné dans une école de médecine qui avait aboli les notes avec beaucoup de succès.) Les notes dressent les étudiants les uns contre les autres. Elles font croire à tort aux étudiants et aux enseignants qu'apprendre c'est mémoriser les exposés de l'enseignant. Mais le véritable apprentissage, celui qui prépare l'individu à jouer le mieux possible son rôle de travailleur, de citoyen et de membre d'une famille, s'acquiert quand on pense, sent, expérimente, assume des responsabilités, prend des initiatives et résout des problèmes. Il faut aussi qu'on soit créatif. L'enseignant fournit l'environnement et le matériel, et il attire l'attention sur tous les problèmes qui se présentent. L'étudiant fait le reste.

J'espère que les parents vont finir par se débarrasser de la conviction fort répandue selon laquelle les punitions corporelles sont nécessaires. Certes, la plupart des parents ont parfois envie de frapper l'enfant quand, par exemple, celui-ci brise délibérément un de leurs précieux objets. Pourtant, dans certaines parties du monde, il ne viendrait jamais à l'idée d'un adulte de frapper un enfant. Sur le plan personnel comme sur le plan professionnel, j'ai connu des douzaines de familles chez qui les parents n'ont jamais levé la main sur leurs enfants — ni ne les ont puni ou humilié — et dont les enfants étaient pourtant extrêmement coopératifs et polis. Les enfants ont naturellement tendance à se comporter de façon responsable.

Le superviseur ou contremaître efficace qui veut corriger un subalterne ne l'attrape pas par le bras pour ensuite le fesser ou le gifler. Il le fait venir dans son bureau et il lui explique comment il veut que le travail soit fait. Dans la plupart des cas, le subalterne essaiera de s'améliorer. Il en va de même avec les enfants quand on les traite avec respect.

Il y a plusieurs malentendus, je crois, en ce qui concerne les punitions corporelles. Elles enseignent aux enfants que la force prime le droit et transforment certains d'entre eux en véritables petites brutes. Et, si l'enfant se comporte mieux, ce sera seulement de crainte d'être battu. Il vaut mieux qu'il se conduise bien par amour de ses parents et parce qu'il souhaite leur plaire et devenir comme eux plus tard.

Je crois fermement qu'on ne devrait pas permettre aux enfants de voir des scènes violentes à la télévision ou au cinéma, que ce soit dans des dessins animés ou dans des spectacles joués par de vrais acteurs. Ditesleur simplement et avec conviction: «Il y a déjà trop de meurtres et de souffrances dans le monde.»

C'est avec ces mots que je refuserais aussi de donner à un enfant des revolvers et d'autres jouets d'inspiration militaire, bien que je ne le gronderais pas s'il se servait d'un bâton comme d'un revolver pour jouer avec ses petits camarades.

Engagement politique des parents

Comment obtenir les subventions gouvernementales nécessaires à la mise sur pied de garderies de qualité dont sont privés des millions de jeunes couples et leurs enfants? Comment obtenir de meilleures écoles primaires et secondaires, dont les classes seront moins nombreuses et les enseignants mieux formés, surtout pour les enfants des quartiers défavorisés? (Ce sont ces enfants qui ont le plus besoin d'écoles de qualité, de façon à pouvoir rattraper les enfants des quartiers aisés.) Comment obtenir un système universel de soins de santé de qualité? Comment obtenir des installations récréatives et des logements décents? Certainement pas en nous tordant les mains de désespoir. Il faut que nous devenions plus actifs dans le domaine politique. De nos jours, la moitié d'entre nous seulement se donnent la peine de voter. Et ceux qui le font semblent accorder plus d'importance à la personnalité des candidats qu'à leurs programmes. (De soixante à soixante-dix pour cent des Américains se disent en faveur du désarmement, mais ont élu et réélu Nixon et Reagan, deux champions déclarés de la course aux armements.)

Les Américains ont prouvé qu'ils pouvaient inonder de lettres et de télégrammes leurs représentants à Washington pour leur manifester leur opposition à telle taxe proposée ou à telle réduction de la sécurité sociale des retraités. Pourtant, bien peu nombreux sont ceux qui sont suffisamment motivés par le désarmement pour s'engager politiquement. Serait-ce que les taxes et la sécurité sociale paraissent être l'affaire des citoyens, alors que le désarmement serait celle des gouvernements, question trop importante ou trop technique pour les gens ordinaires? L'action politique — ne serait-ce que le fait d'envoyer des lettres ou de manifester dans la rue — semble peu prisée. J'ai entendu des gens dire que la politique, c'est toujours sale. Des pères disent à leurs fils: «Ne t'occupe pas de politique. Occupe-toi plutôt d'avancer dans la vie.» Certains m'ont critiqué pour avoir débordé de mon rôle de médecin et avoir versé dans la politique. À ceux-là je répondrai que mon engagement découle d'un prise de conscience de ce que les garderies, les bonnes écoles, l'assurance-maladie et le désarmement nucléaire sont des aspects beaucoup plus importants de la pédiatrie que le vaccin contre la rougeole ou la vitamine D.

Nous devons voter. Bien voter. Quand nos élus sortants nous ont déçus et menacent de nous décevoir encore, nous pouvons travailler à la nomination de candidats qui partagent nos opinions. Et une fois ceux-ci élus, nous devons les surveiller et observer les positions qu'ils adoptent face aux grandes questions. Envoyer des lettres et des télégrammes n'est pas peine perdue: c'est un moyen efficace de faire savoir ce que nous pensons. Les officiels calculent que pour chaque lettre reçue il y a des milliers de citoyens du même avis qui n'ont pas écrit. Ne vous en faites pas si vous faites des fautes. Il suffit que vous exprimiez clairement de quel bord vous êtes.

Vous pouvez participer aux grandes manifestations à Washington, à Paris, à Bruxelles ou à Genève, ou vous pouvez organiser une petite manifestation dans votre localité, devant un édifice gouvernemental, un bureau de poste ou le bureau d'un officiel. Si vous avez épuisé toutes les possibilités et que vous vous désespérez de n'arriver nulle part, vous pourriez envisager la désobéissance civile non violente. C'est celle-là qui attire le plus l'attention des médias. Il est sage d'enrôler au moins un membre du clergé courageux pour vous rassurer sur le bien-fondé de votre cause et pour impressionner la police. Il est nécessaire de recruter un avocat ou deux qui ont l'intérêt du public à cœur, pour trouver ce que la loi dit au sujet de l'action projetée, pour aviser les autorités, pour organiser le paiement des cautions et des amendes et pour représenter les manifestants devant le tribunal.

Il existe de nombreuses activités d'ordre politique qui peuvent servir à promouvoir telle ou telle cause. Choisissez celle qui vous convient le mieux. Ce qui compte le plus, c'est de ne pas lâcher, mois après mois, année après année. Ce sont la quantité et la durée qui comptent.

• TRAVAILLER OU NON À L'EXTÉRIEUR

Pour la mère d'un nourrisson ou d'un enfant d'âge préscolaire (les soins à l'enfant peuvent constituer une occupation à plein temps au foyer), choisir de travailler à l'extérieur est une décision difficile à prendre. Beaucoup de facteurs doivent être considérés: Jusqu'à quel point le travail est-il important pour la mère, des points de vue financier, affectif ou psychologique? Le père et la mère peuvent-ils organiser leurs heures de travail de sorte que l'un d'eux soit là durant les heures de veille de l'enfant? Une grand-mère, une tante ou un autre membre de la famille pourrait-il prendre soin de leur enfant ?

La mère a-t-elle déjà travaillé, dans le domaine choisi, assez longtemps et avec assez de succès pour être sûre de retrouver un poste chez son ancien employeur ou ailleurs si elle décide de quitter son emploi? Quelle est la situation dans sa localité pour ce qui est de l'accès aux garderies et de leur qualité? La mère préférerait-elle rester au foyer pendant une ou plusieurs années, peut-être jusqu'à ce que son benjamin commence l'école ou ait au moins trois ans et puisse être confié à une bonne garderie ou à une maternelle? (Le Gouvernement devrait octroyer des subventions pour les parents qui n'ont pas les moyens de rester à la maison.)

Certains spécialistes en développement de l'enfant croient que seuls la mère ou le père peuvent donner au bébé ou au jeune enfant les soins idéaux, en raison de l'intimité et de la permanence de leur relation. Mais la majorité d'entre eux croient, comme moi, que les soins donnés à l'enfant durant les heures de travail des parents peuvent être satisfaisants s'ils sont prodigués par un puériculteur bien formé travaillant dans une garderie de qualité, ou par une femme donnant d'excellents soins dans son propre foyer, ou d'un grand-père, d'une grand-mère, d'un oncle, d'une tante ou d'une gardienne à plein temps qui soit fiable. Il est essentiel, toutefois, que la personnalité et l'attitude de la personne choisie soient satisfaisantes.

La personne choisie devrait être en mesure de donner à l'enfant des soins de type maternel ou paternel, c'est-à-dire l'aimer sincèrement, respecter sa personnalité propre, manifester sa joie devant ses petites réussites (ce qui encouragera l'enfant), et le diriger avec gentillesse et tolérance.

Pour ce qui est des enfants de trois à cinq ans, il ne devrait pas y en avoir plus de sept sous la garde du même adulte. Dans le cas des enfants de moins de trois ans, la limite devrait être de trois par adulte. On parle de garde en milieu familial quand le nombre d'enfants est réduit et que les soins sont donnés dans un domicile privé.

Si vous envisagez de recourir aux services d'une garderie ou à la garde en milieu familial, vous devriez vous rendre plusieurs fois aux endroits proposés et y rester chaque fois quelques heures pour être bien sûr que l'esprit dans lequel les soins sont donnés ainsi que le lieu physique vous conviennent. Demandez-vous si les adultes y passent le plus gros de leur temps à donner des instructions générales au groupe ou s'ils gardent l'œil ouvert pour trouver l'enfant qui aurait des difficultés. Voyez-vous un enfant qui, aux prises avec un jouet, aurait besoin d'un petit coup de pouce? Ou d'autres qui se chamaillent et à qui on devrait révéler les joies du jeu d'équipe? Ou un autre enfant qui se serait fait mal et qui aurait besoin d'être consolé?

Bien sûr, il devrait y avoir dans cet endroit suffisamment de jouets et de jeux qui fassent appel à l'imagination. Pour les enfants de trois à cinq ans: des blocs, des poupées, des accessoires de maison, des chevalets et de la peinture pour enfant, de la pâte à modeler, des petites voitures, des tricycles, des petits trains, une cage à poules, un carré de sable. Pour les enfants âgés de moins de trois ans les jeux et activités sont tout aussi indispensables, même s'ils peuvent être plus simples.

Autrefois, les femmes qui s'attendaient à travailler à l'extérieur avaient tendance à avoir leurs enfants relativement tôt après le mariage et à rentrer sur le marché du travail quand ceux-ci avaient de un à six ans. Toutefois, ces dernières années, de plus en plus de femmes se sont d'abord lancées dans une carrière pour ensuite avoir des enfants à la fin de la vingtaine ou au début de la trentaine. Ainsi, elles ont calmé tout doute intérieur sur leur capacité d'obtenir de bons postes. Une fois le bébé arrivé, ces mères ont été en meilleure position pour décider si elles voulaient retourner sur le marché du travail à temps plein ou à temps partiel, ou si elles voulaient prendre une année ou plus de congé, jusqu'à ce que l'enfant soit prêt, à trois ans, à aller à la garderie, à cinq ans, à la maternelle et, à six ans, à l'école. À ce moment-là, il se pourrait bien que le père gagne davantage, ce qui, du point de vue financier, permettrait à la mère d'abandonner temporairement son travail.

Des études ont prouvé qu'il ne faut pas nécessairement avoir ses enfants quand on est jeune. En général, les parents plus âgés sont plus souples, plus tolérants, plus compréhensifs et plus heureux avec leurs enfants.

Les bébés et les enfants de moins de trois ans sont particulièrement sensibles à la séparation d'avec celui qui a été le dispensateur principal des soins. Même des bébés âgés d'à peine six mois deviennent déprimés quand ils sont abruptement séparés de leur mère et confiés à une personne inconnue. À deux ans ou deux ans et demi, la même séparation leur fait perdre leur entrain. L'intensité du chagrin de l'enfant n'apparaît qu'au retour de la mère. L'enfant, disons que c'est une fille, s'élancera vers sa mère et s'accrochera à elle. Alarmée, elle pleurera et criera aussitôt que sa mère quittera la pièce. Elle repoussera la gardienne qu'elle avait acceptée durant l'absence de sa mère. Quand cette dernière tentera de la laisser dans son petit lit, à l'heure du coucher, l'enfant s'accrochera à elle sans lâcher prise. Si la mère parvient à se libérer et se dirige vers la porte de la chambre, l'enfant, même si elle est très petite et n'est jamais sortie seule de son lit, sautera sans hésiter par-dessus les barreaux et courra après elle. Il faudra des mois à la mère pour rassurer l'enfant ainsi effrayée.

Pour éviter ces situations, il faut préparer l'enfant à la séparation sur une période d'au moins deux semaines, en le mettant graduellement en présence de la gardienne ou de la personne qui remplacera la mère. Faites venir cette personne à la maison de plus en plus longtemps à chaque visite, sans qu'elle fasse rien directement pour l'enfant, sinon tenter de l'apprivoiser de loin. Une fois cette personne acceptée par l'enfant, elle pourra l'aider à s'habiller ou lui apporter à manger. Quand cette étape se déroulera sans anicroche, la mère pourra quitter la maison, pas plus d'une demi-heure la première journée, une heure le lendemain, et ainsi de suite. Au premier signe de panique, la gardienne devrait s'arrêter, pour ensuite procéder plus doucement.

Si l'enfant est amené dans un autre foyer pour une garde en milieu familial, les mêmes principes s'appliquent: l'enfant fera d'abord plusieurs courtes visites en compagnie de sa mère jusqu'à ce qu'il se sente chez lui, puis la mère l'y laissera une demi-heure, pour ensuite allonger graduellement cette période de séparation. Voilà qui peut sembler coûteux en temps et en argent. Mais cela en vaut bien la peine si l'on veut épargner à l'enfant la panique de la séparation qui pourrait l'affecter pendant des mois et mettre la mère dans l'impossibilité de travailler à l'extérieur.

Après l'âge de trois ans, l'enfant risque moins de subir la grave angoisse de la séparation. Mais je recommande quand même l'introduction graduelle de l'enfant dans la garderie, au moins les premiers jours, pour voir comment il s'y adapte. Par la suite, procédez plus ou moins vite, selon ses réactions.

Travailler à temps plein ou à temps partiel ?

Pour nombre de femmes, le meilleur compromis, quand il est possible, c'est le travail à temps partiel. Celui-ci permet à la mère de vivre avec son enfant, durant ses années formatrices, le gros de l'intimité qu'elle ne veut pas perdre, sans pour autant renoncer complètement à son travail. De plus, le travail à temps partiel permet à la mère d'échapper au sentiment d'emprisonnement au foyer qu'éprouvent souvent les femmes, surtout après la naissance du premier enfant, celui qui met fin à leur liberté.

Par souci d'équité, le père devrait être disposé à réduire ses activités et à travailler à temps partiel, de sorte que la mère ne soit pas obligée de sacrifier une trop large partie de son travail à l'extérieur. Toutefois, certains pères ne sont pas encore prêts à jouer le rôle traditionnel de la mère et, même dans les familles où ils le sont, il se peut que ce ne soit pas possible dans la pratique. Le fait demeure que — et c'est une injustice — l'homme gagne beaucoup plus que la femme, à travail égal. Aussi, le père qui réduit ses activités pour ne travailler qu'à temps partiel impose à sa famille un sacrifice financier plus important que si c'est la mère qui renonce au gros de son travail. En outre, quand les entreprises donnent à leurs employés de longs congés à la suite d'une naissance, ce sont presque toujours des congés de maternité et non de paternité.

Les bonnes garderies et la garde en milieu familial coûtent cher, beaucoup plus cher que ce que peuvent se permettre les familles à revenus modestes, mais la plupart des pays européens sont allés assez loin dans leurs subventions aux garderies, que ce soit par des contributions de l'État, de l'entreprise ou des deux.

Au cours des siècles passés, et des dernières générations, les femmes ont pensé que la famille était ce qui comptait le plus dans la vie. (Moi-même, je l'ai pensé.) Mais dans leur croisade pour obtenir égalité et justice, surtout dans le mouvement de libération de la femme lancé au début des années 70, nombre de féministes ont défini l'égalité surtout en termes de parité salariale et d'égalité des chances dans l'accession aux postes prestigieux, deux choses auxquelles elles ont certainement droit. Le salaire et le prestige ont toujours été les grands objectifs des hommes dans une société excessivement compétitive et matérialiste. Par conséquent, dans un sens et jusqu'à un certain point, on peut dire que les femmes acceptent maintenant les valeurs des hommes. Ou, en termes plus brutaux, disons que nombre d'entre elles se jettent dans la mêlée. Soit dit en passant, les femmes souffrent de plus en plus d'ulcères d'estomac et de crises cardiaques, deux maux naguère considérés comme spécifiques aux hommes stressés et ambitieux.

La question de déterminer sur quelles valeurs nous devrions mettre l'accent à l'avenir me touche particulièrement et de plusieurs façons. Pendant toute ma carrière d'enseignant à la faculté de médecine, une de mes grandes préoccupations a été d'aider les étudiants (surtout des hommes dans la plupart des écoles) à être sensibles aux émotions de leurs patients, celles-ci étant étroitement liées à leur maladie. En d'autres mots, j'ai essayé de contrer la tendance des garçons, due à leur éducation, d'étouffer leurs sentiments et de dépersonnaliser leurs rapports avec les autres, au sein de leur famille ou de leur milieu de travail. Cette tendance handicape particulièrement le médecin dans son travail; il fera souvent de mauvais diagnostics, s'il ne tient pas compte des facteurs émotionnels.

Dans ma pratique de pédiatre, et dans mon livre *Comment soigner et éduquer son enfant*, je me suis efforcé de persuader les pères de prendre soin eux aussi de leurs enfants.

En tant que militant pour la paix, je suis consterné de constater à quel point l'agressivité et la violence sont encouragées par la télévision, le cinéma et les jouets de guerre; cela poussera les peuples encore plus loin dans la course aux armements. De plus, cette violence et cette agressivité excessives s'attaquent à notre vie quotidienne.

Plutôt que de voir les femmes adopter le goût de la compétition excessif des hommes, il aurait tellement mieux valu que les hommes aient eu le bon sens de reconnaître qu'ils poursuivaient des idéaux néfastes et que la vie familiale, la participation aux affaires du quartier et les relations chaleureuses et coopératives — au foyer, dans la collectivité et au travail — sont des aspects essentiels de la vie et que les deux sexes devraient faire passer le travail à l'extérieur au troisième rang de leurs priorités.

Qu'est-ce que tout cela a à voir avec le travail des femmes à l'extérieur du foyer? J'essaie d'encourager les femmes, qu'elles travaillent par choix ou par nécessité, à ne pas commettre la même erreur que les hommes en croyant que le travail à l'extérieur du foyer est plus important et plus stimulant que la famille.

• DES ENFANTS? PLUS TARD...

Autrefois on croyait volontiers que le couple devait avoir très tôt des enfants. Ces parents auraient ainsi été plus souples, plus proches en esprit de leurs enfants (comme s'il s'agissait d'une épreuve d'athlétisme que remporteraient ceux qui auraient le plus d'endurance). Élever des enfants requiert de l'endurance, c'est sûr. Mais une étude effectuée il y a une génération montre que c'est surtout la compréhension et la tolérance qui sont nécessaires, et que ces deux qualités, en moyenne, sont mieux développées chez les parents dans la trentaine que chez ceux qui sont encore dans la vingtaine. En outre, la relation parent-enfant et le degré d'adaptation de l'enfant sont jugés meilleurs quand les parents ont plus de trente ans.

En essayant de m'expliquer ces résultats, j'en suis venu à la conclusion que les parents très jeunes sont encore eux-mêmes si près de l'enfance, mais en même temps si fiers d'avoir dépassé ce stade, qu'ils refusent d'admettre que leur enfant soit un enfant. Je donnerai deux exemples de cette intolérance. Au cours d'une entrevue avec une adolescente de quatorze ans, je lui ai demandé comment était son petit frère de dix ans. Elle était si irritée par sa grossièreté et par son manque de tact, qu'elle ne put réagir autrement que par un grognement de dégoût. Si elle avait eu quelques années de plus, elle aurait pu lever les yeux au ciel et sourire avec indulgence à l'idée du manque de raffinement de son frère. Un autre exemple d'intolérance: une jeune mère de seize ans, à qui on demandait comment se portait son nouveau bébé, fronça les sourcils et déclara: «Il n'est pas sage.» Des questions plus poussées firent ressortir que ce qu'elle désapprouvait avec tant d'indignation n'était en fait que l'irritabilité toute naturelle des jeunes bébés.

Autrement dit, il se peut que vous tiriez plus de joie de vos bébés et eux de vous si vous les mettez au monde dans la trentaine.

J'ai beaucoup lu au sujet des jeunes femmes qui se trouvent sur le marché du travail pour la première fois et j'ai écouté beaucoup d'entre elles. J'ai appris que, dans notre société pleine de préjugés où elles se font souvent dire que «les femmes ne font pas d'aussi bons ingénieurs (physiciens, administrateurs, etc.) que les hommes», elles doutent de leur capacité de réussir dans le champ d'activité choisi, surtout si elles nourrissent de hautes ambitions. À ce point de vue, ce type de femmes pourraient avoir avantage à lancer leur carrière tôt, à franchir plusieurs niveaux de réussite, à asseoir leur réputation et à se convaincre qu'elles ont ce qu'il faut. Ensuite il leur sera plus facile de prendre un congé pour s'occuper de leur enfant à temps plein ou à temps partiel, en gardant à l'esprit la perpective de reprendre plus tard une carrière à temps plein. Je ne dis pas qu'entrer tôt dans la carrière et reporter à plus tard la naissance des enfants se révélera être la meilleure décision pour toutes les femmes. Mais j'en connais un grand nombre pour qui cette décision a été bénéfique. Elle est conforme à la tendance actuelle d'attendre la vingtaine avancée avant de se marier.

Les parents de trente ans et plus se sentent plus solides et sont moins centrés sur eux-mêmes. Ils peuvent voir et sentir ce qu'est un bébé et ce dont il a besoin.

Je ne veux pas insister sur la différence entre ces deux catégories de parents au point de décourager les couples qui souhaitent avoir des enfants dans la vingtaine. Je tiens simplement à détruire la croyance selon laquelle il vaut toujours mieux avoir ses enfants avant trente ans.

• POUVONS-NOUS ÉLEVER DES SUPERENFANTS?

Pouvez-vous élever des superenfants? C'est ce que croient quelques psychologues et certains parents.

Les parents inquiets qui entendent dire que dans certains programmes on apprend à lire à des enfants de deux ans, ou à des enfants d'un an à reconnaître le visage de Beethoven sur des cartons, peuvent en conclure qu'ils devraient faire profiter leurs enfants de ces programmes, même s'il n'existe aucune preuve que cet apprentissage précoce ait des effets bénéfiques à long terme.

Je me souviens d'une mère qui, il y a de nombreuses années, se plaignait de voir sa fille de onze ans devenir de plus en plus tendue et pleurer pour un rien. Une entrevue avec cette mère me révéla qu'elle avait inscrit sa fille à des cours d'équitation le lundi, de patinage le mardi, de danse le mercredi, de musique le jeudi, de ballet le vendredi et, le samedi, d'appréciation de l'opéra! En outre, son école avait des exigences académiques élevées et les enseignants demandaient aux élèves beaucoup de travail personnel. Quand j'ai suggéré à cette femme que la fatigue était peut-être une des sources du malaise de sa fille, elle s'est exclamée: «Mais tous ces cours sont si importants!»

J'ai connu des parents qui avaient peur que, si leur fils ne renonçait pas au biberon avant l'âge de un an ou s'il ne cessait pas de sucer son pouce avant l'âge de trois ans, il n'entre jamais à l'université, à l'école de droit ou dans le cabinet d'avocats choisi par le père de l'enfant. Ce type d'inquiétudes est particulièrement courant dans les familles où la réussite est reine. D'aucuns diront que c'est ainsi que le gratin reste le gratin.

Ce besoin de réussite est transmis d'une génération à l'autre. Les personnes dont on a exigé un rendement supérieur et chez qui on a fait naître l'angoisse de ne pas y parvenir exerceront probablement les mêmes pressions sur leurs enfants. D'autres parents disent qu'il est de leur devoir de donner à leur enfant, en ces temps difficiles, tous les avantages scolaires ou culturels possibles.

Nous vivons dans une société qui repose de plus en plus sur l'intelligence et sur l'éducation. Nous savons que le fait de négliger gravement les besoins intellectuels ou émotionnels du bébé ou de l'enfant peut sérieusement limiter sa capacité d'apprentissage. Mais cela ne prouve aucunement que la stimulation exagérée soit bénéfique.

En fait, je crois qu'une stimulation inadéquate peut être néfaste.

Où est le mal? La faille principale de ces programmes, c'est que l'impulsion vers l'excellence ne provient pas de l'enfant, mais bien de ses parents qui sont mus par leur propre soif de réussite. Ainsi, il se peut que les enfants regimbent, pour se protéger.

Quand il arrive que les parents réussissent à pousser leur enfant vers l'excellence dans l'un ou l'autre domaine, tel le ballet ou la musique, il se peut que le développement de celui-ci manque d'équilibre: égocentrisme, absence d'humour, insociabilité et quoi d'autre encore. Cet enfant peut également grandir en se disant que ses parents ne l'estiment qu'en raison de son talent spécial.

Inversement, s'ils ne réussissent pas de façon spectaculaire, certains enfants peuvent avoir le sentiment profond qu'ils ont déçu leurs parents et éprouver longtemps le sentiment d'avoir échoué.

Exercer des pressions excessives sur ses enfants peut faire d'eux des adultes obsédés par l'obtention du premier rang au point de ne tirer aucune joie de la vie ailleurs que dans l'univers restreint de la compétition. Ils ne donnent ni ne retirent aucune joie dans leurs relations avec leur conjoint, leurs enfants, leurs amis et leurs collègues. Ou encore, ils souffrent d'ulcères ou de maladies cardiaques précoces.

Le trop grand nombre de plans et de contrôles conçus pour les enfants les prive d'une partie de leur inclination naturelle à apprendre d'eux-mêmes et à atteindre un sain degré d'indépendance. Cela les prive également d'occasions de découvrir leurs propres centres d'intérêt et leurs propres passe-temps, si nécessaires à l'harmonie de leur développement et à leur réussite d'adultes. En fait, une étude portant sur l'enfance de personnes extraordinairement créatrices a fait ressortir chez elles un dénominateur commun: enfants, ces personnes se sont toutes vivement intéressées à quelque passe-temps ou projet (pas nécessairement lié à leur occupation ultérieure) et y ont persévéré.

Comment les bébés et les enfants stimulés de façon normale s'épanouiront-ils des points de vue affectif, social et intellectuel? L'amour joue un rôle essentiel dans ce processus. Les enfants font beaucoup d'efforts pour apprendre à se comporter comme les gens qu'ils aiment; les enfants mal aimés ne se donnent pas de modèles.

Quand un bébé est aimé, ses programmes innés continuent de se mettre en branle, les uns après les autres. Aussitôt qu'il est prêt à passer à l'étape suivante, il s'ouvre à de nouvelles activités. Les parents aimants qui le surveillaient et attendaient ses premiers sourires, ravis, lui ont répondu de leurs sourires à eux. Si ce merveilleux échange se poursuit pendant des mois, si le bébé est régulièrement nourri, embrassé et réconforté, il saura qu'il est aimé et qu'il peut avoir confiance en ses parents. Ces sentiments — amour et confiance — forment la base sur laquelle reposent le développement ultérieur de l'enfant et ses relations futures. Même l'intérêt qu'il accorde au monde extérieur et, plus tard, son aptitude à raisonner partent de cette base. Les enfants que l'on a privés de ces sentiments quand ils étaient bébés subiront les fâcheuses conséquences de cette privation.

Les parents encouragent naturellement le développement de leur bébé quand ils sont attentifs aux types de stimuli qui le font réagir, aux divers stades de sa jeune vie, et qu'ils lui fournissent des objets attrayants — images colorées ou mobiles à observer et, plus tard, poupées et jouets doux qu'il aura envie d'examiner et de câliner.

Les petits d'un an bougent sans cesse. Ils explorent, grimpent les escaliers avant même de savoir marcher. Leurs instincts les incitent à tenter de faire tout ce qu'ils peuvent par eux-mêmes; ils insistent pour tenir la cuiller quand on les nourrit. Encore plus remarquable est leur résistance aux incitations qui leur déplaisent: ils pourront dire non même s'il s'agit de leur activité préférée. Ils refusent qu'on les domine.

À deux ans, les enfants se développent en s'efforçant de copier les gestes de leurs parents, qu'il s'agisse de se brosser les dents, de s'habiller ou de se déshabiller. Instinctivement, les parents encouragent ce développement en manifestant leur joie devant chaque petite réussite de l'enfant. Le vocabulaire et les phrases apparaissent tout à coup vers la fin de la deuxième année; les parents devront les écouter attentivement.

Entre trois et six ans, l'enfant observe avec une intensité toute particulière le parent de son sexe, et il essaie de lui ressembler: par sa façon d'être, ses intérêts, ses sentiments aussi bien que par ses gestes. Voilà une étape cruciale du développement, beaucoup plus évidente dans les sociétés où les hommes et les femmes ont leurs occupations propres. Par une identification affective avec les parents, les enfants acquièrent un désir, qui sera permanent, d'accomplir le mieux possible le travail de leurs parents. Ils commencent par jouer à faire semblant. Plus tard, ils aident leurs parents ou deviennent leurs apprentis. (Dans notre société industrielle complexe, il est malheureusement plus difficile pour les enfants de se faire une idée des occupations de leurs parents à l'extérieur du foyer. En outre, le nombre d'occupations possibles est illimité.)

À cet âge-là, les enfants aiment qu'on leur fasse la lecture. Celle-ci stimule leur imagination et accentue leur désir de lire eux-mêmes plus tard.

Tous ces efforts de développement peuvent être encouragés ou étouffés, selon l'attitude des parents. On peut renforcer la soif d'autonomie de l'enfant en lui donnant l'occasion de s'exercer à de nouvelles techniques jusqu'à ce qu'il les maîtrise. Par contre, son envie d'apprendre et de mûrir peut être affectée si ses parents ou enseignants le reprennent constamment sans nécessité ou lui imposent un trop grand nombre d'activités.

Il existe toute une gamme d'activités agréables dans lesquelles les enfants d'âge scolaire s'engagent d'eux-mêmes sans planification: s'amuser avec des amis, jouer avec des poupées, organiser des jeux, lire des livres et travailler à toutes sortes de projets ou de passe-temps qu'ils ont eux-mêmes choisis. Il ne s'agit pas simplement de passer le temps de façon agréable. À l'encontre des exigences propres à notre société qui nous pousse de plus en plus vers une technologie froide et déshumanisée, ces activités nourrissent et réchauffent les sentiments de l'enfant. Elles lui enseignent la sociabilité, la coopération, le leadership, le respect de l'autorité, la créativité, le sens des responsabilités, l'indépendance d'esprit et l'autodiscipline. C'est ainsi que ces activités préparent l'enfant à une carrière satisfaisante et à de bonnes relations avec les autres.

Comparée à ces avantages, la valeur des cours parascolaires imposés me semble secondaire. Ce n'est pas que cette sorte d'instruction soit mauvaise ou sans importance. Mais on ne doit pas laisser les activités imposées prendre la place de celles qui sont spontanées.

Quand les deux parents travaillent à l'extérieur, les cours du soir peuvent être un moyen de ne pas laisser l'enfant sans surveillance. Idéalement, l'enfant devrait être engagé dans un programme, de préférence à son école habituelle, qui offre des activités adaptées à ses propres goûts et intérêts. Ces activités profiteront à l'enfant dans la mesure où il les aura choisies et où elles susciteront encore de l'enthousiasme chez lui et où le leadership, la responsabilité, l'initiative et la créativité seront laissés en grande partie aux enfants du groupe. On devrait choisir les moniteurs en fonction de leur popularité auprès des enfants. Il ne devrait y avoir aucun système de notes. Les possibilités sont infinies: athlétisme (les entraîneurs mettront l'accent sur le travail d'équipe et sur le divertissement plutôt que sur la performance ou la victoire à tout prix), informatique, menuiserie, électronique, peinture, musique, écriture, journalisme, philatélie, etc. De toute façon, que les deux parents travaillent ou non, ils devraient exiger de tels programmes de leurs écoles.

J'ai donné l'exemple de cette enfant à qui on imposait six activités parascolaires chaque semaine. Il ne lui restait plus de temps pour ses amis, pour la lecture, pour ses hobbies, pour s'amuser. Il est évident que, même si ses parents espéraient qu'elle s'épanouisse davantage ainsi, la fillette devenait de plus en plus stressée par toutes ces contraintes.

Je peux imaginer d'autres enfants aussi occupés qu'elle après l'école, mais à des activités qui répondent à leurs intérêts spontanés. Dans ces activités, ils sont eux-mêmes, ils cultivent leur curiosité et forment leur caractère. Ce qui importe, ce n'est donc pas le nombre d'heures durant lesquelles l'enfant devrait être occupé ou le nombre d'activités auxquelles il devrait s'adonner, mais bien l'esprit qui anime l'enfant quand il se lance dans ces activités ou qu'il les poursuit.

Pourquoi me suis-je donné la peine d'énumérer les activités bien connues des enfants? Simplement pour vous rappeler qu'il existe un merveilleux système qui fait que les enfants aimés tendent la main à leurs parents et au monde pour obtenir ce dont ils ont besoin. Au cours des siècles, cela a suffi pour produire un nombre incroyable d'individus brillants qui ont réussi dans la vie autant qu'à l'école.

Nul besoin donc de rechercher des cours parascolaires avancés nouveau genre. Je crois que la maternelle et l'école peuvent favoriser la créativité, l'esprit d'initiative, le sens des responsabilités et l'aptitude à résoudre les problèmes. Ces écoles devraient être des lieux d'amusement et de joie, plutôt que des prisons où l'on apprend à mémoriser et à se conformer. Évidemment, les cours au secondaire et à l'université doivent aller de pair avec l'informatisation et l'avancement technologique. Mais les enfants qui ont grandi dans la sécurité et dans la curiosité n'auront guère de difficulté à s'adapter à ces cours. Ce sont ceux dont on a étouffé la curiosité et qu'on n'a pas assez aimés qui auront du mal à suivre.

• ENLÈVEMENTS ET ATTENTATS À LA PUDEUR

Il a beaucoup été question dernièrement de deux mesures de sécurité pour les enfants, et de nombreuses municipalités les ont mises en application. Ces mesures semblent être d'un intérêt particulier. Moi-même, je serais en faveur de toute proposition qui offrirait une protection réelle. Mais je crois que, tout compte fait, ces précautions font plus de mal que de bien, en ce sens qu'elles effraieront des millions d'enfants, sans présenter quelque avantage que ce soit.

Il ne fait aucun doute que les enfants ont une imagination un peu morbide et qu'ils s'effraient facilement. Des études ont montré, par exemple, que les enfants qui entrent à l'hôpital pour y subir une intervention aussi bénigne qu'une amygdalectomie ont nourri toutes sortes d'appréhensions: l'opération est nécessaire parce qu'ils ont désobéi à leurs parents; on va leur trancher la gorge d'une oreille à l'autre; leurs parents ne pourront jamais les retrouver pour les ramener à la maison, etc.

Vous pouvez donc deviner ce que l'imagination fertile de l'enfant fera de l'allocution d'un policier ou d'un professeur sur les enlèvements, les viols et les meurtres. En outre, pour beaucoup d'enfants, le policier n'est pas symbole de protection mais de punition. On peut imaginer une fillette qui, après avoir croisé quelque vagabond sur le chemin de l'école, déclarerait à ses amies: «Ce matin j'ai rencontré un kidnappeur qui me regardait!»

En fait, la grande majorité des gens qui attentent à la pudeur des enfants sont bien connus de ces derniers: il s'agit d'un parent ou d'un ami de la famille que l'enfant avait jusqu'alors respecté. Comment un policier ou un professeur pourrait-il expliquer l'attentat sexuel ou avertir les enfants de se méfier des parents proches? Je crois que ce sont les parents qui peuvent le mieux faire ce travail, parce qu'ils connaissent bien les points sensibles de leurs enfants.

La grande majorité des enfants qui *disparaissent* entrent dans l'une des deux catégories suivantes: la première est celle des enfants qui sont *volés* par un parent divorcé qui n'a pas obtenu sa garde et qui est insatisfait des droits de visite; la deuxième catégorie est celle des fugueurs, surtout des filles, qui se sentent incompris ou mal aimés. Leurs empreintes digitales n'aideront personne à les retrouver. Quand il arrive que la police les retrouve, c'est parce que leur conduite les a fait remarquer. Ils ne tardent pas à révéler leur identité, en tout cas.

En réalité, la seule utilité des empreintes digitales que je voie, c'est d'accélérer l'identification d'enfants récemment assassinés qui, de toute façon, sont généralement identifiés sans délais, du fait que parents et police sont aux aguets.

Comment les parents, dans la mesure où c'est possible, peuvent-ils protéger leurs enfants contre les risques d'attentat à la pudeur?

À mon avis, il est plus facile et moins traumatisant de parler d'abord des avances sexuelles provenant d'autres enfants, de l'âge du vôtre ou plus âgés. La conversation déviera peut-être sur ce sujet quand votre enfant vous posera une question sur la sexualité, qu'il vous rapportera un incident de cette nature, ou que vous l'aurez surpris se livrant à des jeux de nature sexuelle. Les enfants s'intéressent beaucoup à l'origine des bébés et commencent à s'adonner à des jeux sexuels vers l'âge de trois ou quatre ans. Vous pouvez dire à votre petite fille que, si un garçonnet lui demande de voir sa vulve (utilisez le nom qui lui est familier) ou d'y toucher, elle n'est pas obligée de le faire. Dites-lui qu'elle n'a qu'à répondre: «Non, je ne veux pas.» Le parent peut ensuite répéter une telle réponse hypothétiquement adressée cette fois à un garçon plus âgé. Puis, enfin, comme si elle s'adressait à un homme adulte. Cette répétition est importante, parce qu'elle aide l'enfant à accepter une nouvelle idée et qu'elle le prépare à donner ces réponses si cela se révèle nécessaire. En fait, le parent peut profiter de l'occasion pour inviter son enfant à s'exercer à formuler son refus: «Répétons ensemble: Non! Je ne veux pas.» Jusqu'à un certain point, cela aidera l'enfant à comprendre que son corps lui appartient, si jamais un ami de la famille ou un parent adulte lui faisait des avances.

Pour donner à un jeune enfant un moyen de se protéger d'un ravisseur éventuel, je lui dirais avec beaucoup de sérieux: «Ne monte dans la voiture de personne sans nous. N'accompagne personne dans sa maison. Si quelqu'un te demande de le faire, réponds: «Non, je ne veux pas, et pars en courant.» Vous enseignez ainsi à l'enfant qu'il n'a pas à obéir à un étranger (capable d'enlèvement ou d'attentat à la pudeur), qu'il est en mesure de faire quelque chose, qu'il a un certain pouvoir. Si l'enfant s'informe de ce que pourrait lui faire un étranger, je lui répondrais: «Il y a des gens méchants dans le monde qui peuvent te faire du mal.»

Si l'enfant, ayant entendu parler d'un attentat à la pudeur, soit à la télévision soit par des amis, demande pourquoi quelqu'un ferait pareille chose, j'essayerais d'être discret. Je dirais, par exemple: «Il existe des hommes qui ont un problème dans la tête. Plutôt que d'aimer des femmes adultes, ils s'éprennent de petits garçons ou de petites filles qu'ils veulent emmener pour vivre avec eux.» J'essayerais de donner des comportements déviants l'interprétation la moins sévère, parce que cela suffit comme avertissement et que je crois important d'élever les enfants de sorte qu'ils aient le plus possible confiance en leurs semblables.

Si l'enfant réagit à tel ou tel rapport télévisé sur le meurtre d'un enfant, je dirais plutôt: «Certaines personnes ont été si maltraitées quand elles étaient enfants que maintenant elles veulent faire du mal aux autres — pas seulement aux enfants, mais aux adultes aussi.»

Quand leurs enfants ont subi un attentat à la pudeur de quelque gravité que ce soit, il est essentiel que les parents prennent conscience que ces petites victimes éprouvent un sentiment de culpabilité qu'en tant que parents ils doivent tout faire pour amoindrir. Vous pourriez dire: «Ce n'est pas de ta faute. Tu ne voulais pas qu'il te fasse cela. C'était un homme troublé. Un homme méchant.» Vous ne devez pas prétendre que rien ne s'est passé: l'enfant croirait que ce qui est arrivé est trop horrible pour qu'on en parle. Par ailleurs, ne vous comportez pas comme s'il s'agissait d'une tragédie insurmontable.

Il est sage de chercher de l'aide pour votre enfant et pour vous-même auprès d'une clinique spécialisée dans le traitement des traumatismes sexuels ou d'un organisme de service social.

La solution à long terme à tous les types de violence dirigée contre les enfants, y compris l'exploitation sexuelle, c'est d'élever nos futures générations dans une atmosphère telle que les enfants deviendront des adultes plus bienveillants que beaucoup de nos contemporains.

Toutes les écoles devraient être des établissements accueillants, qui favorisent la créativité. Il faut cesser de recourir aux punitions corporelles. Il faut exiger des émissions ou des films stimulants, au cinéma comme à la télévision, plutôt que les images violentes qu'on y présente actuellement. Il faut exiger de plus en plus de programmes sociaux pour sauver les enfants négligés ou maltraités, de sorte que le modèle de violence ne se reproduise pas dans les générations futures.

DEUXIÈME CHAPITRE

Être père aujourd'hui

- CE QUE L'ENFANT A BESOIN DE RECEVOIR DE SON PÈRE
- APPRENDRE À ÊTRE PÈRE
- LA COMPAGNIE DU PÈRE
- LES JOIES D'ÊTRE PARENT
- ENSEIGNER L'ÉGALITÉ DES SEXES
- BONNE ENTENTE PÈRE-FILS
- LE RÔLE DU PÈRE DANS LA DISCIPLINE
- JE NE SAVAIS PAS COMMENT ÊTRE UN BEAU-PÈRE

• CE QUE L'ENFANT A BESOIN DE RECEVOIR DE SON PÈRE

Dans le présent chapitre, je traiterai des différents rôles du père: être un modèle, être un compagnon, faire respecter la discipline, enseigner l'égalité des sexes.

Pour commencer, nous allons examiner la question de l'identification du fils avec son père, parce que c'est de loin le mécanisme le plus puissant qui forme le caractère du garçon. Je dois aussi parler de l'attachement romantique de la fille à son père, parce que cet attachement oriente toutes les relations ultérieures de la fille avec le sexe fort. À ces deux égards, les enfants sont beaucoup plus influencés et formés par le comportement et la personnalité du père que par ce qu'il prêche.

Il y a plusieurs siècles, on croyait généralement que les garçons et les filles se développaient sur le plan affectif pour devenir des hommes et des femmes, du seul fait de leur nature, par instinct. Nous savons maintenant que si les hormones, l'instinct et le tempérament inné jouent un rôle dans le développement de l'enfant, c'est sa relation avec ses parents qui en constitue l'élément le plus important. Vers l'âge de trois ans, le garçon commence à sentir qu'il est destiné à être un homme. Il observe son père, s'identifie à lui et essaie de l'imiter. C'est de cette façon qu'il acquiert le sens de sa masculinité. À un moindre degré, le garçon s'identifie également à sa mère; c'est de cette façon qu'il se fait une idée de ce que sont les femmes.

Dans le cours normal des choses, la fille s'identifie surtout à sa mère, mais aussi, à un moindre degré, à son père.

Quelques enfants s'identifient au parent du sexe opposé. Le garçon, par exemple, qui deviendra plus tard ce que la société qualifie d'*efféminé* se sera identifié avec sa mère plutôt qu'avec son père. Plusieurs facteurs peuvent provoquer cette identification inversée, comme par exemple une mauvaise relation avec le père ou des liens particulièrement serrés avec une mère trop possessive. De même, la fille dont les manières et la façon de voir les choses deviennent masculines se sera probablement identifiée à son père plus qu'à sa mère. (Je ne fais pas allusion ici à toutes ces filles qui connaissent dans leur enfance une période de *garçon manqué*.)

Bien sûr, ce que nous qualifions de masculin ou de féminin dans les activités, les centres d'intérêt, les vêtements et les manières n'a rien d'absolu; cela dépend de la société et de la famille en particulier. Dans une partie du monde, être un homme, c'est être macho, dur et agressif. Dans tel autre pays, ou dans telle autre classe sociale, ce pourra être le fait d'avoir l'esprit philosophique et de s'intéresser au monde des idées.

Le jeune garçon tient pour acquis que son père est l'homme le plus fort, le plus sage et le plus riche du monde. Il essaie d'imiter les manières de son père, le ton de sa voix, ses expressions et même ses jurons. Dans ses jeux, il imite la façon dont son père conduit sa voiture, jusqu'à répéter ses commentaires au volant. Le garçon fait semblant d'aller travailler au bureau ou à l'usine. Quand il joue avec d'autres enfants au papa et à la maman, le garçon joue le rôle que tient son père dans la famille. Il prend soin de ses *enfants* — rôles tenus par des poupées ou par des enfants plus jeunes — comme son père, manifestant son affection, son approbation et sa désapprobation, distribuant même les punitions.

Le petit garçon converse avec sa *femme*, lui manifeste son affection ou son irritation, discute avec elle des projets de la journée, lui témoigne ou non son respect et son désir de l'aider, tout cela en reproduisant le plus fidèlement possible les attitudes de son père.

Dès l'âge de trois ou quatre ans, quand le garçon joue avec d'autres garçons ou qu'il a affaire à des hommes, il a déjà emprunté à son père son attitude chaleureuse ou réservée, son caractère plaisant ou désagréable.

Ce n'est pas seulement un jeu. Il est en train d'apprendre à devenir un homme, un mari, un père. Une fois adulte, sa façon de jouer ces rôles portera encore les traces de ce qu'il aura appris avant l'âge de six ans.

Le père n'a pas besoin de prendre beaucoup d'initiatives pour former le caractère de son fils. C'est ce dernier qui fournit avec enthousiasme les neuf dixièmes des efforts. Je ne veux pas dire que le père n'a pas à prodiguer chaque jour sa pleine part de conseils et d'imposer une discipline; il le doit, parce que les enfants manquent d'expérience et sont impulsifs. Mais les conseils des parents portent principalement sur les obligations, la politesse, la sécurité et la santé, plutôt que sur les attitudes fondamentales envers soi-même et envers les autres.

Pour que le père ait une influence favorable sur ses enfants, ceux-ci doivent sentir qu'il s'intéresse sincèrement à eux, les aime et a une bonne opinion d'eux, même s'il doit les reprendre souvent. Le même principe s'applique à la mère. C'est le sentiment d'être aimé par ses parents qui pousse l'enfant à vouloir leur plaire et devenir comme eux plus tard.

Bien sûr, le père doit passer du temps avec ses enfants, autant qu'il peut, s'il veut que ceux-ci se familiarisent avec son caractère et perçoivent son attitude envers eux. C'est pourquoi, dans le cas d'un père divorcé qui vit loin du foyer, les visites fréquentes sont si importantes. Les lettres et les cadeaux d'anniversaire aideront à combler les vides. Si le père vit loin du foyer, s'il a disparu ou s'il est décédé, la mère peut faire durer l'influence favorable du père sur les enfants à condition de mettre l'accent sur ses qualités plutôt que sur ses défauts — même si elle croit qu'il était un vaurien — et de leur rappeler des situations qui prouvent qu'il les aimait et tirait d'eux beaucoup de joie.

Les enfants ont besoin à tel point de la présence d'un père que, s'il est absent de façon permanente, ils en créeront un dans leur imagination, à partir de ce qu'ils ont entendu dire à son sujet et de ce qu'ils aiment chez les autres hommes qui peuplent leur vie: grands-pères, oncles, beaux-pères, enseignants et commerçants sympathiques. Le même principe s'applique à la mère.

Comme chacun le sait par expérience, le père qui a plusieurs fils ne les verra pas tous grandir à son image. Le tempérament inné — tempérament actif ou passif, par exemple — jouera un rôle. Le rang dans la famille — être l'aîné, le benjamin ou entre les deux — façonne également la personnalité. L'aîné, par exemple, a plus de chance de devenir sérieux, responsable et réservé, et d'être moins à l'aise dans ses relations sociales que ses frères et sœurs plus jeunes. L'attitude des parents envers chacun des enfants de la famille constitue aussi une influence déterminante. Pour des raisons inconscientes ou évidentes, il se peut qu'ils soient plus critiques envers l'un et plus tolérants envers un autre.

Quand on dit que le garçon moyen s'identifie surtout à son père, mais aussi à sa mère à un moindre degré (et c'est l'inverse pour la fille), cela pourrait vouloir dire, par exemple, que l'homme a emprunté à son père sa façon de se présenter physiquement et de traiter avec hommes et femmes, ainsi que son ambition, mais qu'il a hérité de sa mère sa passion des enfants, passion qui l'a mené, disons, à une carrière en éducation ou en psychologie. Évidemment, un tel énoncé est simpliste; la manière d'être de l'individu et son dynamisme ont d'autres racines, à part l'influence des parents.

C'est surtout de sa mère que la fille apprend comment être une femme et comment s'entendre avec les femmes. Dans sa petite enfance, cependant, elle apprend de son père comment traiter avec le sexe fort. Une partie de ce qu'elle apprend de lui est très simple, comme s'habituer à une voix dont le registre est grave (ce qui fait pleurer certaines petites filles, au début, quand elles ne sont pas habituées à une voix masculine). Elle apprend à aimer les jeux un peu plus durs et audacieux qui plaisent aux pères: être lancée dans les airs ou galoper sur ses épaules. Elle apprend à accepter les plaisanteries, à flirter.

Voilà des expériences qui pourraient sembler être des étapes secondaires dans le développement, par rapport à l'apprentissage de la lecture, de l'écriture ou du calcul, parce que nous les considérons comme allant de soi. Elles sont fondamentales. La fille qui ne les a jamais vécues ou qui, dans sa petite enfance, n'a jamais connu de père ou de substitut aura beaucoup plus de difficulté plus tard à trouver comment s'entendre avec les hommes.

Entre trois et six ans, la fille éprouve un attachement romantique intense pour son père. Elle pense qu'il est l'homme le plus beau, le plus fascinant et le plus séduisant du monde. Son apparence, son travail, ses champs d'intérêt, sa personnalité et sa relation avec sa femme et avec sa fille auront une influence sur ce que la fille souhaitera trouver dans un mari. Tout cela, en plus des activités et champs d'intérêt de la mère, aidera la fille à définir ses propres activités et champs d'intérêt.

Je dirais, par conséquent, que ce dont la fille a particulièrement besoin, c'est d'un père profondément attaché à sa famille, d'un père chaleureux qui peut apprécier les filles autant que les garçons. Et tant mieux s'il est affectueux. Mais il doit se garder d'être séduisant avec sa fille sur le plan affectif au point de faire naître une rivalité exagérée entre elle et sa mère ou de compliquer pour sa fille adolescente la transition vers l'intérêt qu'elle va éprouver pour des garçons de son âge.

Pour tous les parents, c'est un véritable cadeau de voir l'enfant, durant ces années où il les observe intensément, les imite ou s'attache romantiquement à eux — surtout entre trois et six ans —, idéaliser père et mère, s'enthousiasmer pour leurs admirables qualités et ne tenir aucun compte de leurs défauts. En fait, ce n'est qu'à l'adolescence que s'accentue le besoin de critiquer ses parents.

Les parents n'ont donc pas besoin d'être des parangons de vertu, seulement des gens bons, décents et sociables. Si le père est timide, par exemple, cela pourrait avoir une légère influence sur le fils. Mais si c'est le cas, ce ne sera pas plus mal: le monde ne peut supporter qu'un nombre limité de joyeux lurons. Nombre de personnes productives — savants, écrivains, musiciens, inventeurs, etc. — ont tendance à être timides. Rappelons-nous que la timidité éprouvée durant l'enfance peut être transmuée, par compensation, en un vigoureux refus de se laisser abattre.

Ce que je veux dire, c'est que les parents ne savent jamais à l'avance quelles attitudes, parmi toutes celles qu'ils transmettent à leurs enfants, se révéleront les plus utiles pour ces derniers, à long terme.

• APPRENDRE À ÊTRE PÈRE

Je me souviens d'avoir un jour mené une discussion avec une demi-douzaine de pères, dans le but de faire ressortir clairement ce qui intéresse les jeunes pères d'aujourd'hui.

Nathan, vingt-trois ans, avait ouvert la discussion en avouant: «Je suis père depuis une semaine! Je n'ai aucune idée de ce que c'est que d'être un parent. Vers la fin de l'adolescence, je n'éprouvais que mépris pour la notion de paternité; c'était vraiment ma bête noire. Et puis soudain... voilà que je suis père. Je dois faire face à toutes sortes de responsabilités. D'une certaine façon, cela m'effraie, même si je ne suis pas de ceux qui se laissent déranger par ces choses-là. J'essaie de me renseigner le plus possible pour trouver le meilleur moyen d'élever mon fils.»

J'ai demandé aux autres pères — le plus âgé d'entre eux avait vingt-neuf ans et le plus âgé de leurs enfants, sept ans — de faire part à Nathan de ce qui leur avait paru le plus important dans leur apprentissage de parents. Mike nous a parlé du besoin de se sentir capable d'élever un enfant et de lui inculquer moralité et bonnes attitudes. Léon a avoué qu'au début son bébé lui paraissait étranger: ce n'est que graduellement qu'il s'était rendu compte que les pleurs, les sourires et le gazouillis de l'enfant étaient sa façon à lui de communiquer. Nathan a également parlé de son sentiment d'impuissance devant les pleurs de son enfant.

Voici l'essentiel de ma contribution à cette discussion:

Croire en sa capacité d'élever ses enfants est une bénédiction. C'est ce qui rend la tâche plus aisée et plus agréable. Cette assurance est cependant difficile à acquérir, surtout pour ce qui est du premier enfant.

Au cours des siècles passés, la psychologie n'existait pas; personne n'avait jamais avancé que, pour le meilleur et pour le pire, les parents modèlent constamment leurs enfants. On présumait que vous alliez faire ce qu'il fallait, ce qui était *naturel* — dans la plupart des cas, une répétition de ce que vos propres parents avaient fait.

Si l'enfant tournait mal, on pensait d'abord que le diable s'était emparé de lui. Un exemple des rares cas où l'on imputait plus ou moins la faute à quelqu'un en particulier, c'était quand un enfant, par exemple, devenait plus tard un alcoolique: un des parents disait alors que ce trait avait été hérité de l'oncle Charles.

Je suis convaincu que cette ignorance de la psychologie rendait plus facile le rôle des parents; j'en ai connu — il en existe encore aujourd'hui — qui ne se sont jamais blâmés pour quoi que ce soit et qui ne se sont jamais remis en question. Il reste que la plupart d'entre nous commencent leur carrière de parents alourdis par des doutes: auront-ils assez de sagesse pour élever des enfants sains?

Ces doutes nous viennent en partie de notre éducation: on nous a enseigné que nous sommes ignorants au départ et que nous apprenons en suivant des cours. Si nous n'étudions pas, nous allons échouer. La plupart d'entre nous n'ont pas suivi de cours sur le développement de l'enfant. Ceux qui l'ont fait ont appris les étapes du développement, mais rien sur l'enfant qui pleure ou qui vomit, sur l'enfant qu'il faut nourrir et langer.

Ces doutes nous viennent plus particulièrement du fait que nous nous sommes suffisamment intéressés à la psychologie — en suivant des cours ou en lisant livres et articles — pour avoir l'impression que seuls les professionnels, les *experts* ont les réponses. En outre, ceux-ci nous ont enseigné à blâmer nos parents pour ce qu'ils nous ont fait que nous n'aimions pas; le contrecoup nous frappe quand nous devenons nous-mêmes parents: nous comprenons alors que nous aussi pourrions susciter du ressentiment chez nos enfants.

L'homme qui n'a jamais eu de contact avec des enfants croit que toute relation commence par un bonjour et se poursuit par la découverte d'un sujet de conversation mutuellement acceptable. Mais la plupart des bébés mettent environ deux mois pour apprendre à sourire et un an pour prononcer leur premier mot.

La plupart des femmes sont encouragées depuis l'enfance à ressentir de l'empathie pour tout ce qui est petit, notamment les poupées. Pourtant, nombreuses sont celles qui éprouvent de la difficulté au début à établir un rapport avec leur premier enfant. Si vous arrivez à avoir une conversation intime avec ces nouvelles mères, encore hospitalisées ou récemment rentrées à la maison, elles vous avoueront avoir été bouleversées de ne se découvrir aucun sentiment maternel quand on leur a apporté leur bébé pour la première fois. Elles vous diront ne pas même avoir senti l'enfant comme étant le leur.

Incidemment, le sentiment d'être étrangère à son enfant est de beaucoup amoindri quand la mère l'a vu naître par accouchement naturel et qu'elle a pu garder le bébé auprès d'elle à l'hôpital. Le même principe s'applique au père, s'il a participé à l'accouchement.

Je crois que pères et mères apprennent à être des parents surtout en prenant soin de leur premier enfant. L'un des grands avantages de nourrir son enfant au sein plutôt qu'au biberon, il me semble, c'est que l'allaitement convainc mieux la femme d'être une bonne mère, parce que le bébé semble apprécier son lait et être florissant de santé.

Les nouveaux parents qui ont souvent gardé les bébés de leurs amis ou de leurs voisins auront la tâche un peu plus facile. Mais on ne naît pas pourvu de l'instinct paternel ou maternel.

Ce qui se rapproche le plus de cet instinct, c'est ce que les parents ont appris, durant leur enfance, en observant la façon dont leurs parents les traitaient. Vous pouvez souvent observer des enfants de trois, quatre ou cinq ans qui prennent soin de leurs poupées, les réprimandant ou les louangeant de la même façon que leurs parents les réprimandent ou les louangent eux; vingt ans plus tard, ils se comporteront de la même façon avec leurs enfants.

C'est donc au cours des premières années de la vie que vous acquérez certaines de vos attitudes fondamentales envers vos futurs enfants. Le reste, vous l'apprendrez tout seul en élevant vos enfants. Le père qui laisse sa femme s'occuper seule d'un enfant durant les deux premières années s'expose à être relégué au second plan et à devenir un observateur, elle étant l'*expert*.

Cela ne revient pas à dire que le père doive donner à l'enfant le même nombre de biberons ou de bains que la mère ou qu'il doive le langer aussi souvent qu'elle le fait. (Il peut donner deux biberons ou plus par semaine à un enfant nourri au sein.) Il doit participer aux soins à l'enfant de façon régulière et faire sa part quant il s'agit de le consoler. Tout cela non seulement aide le père à se sentir plus à l'aise avec le bébé, mais l'aide aussi à bâtir dès le début une relation saine et profonde.

La majorité des mères qui restent au foyer pour prendre soin de leur premier bébé alors que le père travaille à l'extérieur sont plus sensibles aux tensions que leur mari. Naguère libres et sans lourdes responsabilités, elles doivent maintenant rester au foyer toute la journée, s'occuper d'un bébé et se demander si elles sont de bonnes mères.

Aujourd'hui, aux États-Unis, on élève les enfants en leur donnant peu de responsabilités. Ils sont chargés d'une ou deux petites tâches, mais rien de sérieux. Ils profitent d'une liberté extraordinaire durant leurs années d'études. Puis, tout à coup, les nouveaux couples doivent assumer la responsabilité de la vie d'une autre personne, par surcroît totalement impuissante. Voilà une imposition bien soudaine d'une des plus lourdes obligations de la vie.

Dans nombre de sociétés plus simples que la nôtre, dès l'âge de dix ou douze ans, le garçon assiste son père: pêche, agriculture, chasse, etc., selon ce qui nourrit telle société, tandis que la fille, elle, prend soin du dernier-né de sa mère. Dès l'âge de quatre ou cinq ans, elle porte un bébé sur la hanche partout où elle va. Ainsi, les enfants assument des responsabilités d'adultes dès leur très jeune âge. Mais dans notre société, les enfants sont dispensés par nous de la plupart des responsabilités sous prétexte qu'ils fréquentent l'école.

Cette situation fait que beaucoup de couples ne sont pas préparés à répondre aux exigences du rôle de mère ou de père. Je me souviens, au début de ma carrière en pédiatrie, dans les années 30, que les jeunes adultes se sentaient beaucoup moins sûrs d'eux-mêmes que maintenant; il arrivait que des mères pleurent en quittant l'hôpital parce qu'elles avaient peur et se sentaient peu préparées à leur nouveau rôle. De nos jours, la plupart des jeunes adultes ont une plus grande assurance naturelle; peu de mères pleurent en quittant l'hôpital. Toutefois, dans la majorité des cas, les parents demeurent anxieux.

La situation est pire quand le bébé est agité et pleure beaucoup. (Bien sûr, le premier enfant semblera pleurer beaucoup plus souvent que le deuxième, même si ce n'est pas le cas en fait.) Les parents seront obsédés par la crainte que quelque chose d'important ne va pas, quoi qu'en dise le pédiatre. Il leur est impossible de se détendre. Ils sont convaincus, d'une façon ou d'une autre, de ne pas être de bons parents s'ils ne peuvent calmer leur enfant ou le consoler.

Le bébé qui continue de pleurer malgré les efforts de ses parents peut leur donner l'impression qu'il est en colère contre eux; le bébé qui souffre de coliques semble donner délibérément des coups de pied au parent qui le tient dans ses bras.

Au fond, le parent ne peut s'empêcher de se sentir contrarié par un bébé qui semble agressif ou indifférent. Mais à la mère qui, du fait qu'elle passe toute la journée à la maison, essuie le plus fort de l'attaque, on ne permet pas de dire: «J'en ai marre de mon bébé!» Dans notre société, cette idée est inacceptable, hors de question. Ainsi, la mère doit continuer de nier et d'enterrer le ressentiment qu'elle éprouve d'être prisonnière de cette petite créature difficile.

Voilà une situation où le mari a avantage à manifester son soutien et son amour. En rentrant du travail, s'il trouve de la vaisselle sale dans l'évier et le souper encore surgelé, il peut mettre la main à la pâte et réprimer son envie de maugréer. Qu'il donne le biberon au bébé; qu'il lui donne son bain, si le moment convient. Qu'il écoute d'une oreille sympathique le récit que fait sa femme des difficultés de la journée.

Un remède efficace: le père insistera pour sortir sa femme une fois par semaine, au restaurant, au cinéma ou chez des amis. Si le couple ne peut trouver (ou se payer) une gardienne, il devrait au moins inciter sa femme à sortir pendant que lui s'occupe de l'enfant.

Ce qui est encore plus important, peut-être, c'est que le père encourage sa femme à prendre conscience de son irritation et de son ressentiment envers le bébé et à l'exprimer. Pourquoi ne reconnaîtrait-il pas ouvertement que lui-même éprouve les mêmes sentiments? Cela aiderait sa femme à accepter et à extérioriser ce qu'elle ressent. J'ai connu des cas où une double confession a dissipé les tensions et a rapproché les conjoints de façon spectaculaire.

• LA COMPAGNIE DU PÈRE

Certains pères se préoccupent du fait qu'ils sont, ou non, attentifs à leurs enfants. C'est une inquiétude typique des Américains. Que je sache, cette question ne préoccupe pas tant les pères ailleurs au monde. Nous n'aimons pourtant pas plus nos enfants et ne faisons pas plus de sacrifices pour eux que les parents vivant dans les autres parties du monde. Mais nous nous inquiétons beaucoup plus qu'eux: Faisons-nous tout ce qu'il faut? Nos enfants nous aiment-ils?

Dans les sociétés plus simples que la nôtre, les parents tiennent pour acquis qu'ils élèvent leurs enfants correctement et que leurs enfants les aiment, du moins les respectent. Pour ces parents, ce serait le monde à l'envers s'ils devaient s'inquiéter de savoir si leurs enfants les approuvent ou les désapprouvent: qu'on laisse cette inquiétude aux enfants.

Aux États-Unis, je crois que les préoccupations de cette nature proviennent, du moins partiellement, de ce que les pionniers et les immigrants étaient disposés à tout endurer afin de procurer une vie meilleure à leurs enfants et petits-enfants. Dans les vieux pays, les enfants ont une grande responsabilité envers leurs parents. Aux États-Unis, c'est l'inverse: la société est centrée sur l'enfant.

En raison de l'absence de traditions et, souvent, de l'éloignement des grands-parents, les Américains se sont montrés particulièrement ouverts à la psychanalyse et à la psychologie de l'enfant, deux sciences qui mettent l'accent sur le mélange des sentiments d'amour et de haine qui coexistent la plupart du temps dans les relations familiales. Parce qu'ils font sourdre des sentiments négatifs profondément enfouis, les parents consciencieux se sentent coupables, s'efforcent à tout prix d'éliminer tout antagonisme et essaient d'être, avant toute chose, des amis pour leurs enfants.

Les pères qui s'inquiètent sont surtout ceux qui sont engagés dans leur vie professionnelle ou dans le service communautaire au point de manquer de temps pour leur famille. En réalité, ces hommes trouvent difficile de réorganiser l'ordre de leurs priorités.

Il existe également des pères qui ne se sentent pas à l'aise avec leurs enfants, surtout avec leurs fils, parce que, inconsciemment, pères et fils ont tendance à rivaliser et à se critiquer mutuellement — il en va de même entre mères et filles. Certains de ces pères ont eu des relations particulièrement tendues avec leur propre père. Certains sont excessivement timides avec les adultes aussi. La plupart des hommes qui souffrent de problèmes de cette nature n'aiment pas s'y arrêter, encore moins les reconnaître. Ce sont les mères qui le plus souvent s'inquiètent ouvertement quand leur mari a trop peu de contact avec leurs enfants; ce sont les mères qui recourent aux professionnels pour déterminer quel mal est ainsi fait aux enfants, surtout aux garçons, et pour savoir si on y peut quelque chose.

Les mères qui ne travaillent pas à l'extérieur s'inquiètent rarement de leur degré d'intimité avec leurs enfants. Elles sont enfermées avec eux de sept heures du matin jusque dans la soirée, sauf lorsqu'ils vont à l'école. Dans la plupart de ces cas, cependant, elles n'ont guère de temps pour jouer avec eux. Ce sont les mères de jeunes enfants qui travaillent à l'extérieur du foyer qui se sentent le plus angoissées et coupables. Mais c'est une autre histoire.

Tant mieux si le père aime naturellement la compagnie de ses enfants et veut faire des choses avec eux. Parmi les activités les plus amusantes, on compte les visites de musées et de zoos, les concerts et les événements sportifs, les excursions de pêche, les piqueniques et les visites de sites historiques. Toutefois, avant d'investir beaucoup de temps et d'argent dans de telles activités, le père devrait tenter une ou deux expériences avec l'enfant, à moins que celui-ci n'ait une maturité exceptionnelle. Il se peut qu'il découvre, comme je l'ai fait avec mes propres enfants, qu'aux matches de baseball, par exemple, son fils s'intéresse beaucoup plus aux rafraîchissements et aux souvenirs qu'on y vend qu'au jeu même. Ce n'est pas grave, sauf si cela dérange le père. Au cours d'une excursion de pêche, l'enfant pourrait vouloir passer la majeure partie de son temps à construire un petit barrage dans un ruisseau. À un pique-nique, peut-être préférera-t-il lancer toute la nourriture aux oiseaux et aux écureuils. Dans tous les cas, ces activités doivent être amusantes pour tout le monde. Sinon, rien ne va plus. Pour les excursions, il est souvent souhaitable que le père et le fils emmènent chacun un compagnon, de sorte que l'un et l'autre s'amusent, mais chacun à sa façon.

Il n'est ni nécessaire ni sage pour le père de toujours offrir à ses enfants des événements particuliers. Ce principe s'applique également aux pères divorcés. Il y a des activités simples à la maison ou aux alentours qui peuvent fournir une meilleure occasion à chacun de se connaître, comme une partie de balle molle dans le quartier, une sortie à la piste de patinage à roulettes ou une après-midi passée à se lancer la balle ou le frisbee.

Le père pourra travailler côte à côte avec son enfant à un projet de menuiserie, à un puzzle ou à la cuisson d'un mets. Sa voix et son attitude donneront une nouvelle saveur aux vieux contes. Il pourra se laisser entraîner dans une partie de dames, d'échecs ou de Monopoly.

Que ce soit en faisant de la menuiserie, en jouant avec des trains miniatures ou dans toute autre activité, le père devrait veiller à ne pas imposer ses idées d'adulte à son enfant, ce qui pourrait donner l'impression à celui-ci qu'il est incompétent. D'autre part, il ne faut pas que le père feigne de perdre à tous les jeux d'adresse. L'enfant sait très bien que sa victoire n'est pas authentique et n'en tire aucune satisfaction.

Pour ce qui est de se tenir mutuellement compagnie, plutôt que de chercher des moyens de s'intégrer aux jeux de son enfant, il est souvent plus logique pour le père de chercher à intégrer l'enfant dans ses activités à lui. Dans nos sociétés industrielles le père ne peut pas emmener son fils au bureau ou à l'usine pour qu'il l'aide. Mais à la maison, les parents ont à assumer de nombreuses tâches dans lesquelles ils pourraient se faire aider de leurs enfants: marché, préparation et service des repas, vaisselle, entretien de la maison et du jardin, lavage de l'auto, soins aux enfants plus jeunes, etc.

Trop souvent, je crois, les parents assument ces tâches entièrement, jusqu'à ce qu'ils croient leurs enfants en mesure de s'en charger. À ce moment, les parents leur délèguent ces tâches, au moins de temps en temps. Il vaut mieux que les parents se fassent aider par leurs enfants quand ils sont très jeunes et, même quand ceux-ci sont en mesure d'assumer entièrement certaines tâches, qu'ils continuent à s'en charger avec eux. La présence d'un parent est plus profitable et plus agréable à l'enfant quand elle s'accompagne d'une activité commune. Si les parents ou les enfants n'ont à certains moments plus rien à se dire, ils peuvent travailler en silence pendant un bout de temps et reprendre la conversation quand ils en ressentent le besoin.

En outre, quand le père travaille avec ses enfants, cela les empêche d'oublier leurs tâches ou de les reporter indéfiniment, ce qui est un problème fréquent.

Supposons que le père se sente trop occupé pour tondre le gazon ou pour faire le ménage avec le reste de la famille et qu'il ne s'intéresse franchement pas à la menuiserie, ni aux sports ni aux excursions. Ses enfants en souffriront-ils? D'abord je voudrais lui demander s'il est réellement si occupé ou si en fait il n'aime pas vraiment la compagnie de ses enfants. S'il est trop occupé, il devrait remédier à la situation et se libérer.

J'ai parlé à de nombreux pères qui, au début de leur carrière, alors que leurs enfants étaient tout petits, croyaient que leur travail (ou service communautaire) avait toujours la priorité. Puis, quand leurs enfants ont atteint l'adolescence, ils se sont rendu compte qu'ils n'étaient jamais devenus des amis et le regrettaient amèrement, surtout quand ils voyaient leurs adolescents en difficulté. Ces pères se sont aperçus trop tard qu'avoir été esclaves de leur travail au détriment de leur famille n'avait pas été essentiel à leur promotion chez leur employeur ou dans la communauté. Il s'agissait simplement d'une obsession, de l'expression d'une anxiété.

Lorsque l'envie d'avancer dans la vie est considérée comme la plus belle des vertus, il faut que le jeune père ait du courage et voie loin pour se rendre compte que mener une bonne vie familiale et bien élever de bons enfants constituent non seulement une contribution sans égale à la société, mais lui apportent aussi une plus grande satisfaction à long terme. Il faut prendre la décision dès le départ, quand les enfants sont très jeunes.

Pour ce qui est des pères qui ne savent pas trop comment profiter de la compagnie d'enfants, le moment de s'y exercer et de surmonter l'obstacle se présente à la naissance du premier enfant. À ce stade, certains hommes disent: «Je crois que je me sentirai plus à l'aise avec lui quand il aura grandi un peu et ressemblera un peu plus à une personne.»

À mon avis, c'est le contraire qu'il faut faire. Prendre soin d'un enfant fait découvrir à l'adulte comment est l'enfant, ce dont il a besoin, ce qu'il veut, jusqu'à quel point il peut être amusant d'être avec lui, comment communiquer avec lui, comment lui manifester et gagner son amour. Ces leçons ne s'apprennent pas dans les livres, seulement par la vie.

Pour un adulte, le fait de bien s'entendre avec d'autres adultes ne signifie pas qu'il peut bien s'en tirer avec les bébés et avec les jeunes enfants. Si vous pouvez charmer les adultes en vous adressant à leur intelligence ou en flattant leur vanité, vous n'obtiendrez pas grand-chose des enfants en procédant de la sorte.

Pour qu'un père et ses enfants soient bien ensemble, il faut que le père participe pleinement aux soins du premier-né, dès son retour de la maternité, et qu'il continue à le faire. Quand l'enfant atteindra l'âge de deux ou trois ans, le père pourra attendre de lui qu'il l'aide dans ses tâches domestiques, au marché, dans le jardin ou dans la maison. La participation du père aux soins de l'enfant et, en retour, l'*aide* que lui apporte ce dernier sont les meilleurs fondements d'une relation saine. Les excursions et les jeux à la maison viennent en prime.

Une dernière chose. Nombre de pères aiment faire les fous avec leur enfant. Ils lancent leur bébé au plafond ou ils prétendent qu'ils sont des lions et qu'ils vont le dévorer. Ils s'engagent dans des combats d'oreillers avec leur enfant plus âgé. Les psychiatres spécialistes de l'enfance ont découvert que, dans certains cas au moins, ces activités engendrent chez l'enfant des émotions excessives qui s'apaisent difficilement et peuvent mener à des symptômes nerveux. Quand les pères s'entendent dire cela, nombreux sont ceux qui s'énervent. Ils font remarquer à quel point les enfants aiment ces jeux et en redemandent. C'est vrai, mais cela ne contredit en rien le fait que trop d'excitation peut créer des problèmes.

• LES JOIES D'ÊTRE PARENT

Nous pensons au rôle de parent surtout en termes d'obligations à assumer et de problèmes à résoudre. Quand mes fils étaient petits, j'oubliais souvent de penser à toutes les joies qu'ils m'apportaient, à moins d'être loin d'eux, en voyage par exemple; je me rendais compte alors à quel point ils me manquaient. Même chose plus tard, quand ils ont grandi et qu'ils sont allés vivre loin du foyer. Chaque fois que j'avais tendance à les oublier, je le regrettais et je me sentais un peu honteux. Mais cela ne semblait pas modifier mon comportement avec eux entre mes absences.

Cet état de choses provient de ce que nous nous sentons obligés de toujours talonner nos enfants: habitudes alimentaires, façon de s'habiller, tâches domestiques, bonnes manières, etc. Ou d'avoir à les protéger constamment pour qu'ils ne périssent pas dans un incendie, ne se fassent pas renverser par une voiture, ne s'empoisonnent pas, ne tombent pas des arbres, ou du balcon, etc.

Les grands-parents m'ont souvent demandé pourquoi il leur avait été impossible de tirer autant de joie de leurs enfants qu'ils en tirent maintenant de leurs petits-enfants. J'ai réfléchi à cette question pendant des années et en suis venu à la conclusion que les parents ne peuvent s'empêcher de toujours être préoccupés par le comportement et la sécurité de leurs enfants. C'est là la fonction des parents, bien que, d'une famille à une autre, les parents se fassent plus ou moins de souci.

Les grands-parents, eux, se sentent assez liés par le sang à leurs petits-enfants pour être fiers de leurs réussites et pour apprécier les joies qu'ils peuvent leur apporter. Mais la plupart des grands-parents réussissent à échapper au lourd sentiment de responsabilité que jadis ils éprouvaient eux-mêmes à titre de parents.

Bref, je ne crois pas pouvoir montrer aux parents comment tirer beaucoup plus de joie de leurs enfants, mais je vais tenter de les aider un peu.

D'abord, il est utile de se rappeler ceci: se faire inutilement du mauvais sang ne sert strictement à rien et peut même vous nuire. Nous l'avons dit, ce qui compte le plus dans la formation d'une personnalité saine chez l'enfant, c'est son profond désir de devenir comme ses parents qu'il aime et admire. Le gros de cette formation est fourni par l'enfant lui-même. Plus vous le harcèlerez, moins il voudra vous imiter et vous plaire. Bien sûr, je ne vous conseille pas de laisser vos enfants mal se conduire ou s'attirer des ennuis, mais seulement d'éviter de surveiller, d'avertir, de diriger, de défendre et de réprimander de façon automatique, et souvent inutilement.

Ma pratique de pédiatre m'a appris que les effets des inquiétudes parentales paraissent souvent dans la différence existant entre le premier et le deuxième enfant, au cours de la première ou des deux premières années de vie. Nombre de mères m'ont confié qu'elles avaient toujours eu envie d'un bébé câlin. Mais leur premier-né les a généralement frustrées. Ne se tortillait-il pas avec impatience quand elles essayaient de le serrer dans leurs bras alors que le deuxième se laissait embrasser beaucoup plus facilement? «Pourquoi cette différence?» demandaient-elles.

Évidemment, cette différence n'est pas évidente dans toutes les familles. Mais je persiste à croire que les premiers-nés se sentent étouffés par toute l'attention qui leur est dévolue — surtout par l'attention inquiète, mais aussi par la fierté et l'empressement dont on fait preuve à leur égard. Pourquoi a-t-il le hoquet? Son nez est bouché, a-t-il un rhume? Pourquoi ne s'assied-il pas encore droit comme notre neveu? Suce-t-il son pouce parce qu'il est inquiet? Pourquoi ne s'endort-il pas? Puis viennent les «Ne mets pas ça dans ta bouche», les «Tape des mains pour tante Marie» ou les éternels «Dis P A P A».

Une fois né leur deuxième enfant, les parents essaient de comprendre en quoi il est différent du premier. Ils tiennent pour acquis que chaque bébé a ses bizarreries qu'on ne peut vraiment expliquer, mais qui n'ont aucune signification particulière. Ils ont appris qu'un bébé est robuste et résistant, malgré sa petite taille. Plus important encore, ces parents ont appris, grâce à leur premier bébé, qu'ils sont des parents compétents qui réussissent généralement à s'acquitter de leurs devoirs envers leur enfant. Ils ont donc plus d'assurance et agissent de façon plus détendue avec leur deuxième enfant.

Je crois que le bébé ou le jeune enfant sait instinctivement qu'on doit lui laisser prendre certaines petites décisions — choisir ses activités, jouer avec tel jouet comme il le désire, refuser aujourd'hui un aliment qu'il aimait hier et aimera de nouveau demain. Il sent bien qu'il doit empêcher ses parents d'avoir un trop grand contrôle sur lui, qu'il soit physique ou psychologique, ou les deux. Si ses parents lui montrent avec trop de précision la façon d'utiliser une craie ou d'enfiler une chaussette, s'ils essaient de le serrer contre eux trop longtemps ou s'ils veulent lui nettoyer l'oreille ou examiner sa bouche pendant plus de deux secondes, il ressent une puissante envie de se libérer.

Le deuxième ou le troisième enfant est généralement laissé plus libre de faire les choses comme il l'entend; il risque moins de croire que les gens essaient de le dominer. Ainsi, quand il a envie d'un câlin ou que sa mère veut le serrer dans ses bras, il se laissera faire cinq ou dix secondes ou il restera sur les genoux de sa mère une bonne minute avant de glisser et de s'éloigner pour faire ce qu'il a à faire.

Voici maintenant quelques suggestions. Une grande part de la joie des parents vient du fait qu'ils revivent les délices de leur propre enfance en s'identifiant à leur enfant dans chacune de ses nouvelles expériences. Quand vous caressez un chien avec la main de votre enfant de dix-huit mois, vous pouvez voir le petit reculer prudemment, tendre la main, fasciné, vers l'animal, sourire en réponse à son attitude amicale, et se sentir fier de son courage — tout cela simultanément. La première fois qu'un enfant de trois ans voit une pelle mécanique à l'œuvre, vous vous rendez compte qu'il lui faut beaucoup de temps pour absorber tous les stimuli visuels et auditifs: le bruit de l'engin, ses mouvements saccadés, l'énormité de la pelletée de terre et des morceaux de roche qu'elle arrache, le déchargement soudain dans le camion qui est secoué sous l'impact, le fait qu'un homme tout à fait ordinaire domine une telle puissance au moyen de quelques leviers. Par la suite, l'œil brillant, l'enfant parlera pendant des heures de cette expérience, et ses parents pourront partager avec lui son émerveillement.

Les excursions — zoo, musée, cirque, forêt, rivière, plage — se révèlent particulièrement stimulantes. Cependant, il n'est pas nécessaire d'aller sur la Lune pour enchanter l'enfant et pour profiter de ses réactions. Observer un ver ou un insecte dans le jardin ou dans le parc peut donner de grandes joies aux parents et aux enfants.

N'oubliez pas non plus le plaisir simple, pour vous et pour eux, de la lecture à voix haute. Les histoires fascinent les enfants de tout âge et de tout caractère. Les bibliothèques regorgent de livres destinés aux enfants. Tout ce que vous avez à faire, c'est prendre l'habitude de la lecture à haute voix. C'est un des meilleurs moyens de vous amuser avec votre enfant, parce que vous abandonnez momentanément vos occupations pour vous consacrer entièrement à lui. Laissez-lui décider du rythme de la lecture. Laissez-le poser des questions. S'il vous le demande, relisez la même page ou même tout le livre. C'est sa façon à lui de tirer ce qu'il veut obtenir de l'histoire. Pour vous, c'est une occasion d'être en harmonie avec lui.

S'adonner à des passe-temps avec ses enfants — menuiserie, couture, construction de modèles réduits, jardinage, pêche, peinture, cuisine — peut procurer aux parents un sentiment de profonde satisfaction et favoriser l'établissement de liens d'amitié avec leurs enfants. Mais mon expérience de père m'a appris que ces activités peuvent souvent entraîner une grande frustration — pour les deux générations — si les parents établissent des normes trop élevées, s'ils essaient de trop diriger leurs enfants ou s'ils se montrent trop critiques.

J'ai gâché pour mes deux fils le plaisir de jouer avec des trains miniatures en leur achetant du matériel trop perfectionné pour leur stade de développement, en concevant des réseaux de voie ferrée trop compliqués et en dirigeant toujours les activités. Vous devez être capable de laisser l'enfant prendre la direction d'un projet à deux. Si vous poursuivez des projets séparés, mais de même nature, faites preuve de tact: limitez l'ampleur du vôtre afin de ne pas mortifier votre enfant.

Parents et enfants peuvent s'amuser en travaillant ensemble aux tâches domestiques, si ennuyeuses soient-elles. Mais les adultes ne doivent jamais oublier que l'attention des enfants est de durée limitée, qu'ils ne sont pas très efficaces et qu'ils ont tendance à dériver en imagination dans d'autres projets après un certain temps. Les parents doivent donc être prêts à suggérer à l'enfant qu'il en a assez fait quand il voit son enthousiasme s'émousser. Bien sûr, vous pouvez et devez attendre davantage d'un enfant à mesure qu'il grandit.

Enfin, parlons de la conversation même, une des façons les plus simples qu'ont les humains de prendre plaisir à la compagnie des autres. La conversation entre parent et enfant peut être aussi agréable qu'entre deux personnes du même âge. S'il arrive que ce ne soit pas le cas, c'est souvent parce que le parent profite de l'occasion pour diriger ou pour reprendre l'enfant, alors que ce dernier en profite pour se plaindre et quémander. Tous deux prennent donc l'habitude de faire la sourde oreille.

La meilleure façon d'avoir une conversation agréable et substantielle — même avec un autre adulte —, c'est de vous mettre en harmonie avec l'autre en l'écoutant d'une oreille attentive et sympathique, vos yeux rencontrant les siens, votre visage reflétant son humeur amusée, indignée ou étonnée. Quand vient votre tour de parler, prenez ses commentaires comme point de départ, et réagissez-y avec votre esprit et votre cœur. La conversation est tissée par deux âmes sympathiques qui se servent des mêmes fils.

Il doit être évident que le premier locuteur veut partager quelque chose avec l'autre qui, lui, réagit avec authenticité. La conversation entre un parent et son enfant ne peut s'amorcer par une question du genre «Qu'as-tu fait à l'école aujourd'hui?» Ce type de question n'a jamais suscité un échange valable.

Si c'est l'enfant qui amorce la conversation, le parent doit résister à toute envie de le critiquer ou de lui manifester son ennui. Si l'enfant dit: «Charlie m'a frappé à l'école aujourd'hui» et que le parent réponde: «Es-tu sûr que ce n'est pas toi qui as commencé?», ce sera la fin de la conversation. Il en ira de même si le ton du parent trahit le fait qu'il n'a pas vraiment écouté son enfant.

À mon avis, une des caractéristiques qui font le charme des enfants, c'est l'originalité de ce qu'ils disent, surtout avant la maternelle. Leurs commentaires et leur façon d'interpréter les choses sont souvent aussi authentiques et plus frappants que ceux des plus grands philosophes et écrivains. Pourtant, il ne vient jamais à l'idée de certains parents d'écouter les petites perles de perspicacité de leurs enfants dont ils se permettent de corriger le langage *inconvenant*. Les enfants commencent à s'exprimer de manière plus *conventionnelle* vers six à huit ans. Le moment où ils s'expriment avec les mêmes platitudes et les mêmes clichés que le reste du monde vient bien trop vite.

J'ai lu dernièrement un article écrit par des parents, qui y décrivaient une de leurs façons de communiquer avec leurs enfants, à laquelle je n'aurais pas pensé et qui ne serait probablement jamais venue à l'idée de la plupart des parents. Ils regardaient certaines des émissions de télévision préférées de leurs enfants avec eux, surtout le samedi matin.

Ces parents ont dit trouver de nombreux avantages à cette occupation inhabituelle. Ils pouvaient ainsi surveiller attentivement ce que leurs enfants regardaient à la télévision et opposer leur veto aux émissions violentes. Il leur était dès lors facile de s'engager avec leurs enfants dans des conversations naturelles et non critiques à propos des émissions vues ensemble ou de sujets connexes. Leurs enfants en profitaient pour poser des questions sur des choses qu'ils ne comprenaient pas, et leurs parents étaient ravis d'avoir l'occasion de les informer.

Ces parents ont été surpris de constater la finesse et l'humour des commentaires de leurs enfants, et surtout leur cynisme devant les annonces publicitaires. Par surcroît, certaines des émissions ont même amusé les parents. Mais ce qui compte le plus pour eux, c'est d'avoir découvert une façon amusante et facile pour tous les membres de la famille de devenir amis.

• ENSEIGNER L'ÉGALITÉ DES SEXES

Mon groupe de discussion composé de six pères, dont j'ai parlé plus tôt, s'est penché sur ce qui les préoccupait le plus souvent en tant que parents. Scott, vingt-neuf ans, père d'un bébé de huit mois, a demandé: «Quand peut-on dire, d'après les réactions de l'enfant, qu'un des parents a sur lui une influence plus grande que l'autre? Je pense au rôle formateur des parents; c'est ce qui m'inquiète. Ma femme est très proche du bébé. Elle vit avec lui vingt-quatre heures sur vingt-quatre. Cette intimité me ravit, mais moi je suis absent quatre soirs par semaine et je veux savoir quoi faire pour avoir quand même une influence sur mon fils. Je ne veux pas qu'il devienne un homme mou ou efféminé. Si je dois passer un peu plus de temps avec lui, quel âge devrait-il avoir quand je commencerai à le faire?»

Jim a élargi la portée de la question: «Comment empêcher nos garçons d'être efféminés et nos filles d'être masculines? Et combien de temps le père devrait-il passer avec ses fils?»

Léon est intervenu: «J'aimerais poser la question d'une autre façon: doit-on traiter le garçon et la fille de façon différente?»

Voici à peu près comment j'ai répondu à ces questions.

C'est un sujet qui est vaste et fort controversé de nos jours. On ne peut pas vraiment commencer par demander comment élever ses garçons et ses filles. Il nous faut d'abord nous demander ceci: «Quels rôles les hommes et les femmes souhaitent-ils jouer dans notre société?» Voilà un débat qui peut devenir animé.

Quand les hommes et les femmes auront enfin décidé des rôles respectifs qu'ils veulent jouer, ils seront mieux à même de régler la question secondaire: «Comment préparer les garçons et les filles à jouer leurs futurs rôles d'adultes?»

La question «Comment favoriser la *masculinité* des garçons et la *féminité* des filles?» trouve difficilement réponse rationnelle, car les définitions de ces spécificités varient largement d'une société à l'autre et d'une époque à l'autre. Dans notre propre société contemporaine, ces définitions continuent de changer.

Dans l'Angleterre du XVIIIe siècle, les gentilshommes se paraient de jabots et de manchettes de dentelle et marchaient en minaudant, une canne à pommeau d'argent à la main. Dans la Crète préhistorique, des femmes aux seins nus se battaient contre des taureaux dans les arènes. À l'époque victorienne, les femmes s'évanouissaient quand les hommes usaient d'un langage cru ou obscène; aujourd'hui, nombreuses sont les femmes qui recourent au même vocabulaire. Dans certaines parties du monde, l'allure des hommes et des femmes qui travaillent les champs — démarche, façon de parler, gestes — a toujours été presque identique pour les deux sexes. Ainsi donc, ce que l'on qualifie de comportement masculin ou de comportement féminin est appris et enseigné de façon différente selon les sociétés.

La plupart de nos aïeux tenaient pour acquis qu'il fallait garder aux garçons leur *masculinité* en leur donnant des jouets *masculins*, des corvées *masculines* et des vêtements *masculins*. Ils encourageaient les garçons à dissimuler ou à nier leur chagrin, leur peur, leur douleur, et ils leur faisaient honte si ces derniers y cédaient. Ils encourageaient les garçons à se battre si on les provoquait, à s'engager dans les sports de compétition et à se préparer au travail *masculin* qui serait le leur une fois adultes. Ils glorifiaient la compétition et la réussite dans leur future carrière et ils leur apprenaient à ressentir au moins un peu de mépris pour les garçons qui choisissaient des occupations moins *masculines* ou dont le comportement était *efféminé*.

Autrefois, on croyait que les filles avaient hâte d'être mariées et d'être mères, les rôles d'épouse et de mère étant les plus admirables de la femme. On les encourageait à développer leur côté sentimental et maternel, plutôt que leurs tendances à l'ambition ou à la compétition.

Au cours du XXe siècle, plusieurs courants et événements ont changé les perceptions et les attitudes des gens. Deux guerres mondiales ont lancé la femme dans l'industrie, où elle s'est bien débrouillée et où elle a acquis le goût de l'indépendance financière et émotionnelle. Le nombre toujours grandissant de tâches techniques qui ne requièrent pas de force physique a fait sortir la femme du foyer et l'a fait entrer sur le marché du travail. Les hommes ont dû s'habituer à voir leur femme travailler à l'extérieur et à ne plus en avoir honte. La publicité incessante pour de nouveaux produits comme les automobiles, les nombreux appareils électroménagers, les téléviseurs ou les climatiseurs a fait sentir aux couples qu'ils devaient gagner plus que le seul salaire du mari et qu'il était normal que les épouses, même mères, gagnent de l'argent.

Les féministes qui œuvrent depuis les années 70 dans le mouvement de libération de la femme se sont élevées contre les préjugés et la discrimination cruellement injustes dont la femme fait encore souvent l'objet. Elles ont fait remarquer que cette persistance est due, jusqu'à un certain point, au fait que dès l'enfance on traite arbitrairement garçons et filles de façon différente, sans justification scientifique. Si nous considérons cette injustice avec honnêteté, nous sommes obligés au moins de réexaminer nos hypothèses sur la masculinité et sur la féminité, ainsi que sur la préparation des garçons et des filles à jouer leurs rôles futurs.

Entre-temps, psychiatres et psychologues, l'attention concentrée sur ces changements sociaux, ont dû revoir leurs anciennes définitions arbitraires du comportement *masculin* ou *féminin* et en sont arrivés à adopter une attitude beaucoup plus souple. La plupart d'entre eux prennent maintenant conscience que chaque être humain est en partie homme et en partie femme. La majorité des garçons s'identifient principalement à leur père, mais aussi, jusqu'à un certain point, à leur mère qu'ils imitent dans certaines attitudes ou certains champs d'intérêt. Inversement, la majorité des filles s'identifient premièrement à leur mère, et ensuite à leur père.

Voici un exemple: Je me rends compte maintenant que si j'ai choisi la pédiatrie, c'est en raison d'une identification partielle à ma mère. Étant l'aîné de six enfants, j'ai souvent été amené à prendre soin de bébés. À l'instar de ma mère, j'aimais les bébés, j'aimais les nourrir, les réconforter, les soigner quand ils étaient malades et les aider à devenir des gens heureux et responsables. Je n'ai pas vu mon père participer aux soins des enfants — ce n'était pas le rôle de l'homme à cette époque —; pourtant il nous adorait. Autre exemple: Nombre de jeunes femmes qui se sont autrefois battues pour entrer en médecine, en droit, en génie et en aviation ont probablement tiré parti d'une identification à leur père plus forte que la moyenne, ce qui les a aidées à refuser les rôles limités qui étaient dévolus à leur sexe et à abattre bien des obstacles érigés sur le chemin de la libération de la femme.

Il est donc faux de dire que le garçon s'identifie exclusivement aux hommes et la fille, aux femmes. Cela n'existe pas. En fait, l'analyse révèle généralement que l'homme macho qui joue les durs et qui méprise les hommes dont les champs d'intérêts sont plus délicats et plus doux éprouve la crainte exagérée d'être, au fond, faible ou efféminé. Et, une fois que l'on connaît bien les femmes qui manifestent, dans leurs vêtements et dans leur manière d'être, une féminité intensément séductrice, on découvre chez elles des attitudes hostiles envers les hommes.

Le dosage des deux identifications chez la fille et chez le garçon diffère d'un individu à l'autre. La composition particulière chez tel ou tel être dépend de la relation subtile qu'il a entretenue avec son père et avec sa mère et des attitudes de chacun de ses parents envers lui. Toutes sortes d'attitudes, d'émotions, d'interactions et d'influences entrent en jeu — admiration, anxiété, rivalité, envie, ambition, jalousie. L'individu sera d'autant plus productif dans sa vie d'adulte qu'il se sentira épanoui et satisfait de la combinaison de ces deux identifications.

Prenons le ballet comme exemple. Autrefois, dans certaines familles on désapprouvait le ballet pour les garçons: ce n'était pas *masculin*. (J'ai observé avec intérêt, à ma première visite en URSS, il y a plusieurs années, que les danseurs russes n'avaient rien d'*efféminé*. Certains d'entre eux avaient l'air de joueurs de football. Rien dans leurs mouvements ne manquait de *masculinité*.) Je dirais que si un garçon manifeste le désir persistant de devenir danseur de ballet, il serait logique qu'il le devienne. Vous n'accomplirez rien de bon en essayant de lui faire honte pour qu'il change d'idée. Vos pressions ne changeront ni sa personnalité ni son champ d'intérêt, et ne le rendront certes pas plus *masculin*. Tout ce que vous arriverez à faire, c'est à le rendre mal dans sa peau; il perdra alors son assurance et se sentira anormal.

Je pars de l'hypothèse que les femmes sont toujours victimes de discrimination, sans raison valable. Cette discrimination se bâtit étape par étape depuis la petite enfance.

Dans les histoires qu'on lit aux filles, les garçons connaissent toutes sortes d'aventures, alors que les filles se contentent de regarder ou de rester à la maison. Des parents croyant bien faire enseignent à leurs filles qu'elles sont fragiles et qu'elles ne doivent pas grimper aux arbres ou sur le toit du garage. Celles-ci souffrent des railleries des garçons dont l'esprit de compétition et le manque de confiance en eux leur font dire, en dépit des faits, qu'elles ne peuvent courir aussi vite ou lancer la balle aussi loin qu'eux. Les menstruations, si les parents et les enseignants n'en parlent pas avec tact, peuvent devenir aux yeux des filles une autre preuve de leur infirmité. On dit aux filles qu'elles doivent jouer avec des poupées et aux garçons qu'ils doivent préférer les camions. Elles doivent porter de jolies robes; ils porteront des vêtements solides et masculins. Ils doivent ratisser les feuilles et nettoyer le garage; elles doivent aider au ménage. Aucune de ces habitudes n'est particulièrement destructrice en soi. C'est l'effet accumulé de tous ces petits cas de discrimination qui donne aux garçons et aux filles, une fois adultes, la conviction que les sexes sont aussi différents que deux espèces peuvent l'être et que la femme est *inférieure*. Il nous arrive encore d'entendre dire: «Les femmes sont nulles en mathématiques ou en physique» ou: «Les femmes conduisent mal.» Voilà des généralisations farfelues qui n'ont aucun fondement scientifique et qui enlèvent aux femmes un peu de leur confiance en elles-mêmes.

La supériorité dont se targuent tant de garçons et d'hommes peut leur sembler être un avantage. Mais ce n'est pas vraiment le cas. Les hommes qui n'ont pas trouvé l'occasion d'élever leur niveau de conscience ne font pas que rassurer leur moi par une vantardise puérile: en s'accrochant à une quelconque notion de supériorité de l'homme, ils se causent à eux-mêmes des préjudices psychologiques.

Que d'années passées à faire le paon! Que de disputes avec les femmes! Que de temps gaspillé par les hommes à se demander si on leur donne bien le rang et le respect qu'ils croient mériter! Tout cela draine l'énergie affective qui autrement pourrait servir à des poursuites plus constructives, plus créatives, plus agréables. Ces hommes n'arrivent pas à profiter au maximum de leurs relations avec les femmes, incapables qu'ils sont d'entretenir avec elles des rapports qui soient basés sur le respect mutuel et l'égalité.

En outre, dans le passé au moins, les hommes et les garçons se sont sentis contraints d'adopter des modèles de comportement *mâles*, que ces modèles aient été naturels ou pas. Ils essayaient de ne jamais manifester leur peur, de ne jamais pleurer; ils ne portaient que des vêtements d'un style accepté; ils évitaient les occupations, les hobbies et les champs d'intérêt jugés *féminins*. À l'âge adulte, la plupart d'entre eux ont ressenti le besoin compulsif de toujours lutter pour obtenir le meilleur poste et le meilleur salaire, afin d'offrir à leur famille le meilleur logement, les plus beaux vêtements et la voiture la plus confortable.

On peut dire que ces hommes aussi ont été victimes des stéréotypes sexuels, différents de ceux de la femme, qu'ils se sont imposés à eux-mêmes.

Les stéréotypes sexuels de l'homme et de la femme font penser aux deux côtés d'une médaille. Comme on estimait que la femme était limitée dans ses moyens et qu'on attendait d'elle qu'elle joue un rôle surtout passif, l'homme s'est senti obligé de réussir en faisant preuve de combativité et en ne tenant pas compte de ses sentiments. Les deux sexes ont besoin d'être libérés de ces obligations.

Les psychiatres ont réussi à comprendre l'importance d'une bonne identité masculine ou féminine à la suite de leur travail auprès d'individus malheureux qui, tout en sachant sur le plan rationnel à quel sexe ils appartenaient, soit éprouvaient des sentiments contradictoires à propos de leur sexe, soit souhaitaient être du sexe opposé, soit se sentaient du sexe opposé et se comportaient en conséquence.

J'ai longtemps pensé que le père aiderait tout naturellement son fils à acquérir une forte identité masculine en lui achetant certains jouets comme des petites voitures et des revolvers, en lui assignant des tâches dans le jardin ou le garage, et en bavardant avec lui à propos de base-ball, par exemple. D'autre part, le père achèterait des poupées à sa fille et discuterait avec elle de sujets tout à fait différents. Je me rappelle avec regret les reproches méprisants des féministes quand j'ai dit, dans les premières éditions de *Comment soigner et éduquer son enfant*, que le père, pour montrer qu'il appréciait sa fille, pouvait la complimenter sur sa nouvelle robe ou sur les biscuits qu'elle venait de faire cuire !

Je suis maintenant convaincu de ceci: même si l'identité sexuelle est importante sur le plan psychologique, en ce sens que l'individu doit se sentir bien dans sa peau, il n'est pas nécessaire de mettre l'accent sur les différences quand il s'agit de vêtements, de jouets ou de petites tâches. En fait, cette insistance peut quelquefois agir au détriment de l'enfant. Le garçon et la fille se sentent homme ou femme surtout en raison d'une identification satisfaisante avec le parent de leur sexe, aussi bien que par leurs glandes et par la forme de leur corps.

Quand le père accorde trop d'importance au fait que sa fille et son fils aient des tâches, des jouets ou des vêtements différents, il risque de faire sentir surtout sa propre insécurité — consciente ou inconsciente — à propos de sa nature de mâle. Je me souviens encore de mon «NON!» indigné ce jour de 1936 où mon fils alors âgé de trois ans avait demandé une poupée et que sa mère avait proposé de la lui acheter. Tous les hommes éprouvent un certain degré d'insécurité à propos de leur nature de mâle, mais les sociologues européens ont souligné que la crainte de paraître efféminé ou homosexuel est particulièrement forte en Amérique du Nord.

Quand le père, inquiet, fait toutes sortes de distinctions entre ce qui est *de garçon* et ce qui est *de fille*, son fils perçoit son malaise. Le garçon absorbe une part de cette anxiété qui peut le gêner dans son acquisition d'une identité solide et dans laquelle il se sente bien.

Le fait que chaque enfant s'identifie jusqu'à un certain point avec le parent du sexe opposé l'aide à comprendre l'autre sexe sa vie durant. Cela donne aussi de la polyvalence, de la souplesse et de la profondeur à la personnalité de chaque individu. Comme chacun a une identité en partie masculine et en partie féminine, il est essentiel qu'il accepte ces pôles de sa nature, au lieu d'en avoir honte ou d'en être troublé ou inquiet.

Je crois que, pour le bien de leurs fils et de leurs filles, les parents doivent tenter de vaincre leurs préjugés sexuels conscients ou inconscients et d'éviter la discrimination. Voilà qui nécessitera beaucoup de bonne volonté et d'efforts, et qui prendra de nombreuses années. Si nous arrivons à élever une génération d'enfants libres de ces préjugés, la bataille sera presque gagnée. Les pères, comme membres du sexe que les préjugés semblent favoriser, auront plus d'influence que les mères, à condition bien sûr de choisir d'exercer cette influence. Ce processus de changement doit commencer à s'appliquer dès la petite enfance.

Voici mes suggestions; les parents perspicaces en trouveront bien d'autres. Je crois que, quand les filles et les garçons veulent porter, partout et toujours, le même style de jeans et de T-shirt, même durant les années d'université, les parents ne doivent pas faire sentir qu'il est plus important de s'habiller de façon élégante pour la fille que pour le garçon.

Bien sûr, chaque femme est différente de son mari de centaines de façons, et sa fille s'empressera de l'imiter à bien des égards. La fille pourrait bien vouloir porter des robes parce que sa mère ou ses amies en portent. Mais, pour la fille, choisir délibérément de le faire est tout à fait autre chose que de se faire dire: «Tu dois porter des robes parce que les filles, ça porte des robes.»

C'est pourquoi j'ai écrit dans l'édition de 1976 de *Comment soigner et éduquer son enfant* que les parents ne doivent pas faire de différence dans les jouets et les vêtements de leurs fils et de leurs filles, mais plutôt les laisser décider de ce qu'ils veulent porter et de ce qu'ils veulent pour jouer, sans craindre d'effets négatifs sur le processus d'identification. Il en va de même pour les tâches qu'ils assignent à leurs filles.

Quand vient le temps de ratisser le jardin, de tondre le gazon ou de laver la voiture, le père devrait à mon avis juger que sa fille est tout aussi capable de le faire et que, peut-être, elle aimerait travailler aux côtés de son père ou de son frère, que la mère s'intéresse ou non à ces activités. Mais si la fille préfère les occupations domestiques auprès de sa mère qui les préfère aussi, très bien. Ce qui importe, c'est qu'elle ne se sente pas poussée à jouer certains rôles et à en éviter d'autres.

Si le père envisage d'emmener son fils voir un match quelconque, d'aller à la pêche ou en camping avec lui, il devrait inviter sa fille et sa femme aussi, à moins qu'elles n'aient déjà exprimé une fois pour toutes leur manque d'intérêt pour ces activités. Ou bien, si le fils et la fille sont toujours en train de rivaliser l'un avec l'autre ou de se chamailler, il peut être plus efficace pour le père d'inviter d'abord sa fille puis, une autre fois, son fils.

Je crois que le fils — et le père, bien entendu — doit participer à toutes les tâches domestiques: marché, préparation et service des repas, vaisselle, lessive, ménage, etc. Les soins aux enfants sont une autre forme de travail domestique qui doit concerner les membres de la famille des deux sexes et de tous les âges: nourrir les bébés et les langer, habiller les petits enfants et leur faire la lecture et, pour les enfants plus âgés qui en sont capables, rester à la maison avec les petits en l'absence du reste de la famille. Il est particulièrement important pour les jeunes enfants, extrêmement sensibles à tous les aspects des soins qu'ils reçoivent, de voir que tous les membres de la famille contribuent à s'occuper d'eux. Voilà qui laissera en eux une impression durable qui ne manquera pas de se transmettre d'une génération à l'autre.

Quand la mère assume toutes les corvées domestiques ou presque, elle devient la bonne à tout faire. Quand la mère et sa fille les assument seules, cela pourrait signifier d'abord que ces corvées sont du travail de femme, par corollaire, que ce travail est moins important que celui des hommes et, pis encore, que le rôle des femmes est de servir et de soutenir les hommes. Mais si tous les membres de la famille participent aux corvées, selon leur âge et le nombre d'heures passées au foyer, ce travail, en plus d'être utile, est valorisé et ne diminue en rien tel sexe au profit de l'autre. Qui plus est, le travail gagne en agrément quand on l'exécute à plusieurs et dans un esprit d'égalité.

À mon avis, si la mère travaille à l'extérieur à temps plein, le père devrait assumer sa pleine part des corvées domestiques. Mais si elle ne travaille pas à l'extérieur et ne le souhaite pas, le père devrait participer aux tâches le matin et le soir en semaine, et toute la journée le week-end.

La part de travail de chaque enfant dépendra de son âge et de ses capacités, bien entendu, et du travail scolaire qu'il doit faire à la maison. Personne ne doit en être exempté — pour le bien de la famille comme pour le bien de l'individu. L'enfant de trois ans peut aider à dresser la table et peut aller chercher une couche propre pour le bébé. Même l'étudiant de secondaire le plus pressé peut aider ses parents à l'heure du souper en semaine, et en faire davantage durant le week-end.

Le partage équitable des corvées entre mari et femme et entre garçons et filles ne signifie pas que l'on doive laver le même nombre d'assiettes ou de couverts, c'est évident. On peut faire une rotation des corvées sur une base quotidienne ou hebdomadaire. L'enfant de moins de dix-huit ans, à moins d'être un grand chef, sera cuisinier adjoint. Si un membre de la famille déteste laver la vaisselle et un autre, l'essuyer, ils peuvent très bien, quand ils sont *de service*, s'échanger leur travail. Mais que les femmes acceptent graduellement d'assumer toutes les tâches domestiques dans la maison pour laisser aux hommes celles qui se font dans le jardin ou dans le garage, cela va à l'encontre de l'esprit de partage et d'égalité.

Je me rends compte maintenant que presque tous les garçons de trois ou quatre ans veulent jouer avec des poupées. Ce n'est pas qu'ils préféreraient être des filles; ils veulent simplement devenir des parents. C'est pourquoi les garçons, comme les filles, jouent si souvent au papa et à la maman à l'âge de trois, quatre et cinq ans. Je dirais volontiers qu'il est bon non seulement de laisser les garçons jouer au papa et à la maman, mais de leur donner une poupée s'ils en demandent une. Voilà qui les aidera à devenir de bons pères le moment venu.

Le seul cas où je ne préconiserais pas cette attitude de tolérance, c'est quand le garçon s'identifie principalement à des femmes, qu'il ne veut jouer qu'avec des filles et seulement des rôles traditionnellement féminins, et qu'il est malheureux d'être un garçon. Dans ce cas, je lui ferais voir un psychanalyste, parce que des craintes profondément enfouies dans son inconscient l'empêchent de s'identifier à son père, et que ces craintes doivent être mises au jour et dissipées. Nous supposons qu'il sera plus heureux lorsque son identification principale correspondra à son sexe. Et si la fille veut toujours jouer des rôles de garçon et est toujours malheureuse d'être une fille, je conseille également une consultation. Cependant, cela ne s'applique pas à toutes celles — qu'on appelle garçons manqués — à qui il arrive de vouloir jouer à la balle avec les garçons et de dire regretter d'être des filles.

La Seconde Guerre mondiale a été l'occasion de prouver que l'identification du garçon avec son père ne dépend pas principalement du nombre d'heures qu'ils passent ensemble. Le père peut être parti dans les forces armées durant les années de formation les plus importantes de l'enfant. Pourtant, le garçon peut se forger une identification principalement masculine grâce à une combinaison d'éléments: la mère parlera de son mari avec amour et admiration; la photo du père sera posée sur le manteau de la cheminée; la mère dira à son fils, chaque fois qu'il se sera montré particulièrement serviable ou raisonnable, que son père sera fier de lui quand il l'apprendra; le père écrira à son fils à l'occasion; le fils aura des contacts avec des hommes sympathiques, comme ses grands-pères, ses oncles ou des voisins. Par conséquent, il est faux de dire qu'une saine identification du garçon à son père dépend exclusivement de la présence de ce dernier un certain nombre d'heures par semaine.

Je crois que le processus d'identification est beaucoup plus facile si le père est souvent présent. Mais je ne pense pas que le père souvent absent doive s'inquiéter. Tout dépend du type de relation qui les unit. Ce qui compte pour le père et le fils, c'est de se sentir suffisamment à l'aise l'un avec l'autre, de tirer de la joie, la plupart du temps, de la compagnie l'un de l'autre. C'est ce qui fait que le garçon veut ressembler à son père.

Ce que je veux dire par *suffisamment à l'aise* requiert une petite explication.

• BONNE ENTENTE PÈRE-FILS

Il est évident que le garçon ne ressentira pas le besoin de se modeler sur son père si ce dernier passe son temps à le diminuer, à se moquer de lui ou à l'observer comme s'il cherchait un prétexte pour le critiquer. Il est également déplorable qu'un père ignore son fils, comme s'il n'existait pas.

Je dois maintenant préciser que la relation père-fils n'a pas besoin d'être parfaite non plus. Père et fils n'ont pas à être copain-copain tout le temps, ni à être complètement détendus dans leurs rapports. La psychanalyse avance que les garçons sont inconsciemment plus effrayés — ou du moins plus intimidés — par leur père que par leur mère, et que les pères sont plus sévères avec leurs fils qu'avec leurs filles.

Les pères ont tendance à se charger de faire respecter la discipline à leurs fils à mesure qu'ils grandissent, et les mères, à leurs filles. Si vous demandez à un père pourquoi il est plus strict avec son fils qu'avec sa fille, il vous répondra que c'est parce que son père était strict avec lui. Mais, en bon partisan de Freud, moi je dirais que c'est aussi parce qu'il y a plus de rivalité entre père et fils qu'entre père et fille, et entre mère et fille qu'entre mère et fils.

Certains pères consciencieux essaient si fort d'être copain-copain avec leur fils qu'ils persistent à se livrer avec lui à des activités qu'ils n'aiment pas. Ces activités peuvent finir par leur rester en travers de la gorge. Aux mères qui m'ont demandé de pousser leur mari à jouer davantage avec leur fils, j'ai répondu: «N'essayez pas de forcer votre mari à passer un certain nombre d'heures avec son fils s'il n'aime pas ça. Il deviendrait de plus en plus irritable avec le garçon, ce qui ferait plus de mal que de bien.» Bien sûr, le père devrait trouver une activité qui lui plaise et qui plaise également à son fils: matches de base-ball, parties de pêche, lecture, dessins animés ou émissions de télévision. Ou bien cela peut se limiter à quelques propos agréables échangés au cours des repas.

Au XIXe siècle et avant, peu de pères jouaient avec leur fils. Les pères des classes moyenne et élevée se comportaient avec beaucoup de *dignité* à cette époque. Ils portaient de beaux vêtements, gagnaient leur vie à l'extérieur et rentraient pour présider à la table familiale. Mais cela ne signifie pas qu'il n'y avait pas une bonne relation entre le père et le fils, ou que le fils n'arrivait pas à une bonne identification avec son père.

Mon père ne s'est jamais bagarré pour rire et n'a jamais joué à la balle avec moi. Il ne m'a jamais emmené à des événements sportifs, ni à la pêche, ni en camping, parce que ces activités lui étaient étrangères. Il m'a emmené, une ou deux fois, sur la côte du Maine, en bateau à vapeur, pour visiter des cottages à louer, ce qui n'a pas manqué de me faire me sentir assez adulte. Mon père étant un fervent de l'opéra; un jour j'ai voyagé avec lui en train, de New Haven à New York, pour aller entendre *Madame Butterfly*. Les voix et le jeu des artistes ne m'intéressaient nullement, mais j'étais fasciné par les techniciens qui pouvaient faire varier graduellement l'éclairage de la scène du jour à la nuit, en passant par un magnifique crépuscule rosé. Tout cela me semblait magique. (On ne sait jamais ce qui impressionnera les enfants et ce qui les laissera froids. Je me souviens d'avoir regardé à la télévision, avec mes petits-fils de cinq et de sept ans, le retour sur Terre du premier astronaute. Après deux minutes, ce spectacle fascinant ne les intéressait plus.)

Ce qui sans doute m'a le mieux aidé à m'identifier fortement à mon père, c'est qu'il m'a appris, quand j'avais douze ans, à m'occuper de la chaudière au charbon quand il s'absentait et à graisser la voiture familiale. À cette époque, vous vous glissiez sous la voiture et vous remplissiez une bonne douzaine de boîtes à graisse, pendant que la crasse que vous délogiez vous tombait dans les yeux. Ce qui m'impressionnait, c'était le fait qu'il continuait à me confier ces responsabilités, bien qu'il me soit arrivé deux malheureuses fois d'oublier la chaudière et de la laisser s'éteindre. Il a alors fallu des heures pour monter le lit de charbon à partir de bois d'allumage. Une autre fois, mon père m'a fait repeindre notre voiture, je m'en souviens; il m'avait donné une petite somme d'argent. Mon père m'a fait solennellement entrer dans l'adolescence en me montrant comment repasser mes premiers pantalons et les manches de mes vestons.

Je veux surtout mettre l'accent sur le fait que, à part le jeu, il y a de nombreuses façons pour le parent et pour l'enfant de créer une relation qui mène à l'identification.

Un autre élément d'une bonne relation père-fils ou mère-fille, c'est l'affection manifestée physiquement depuis la tendre enfance. Dans beaucoup de familles, surtout anglo-saxonnes, la tradition a voulu que le père soit peu démonstratif avec son fils. C'était le cas de mon père avec moi et, automatiquement, ce fut le cas pour moi avec mes fils. Une fois adultes, ils me l'ont reproché, m'expliquant qu'ils avaient senti que cette façon d'exprimer son affection n'était pas adéquate, même si elle leur plaisait. Mes fils se sont rendu compte que je n'étais pas comme les autres pères quand, à l'école, ils ont rencontré des enfants de diverses cultures, pour lesquels les démonstrations d'affection physique entre père et fils étaient tout à fait naturelles. Les enfants que j'ai connus à l'école provenaient presque tous du même milieu, ce que je regrette à plusieurs égards.

Les manifestations physiques d'affection entre père et fille ou entre mère et fils sont une excellente chose, pourvu qu'elles ne soient ni trop ardentes ni trop prolongées.

Dans beaucoup de familles, il est plus facile pour le père de bien s'entendre avec sa fille qu'avec son fils, en raison de l'attraction naturelle entre les sexes, de l'absence de rivalité et du fait que, traditionnellement, c'est la mère qui dirige sa fille.

Malheureusement, il est plus facile aussi pour les pères, s'ils s'entendent très bien avec leurs filles, de faire en sorte qu'elles se sentent moins importantes que les garçons de la famille. Il se peut que le père ait davantage envie de bavarder avec ses fils — de sports, de voitures, de réparations à la maison —, parce que toute sa vie il a tenu pour acquis que ces sujets de conversation appartenaient exclusivement aux hommes. Ce père pourrait bien ne jamais envisager d'emmener sa fille à une partie de base-ball ou au musée des sciences. Ce type de préjugés peut finir par convaincre les filles non seulement que les hommes et les femmes sont complètement différents, mais que ces dernières sont inférieures, et que les pères aiment moins leurs filles que leurs fils. Voilà qui peut développer chez la fille une *féminité* à l'ancienne qui la désavantage ou une certaine aigreur due à son ressentiment envers les hommes, ou encore un esprit de rébellion qui la poussera à jouer un rôle ostensiblement masculin dans toutes les occasions possibles.

Le type idéal de féminité se développe, à mon avis, quand la fille grandit heureuse d'être femme, plus ou moins sur le modèle de sa mère, que son père la respecte, et que les deux parents approuvent manifestement son identification et ses aspirations. Pour le garçon aussi, l'idéal est d'être heureux de sa nature d'homme et de sentir que sa mère et son père approuvent son identification et ses aspirations, dont ils sont à l'origine.

• LE RÔLE DU PÈRE DANS LA DISCIPLINE

Je n'oublierai jamais une certaine conférence au cours de laquelle une douzaine de jeunes mères se sont entretenues avec moi de ce qui les préoccupait au sujet des soins aux enfants. Nous n'avions pas prévu de discuter d'aspects particuliers. Aussitôt la discussion entamée, les mères ont commencé à parler de la répugnance de leur mari à participer à l'application de la discipline à la maison.

La difficulté, quand on parle de *discipline*, c'est que certains croient qu'il s'agit seulement de punir. En fait, dans un sens plus ancien, le terme est synonyme d'instruction, de direction morale, d'influence. Moi j'utilise le mot pour *diriger*, former, reprendre et, dans certains cas, punir. (Je ne préconise pas le châtiment. Voir le sixième chapitre.)

Je savais depuis toujours qu'un certain nombre de pères tentent de se dérober quand il s'agit de faire leur part pour imposer la discipline. Mais j'ai été étonné de constater que la majorité des mères de notre groupe de discussion en accusaient leur mari et fort surpris par la véhémence de leur indignation.

Ces femmes se sont plaintes, par exemple, de voir leur mari, une fois rentré du travail, continuer de leur laisser à elles le soin de diriger et de reprendre les enfants, pendant que lui lisait le journal, bricolait ou même jouait avec eux. À l'heure du coucher, la mère devait supplier son mari de manifester son autorité pour que les enfants aillent enfin se coucher. Une heure plus tard, les enfants s'amusaient ou se chamaillaient encore dans les chambres. La mère disait alors à son mari: «Tous les soirs, c'est la même chose; ils ne m'écoutent pas. J'aimerais bien que tu les réprimandes une fois pour toutes.» Le père se contentait de crier gentiment aux enfants: «Allez! Taisez-vous et dormez!»

Comment ces pères justifient-ils leur attitude? Certains expliquent que, après avoir été éloignés de leurs enfants toute la journée, ils veulent s'amuser avec eux et non pas les réprimander ou les punir. D'autres disent trouver leur femme trop critique ou trop irritable avec les enfants — du moins vers la fin de la journée — et croient qu'elle insiste pour qu'ils témoignent aux enfants la même mauvaise humeur qu'elle. Il existe des femmes qui gardent en mémoire toutes leurs récriminations de la journée à propos des enfants et qui, le soir, les régurgitent à l'intention de leur mari, afin que celui-ci les appuie et renforce réprimandes et punitions. Ces pères protestent: ils ne veulent pas jouer chaque soir le rôle du bourreau.

Il n'est certainement pas juste d'exiger des pères qu'ils deviennent des monstres aussitôt rentrés au foyer. De façon générale, je crois que c'est le parent qui passe la journée avec l'enfant qui doit le réprimander ou le punir au moment où il le faut. Seules les bêtises graves de l'enfant méritent d'être rapportées à l'autre parent.

Il arrive que l'irritabilité de la femme envers ses enfants et son mari soit due à un ressentiment qui couve en elle au sujet de ce qu'elle considère comme les aspects fastidieux des tâches concernant les enfants et la maison, par rapport à la stimulation d'une carrière à l'extérieur. Ces tensions sous-jacentes, elles doivent les faire remonter à la surface et les dissiper avant que les disputes concernant l'éducation des enfants puissent être réglées.

Évidemment, dans beaucoup de familles c'est la mère qui se voit obligée d'imposer la discipline le gros de la journée. À l'heure du souper, son autorité sur ses enfants s'est effilochée et elle souhaite que son mari l'aide un peu. L'autorité du père est toute fraîche: avec une simple parole il peut obtenir des enfants ce que la mère n'aurait pas pu avec une avalanche de mots. Je crois que, si la situation était inversée, et si c'étaient les pères qui restaient le plus longtemps à la maison avec les enfants, ce seraient les mères qui, le soir, feraient appliquer la discipline avec le plus d'efficacité.

S'il est injuste de la part de certaines femmes de vouloir que leur mari soit plus sévère que nécessaire, je crois qu'un grand nombre d'entre elles ont raison de dire qu'il esquive sa part des responsabilités.

Les visiteurs étrangers ont souvent fait remarquer qu'en Amérique ce sont les femmes qui semblent détenir le gros de l'autorité au foyer, contrairement à ce qui est courant en Europe, où le père est considéré comme le chef de la famille. Plusieurs raisons expliquent cette situation.

Dans les familles où le père a tendance à se dérober à son rôle d'autorité, il est quelquefois évident que son comportement est autant celui d'un enfant que celui d'un mari ou d'un père. Il attendra peut-être de sa femme qu'elle lui achète ses vêtements; ou il lui remettra son chèque de paye en la laissant décider des dépenses; ou il l'appellera *la patronne*.

J'ai connu des familles où il était évident que le père s'alliait par espièglerie aux enfants pour miner l'autorité de la mère ou pour la taquiner. Un tel comportement oblige la mère à devenir de plus en plus sévère au foyer, pour résister à l'alliance formée contre elle. En retour, cela encourage père et enfants à la contrarier davantage.

Le jeune père qui semble répugner à assumer sa part d'autorité se justifie souvent en disant qu'il ne veut pas que ses enfants — surtout ses fils — éprouvent du ressentiment pour lui comme il en a éprouvé pour son père durant sa propre enfance. Il souhaite que ses enfants le considèrent comme un ami. Voilà un désir bien légitime, mais qui ne correspond pas à un programme d'éducation bien pratique. C'est conserver jusqu'à l'âge adulte une attitude critique envers les parents, plus ou moins universelle durant l'adolescence et la jeunesse, mais dont on se défait avec l'âge.

Quand les jeunes livrent la dernière bataille pour se libérer de leur dépendance d'enfant, ils trouvent leurs parents vieux jeu et sévères. Ils se jurent souvent de ne jamais devenir comme eux. (Je me souviens de me l'être juré mille fois.) Mais la plupart d'entre eux, une fois qu'ils ont emploi et famille, commencent à s'identifier davantage à leurs parents sur le plan des émotions. Ils se diront: «Maintenant que je vois ce que mes parents ont eu à affronter, je trouve qu'ils s'en sont bien tirés.» Il se peut qu'ils adoptent beaucoup plus des attitudes de leurs parents et de leurs méthodes d'éducation qu'ils ne l'auraient cru.

Mais il existe une minorité de parents qui se souviennent davantage des sentiments négatifs ressentis durant leur enfance et qui, avec raison, veulent élever leurs enfants d'une autre façon. Je crois que ce sont souvent les pères qui craignent de susciter chez leurs fils le ressentiment qu'eux-mêmes ont éprouvé envers leur père. Pourquoi? Parce qu'il y a plus de rivalité et d'hostilité subconsciente entre le père et le fils qu'entre le père et la fille ou la mère et le fils. Le conflit entre la mère et la fille peut être sérieux aussi.

Au père particulièrement soucieux d'éviter que ses enfants ne le craignent, je ferai remarquer les conclusions apparemment contradictoires qui ressortent des diverses enquêtes effectuées à ce sujet. En général, on a trouvé que les garçons craignent davantage les pères qui s'efforcent de ne pas les gronder et de ne pas laisser paraître leur colère. Ces garçons savent, en observant les adultes, que ceux-ci manifestent leur désapprobation et leur colère aux enfants qui se conduisent mal. Ainsi, quand ces garçons voient leur père se retenir, ils présument qu'il est terriblement fâché et ils ont peur de sa colère réprimée. Ils sont plus effrayés que les autres garçons parce qu'ils voient rarement, sinon jamais, leur père se laisser aller et que, en enfants qu'ils sont, ils imaginent une rage bien pire que celle qui existe en réalité.

Les enquêtes ont également démontré que le garçon croit que son père se retient par crainte de la puissance destructrice de sa colère. Voilà qui peut sembler farfelu, voire invraisemblable. Vous comprendrez peut-être plus facilement si j'inverse le point de vue: habituellement, le garçon est assez souvent témoin de la désapprobation de son père et il essuie sa colère de temps à autre. Ces expériences sont désagréables, mais de courte durée. Chaque fois, le garçon prend conscience — non sans un certain sentiment de triomphe — qu'il a survécu à la tempête. Chacune de ces expériences renforce son assurance, un peu comme il devient de plus en plus sûr de lui chaque fois qu'il s'acharne, par exemple, à monter à l'étage dans l'obscurité ou que, sur le chemin de l'école, il choisit délibérément de passer devant un chien qui aboie.

Je ne dis pas que le père devrait piquer des crises de colère pour endurcir son fils, je suis seulement convaincu de ceci: quand le père désapprouve la conduite de son fils ou qu'il en est irrité, il vaut mieux qu'il n'essaye pas de le dissimuler. Il doit plutôt aborder le sujet ouvertement et promptement.

Reprendre un enfant, ce n'est pas se mettre en colère ou le dénigrer. En fait, si le parent règle toutes les petites crises à mesure qu'elles se produisent, il est probable que le ressentiment ne s'accumulera pas au point de dégénérer en colère. Diriger l'enfant peut consister à lui donner des conseils ou à le reprendre calmement et brièvement, sans provoquer d'animosité ou d'hostilité. Les chefs, qu'ils soient généraux, capitaines d'industrie ou parents, peuvent se comporter amicalement et respectueusement avec les personnes placées sous leur autorité, s'ils savent ce qu'ils veulent, s'ils l'expriment clairement et s'ils ne tolèrent pas les abus.

Un autre facteur susceptible de détourner le père de ses devoirs en matière de discipline peut être le fait qu'il a été élevé par une mère trop autoritaire, qu'il n'osait pas défier ouvertement, mais à qui il résistait souvent de façon subtile et taquine. L'homme élevé dans ce type de relation pourrait inconsciemment rechercher une femme qui, elle non plus, ne déteste pas jouer les adjudants. Même si ce trait de caractère n'a pas compté lorsqu'il a choisi sa femme, après le mariage il pourrait bien, de façon subconsciente, inciter celle-ci à devenir une «emmerdeuse», en ne prenant pas ses responsabilités de mari ou de père ou en s'alliant avec ses enfants dans la désobéissance quotidienne. Toujours inconsciemment, il poussera sa femme à devenir une mère qui asticote toute la famille, comme sa mère à lui l'asticotait. Freud a dit qu'il s'agissait là d'un exemple de *répétition compulsive*.

Si le père veut changer et se mettre à assumer sa part de l'éducation des enfants, il doit faire preuve d'assez de maturité pour se rendre compte de ce qu'il doit faire ou ne pas faire.

Sa femme doit toutefois lui donner l'occasion de jouer son rôle. J'ai connu des cas où la mère se plaignait amèrement du manque de participation de son mari en matière de discipline, mais qui, chaque fois qu'il essayait de prendre des décisions et de corriger les enfants, le contredisait ou allait à l'encontre de ses instructions.

Personnellement, je crois qu'à la rentrée du père à la maison, celui-ci devrait se charger — sans que sa femme ait à l'y pousser — d'une grande partie de la prise en charge des enfants durant la soirée, notamment quand viennent les épreuves du bain et du coucher.

Cela ne revient pas à dire que le père doive être sinistre ou qu'il ne puisse être copain-copain avec ses enfants. Mais s'il veut exercer une influence idéale sur eux tout en maintenant une bonne relation avec sa femme, il doit avant tout être un père, c'est-à-dire un leader et un modèle pour ses enfants. C'est de son père que s'inspirera surtout le garçon pour devenir un adulte et un homme. Il observe attentivement le comportement de son père avec ses enfants: le père les dirige, les respecte, leur confie des responsabilités, se montre capable de leur dire non et de manifester qu'il les désapprouve. Le garçon voit aussi comment son père traite sa femme et les autres femmes, comment il s'entend avec les hommes — dans un esprit de camaraderie et de concurrence — et comment, plein de ressources, digne et courageux, il répond chaque jour aux demandes qui lui sont faites et réagit aux petites crises.

Le père qui ne se montre que sous le jour d'un grand enfant prive son fils d'un excellent modèle à imiter. Il prive également sa fille d'un modèle d'homme qui lui serait utile pour bâtir ses relations futures avec tous les hommes et surtout avec son futur mari.

Les enfants auront beaucoup d'amis au cours de leur développement, mais ils n'auront très probablement qu'un seul père. Bravo si ce dernier est aussi copain avec son fils; mais il est essentiel qu'il soit d'abord et avant tout un père.

La participation du père en matière d'orientation et de discipline ne peut être reportée au moment où ses fils et filles atteindront un certain âge, non plus que le père ne peut apparaître soudain quand un problème survient pour ensuite disparaître dès qu'il est réglé. La discipline ne constitue qu'un des fils du tissu qu'est la relation père-fils, tissu qui continue d'être fabriqué du moins jusqu'à ce que l'enfant quitte le foyer. C'est à la naissance que la relation du père avec l'enfant doit être fermement établie. Le père et la mère doivent devenir des experts ensemble. Le rôle du père auprès des enfants en matière d'orientation et de discipline lui vient naturellement quand il s'occupe du bébé: il le nourrit, le lange, lui donne son bain, l'habille, le console, lui explique des choses, lui fait la lecture, lui raconte des histoires.

Quand l'enfant arrive à l'adolescence, habituellement et tout naturellement la mère s'occupe davantage de l'orientation de sa fille, alors que le père fait de même avec son fils. À cet âge, le garçon sent que sa mère est tout à fait différente de lui en raison de son sexe, au point d'appartenir à une autre espèce. Il lui est difficile de croire qu'elle peut comprendre ses émotions et ses besoins. Il veut, et c'est son droit, que son père soit son principal guide, même s'il doit écouter sa mère et lui manifester son respect.

De même, la fille qui entre dans l'adolescence croit qu'il est impossible à son père de comprendre ses émotions et ses problèmes particuliers. Ainsi, le père laissera diplomatiquement la majeure partie de son orientation à la mère. Mais il est essentiel que le père soit l'ami de sa fille et qu'il la soutienne, qu'il s'intéresse à ses idées et à ses activités, qu'il partage les siennes avec elle en l'emmenant comme ses fils à des excursions et à des sorties, qu'il se tienne prêt à lui expliquer les particularités du sexe mâle quand elle est perplexe ou qu'elle a une peine de cœur.

• JE NE SAVAIS PAS COMMENT ÊTRE UN BEAU-PÈRE

J'ai un jour écrit sur les problèmes des beaux-parents un article qui, selon moi, contenait beaucoup de sagesse. Onze ans plus tard, une fois devenu moi-même le deuxième père d'une fille de onze ans, je me suis rendu compte que je ne savais rien sur ce sujet délicat. Frustré et malheureux, j'ai cherché l'aide d'une conseillère spécialiste en la matière. Elle m'a redonné espoir. Selon elle, je m'étais jusqu'alors bercé d'un bonheur illusoire, croyant naïvement que tout enfant finit par accepter son beau-père ou sa belle-mère après un an ou deux. Je me suis donc mis à travailler au problème du nouveau parent imposé, avec l'aide d'une spécialiste en thérapie familiale et l'apport des douzaines de livres et d'articles que j'avais lus à ce sujet.

Je commencerai par déclarer que la relation entre beau-père ou belle-mère et enfant est presque nécessairement maudite, presque toujours empoisonnée. Ce n'est pas par hasard que dans tant de contes on parle de méchantes marâtres ou de cruels parâtres. Pour les enfants, le beau-parent semble être le diable incarné. Après tout, ce ne sont pas ces enfants qui se sont épris de cet être; ce ne sont pas eux qui ont permis à l'intrus d'accaparer la moitié de l'attention du vrai parent. Souvent, le beau-parent fait irruption dans la famille précisément au moment où enfant et vrai parent étaient devenus particulièrement proches à la suite d'un divorce ou du décès du conjoint. Le beau-parent suscite donc une jalousie et un ressentiment intenses. Pour justifier ces émotions, l'enfant exagère les défauts du beau-parent ou ignore délibérément ses qualités.

Je me limite aux aspects négatifs, bien sûr. Il arrive que les enfants se montrent chaleureux avec le beau-parent. Mais sous ces dehors, ils sont souvent amers, ce qui peut se traduire par le manque de coopération et par la grossièreté. Tôt ou tard, cela finit par taper sur les nerfs du beau-parent le plus patient et le plus compréhensif. Celui-ci en conçoit de la mauvaise humeur, quand ce n'est pas de la colère, et commence à désapprouver les enfants qui, tenant cette attitude comme une preuve d'hostilité, se comportent encore plus mal.

Le beau-parent reproche alors au parent d'avoir mal élevé ses enfants et demande qu'ils soient réprimandés. Les enfants croient que le beau-parent essaie de monter le parent contre eux. Le parent malheureux se sent déchiré. Pour lui, agir dans un sens ou dans l'autre ne manquera pas de faire de la peine à quelqu'un et de se l'aliéner.

Ce que je viens de décrire, c'est une situation typique, la mienne en tout cas. Ginger, la fille de ma femme, avait eu sa mère à elle toute seule — dans le sens qu'elle n'avait aucun rival important —, depuis l'âge de sept ans, quand ses parents avaient divorcé, jusqu'à ce que j'apparaisse dans le tableau quatre ans plus tard.

Mary et moi nous étions épris l'un de l'autre dès notre première rencontre à une conférence, en Californie. Nous étions déjà presque engagés l'un envers l'autre, avant que Ginger ne fasse ma connaissance. Dès le départ, elle n'a jamais eu son mot à dire dans le choix du nouveau partenaire de sa mère. Par la suite, Mary et moi, emportés par notre enthousiasme, avons accordé peu d'importance à ce qu'éprouvait Ginger.

Depuis que j'ai pris ma retraite de la faculté de médecine, je passe une grande partie de l'année sur mon bateau à voiles, les hivers dans les îles Vierges, les étés près de la côte du Maine. Toute ma vie la voile m'a passionné et, une fois à la retraite, j'en ai fait un élément essentiel de ma vie. Il était donc important pour Mary et moi de savoir si nous pouvions partager cette passion. Par conséquent, peu après notre rencontre, Mary est venue me rendre visite plusieurs semaines aux îles Vierges. Plus tard cet hiver-là, elle est revenue. Les deux fois, Mary avait laissé Ginger avec de bons amis de la famille sur le continent. Mais la troisième fois, Mary avait invité sa fille et lui avait demandé d'emmener une amie. Toute la durée de son séjour, Ginger s'est montrée froide envers moi et, à une certaine occasion, assez impolie pour me faire sortir de mes gonds.

Dix mois après notre première rencontre Mary et moi avons décidé de nous marier. À ce moment-là, je vivais à New York, alors que Mary et Ginger vivaient en Californie. J'aurais préféré habiter l'un de ces deux endroits, mais Ginger nous a suppliés de nous établir en Arkansas, où elle avait grandi et où demeuraient son père ainsi que ses grands-parents paternels et maternels dont elle était la première petite fille. Pour toutes ces raisons, nous avons accepté de bâtir notre maison en Arkansas. Ginger et son père ont convenu qu'elle vivrait avec lui durant les mois où Mary et moi voguerions en mer. Mais un an plus tard, la construction de notre maison terminée, Ginger et son père ont changé d'idée: ils n'allaient pas vivre ensemble. Une fois de plus, Mary et moi avons assumé la pleine responsabilité de Ginger et essayé de modifier nos projets pour qu'ils conviennent à tous les intéressés.

Nous voulions vivre en Arkansas l'automne et le printemps, et passer les étés avec Ginger sur notre bateau. L'hiver, elle avait trois semaines de congé à Noël et deux en février, pendant lesquelles elle pourrait se joindre à nous. Il restait donc deux mois à régler, où Ginger devait aller à l'école et où Mary et moi voulions naviguer. Nous savions que nous pourrions prendre des dispositions pour que Ginger mène une vie agréable durant cette période.

Ginger était indignée. À son point de vue, la plupart du temps nous ne l'emmenions pas avec nous et, à mesure qu'elle grandissait et s'enhardissait, elle nous reprochait de ne pas l'aimer, de la négliger et de l'abandonner. Il se peut que nous ayons été coupables, jusqu'à un certain point, d'ignorance et d'insensibilité, mais je ne crois pas que nous ayons été aussi injustes que Ginger le prétendait. À mon avis, plus souvent qu'autrement c'était elle qui n'était pas disposée à passer du temps avec nous. La première année, inflexible, elle avait refusé de passer l'été avec nous au Maine, qu'elle imaginait froid et inhospitalier. Un autre été, nous avons cédé à sa demande et avons passé un juillet torride en Arkansas durant lequel nous ne l'avons presque jamais vue. Elle est restée en ville la majeure partie de son temps, au lieu d'inviter ses amis dans notre maison près du lac.

Il n'y avait pas que les étés qui posaient des difficultés. Les trois ou quatre premières années où nous avons partagé la même maison, il m'a semblé que Ginger ne me regardait et ne m'adressait la parole que rarement. Quand je la conduisais à l'école parce qu'elle avait manqué son autobus scolaire, j'essayais d'amorcer une conversation, mais elle ne répondait que par monosyllabes. Une ou deux fois par année j'explosais: «Dans mes soixante-quinze ans de vie, j'ai connu des milliers de gens, mais jamais personne d'aussi impoli que toi!» Il me semblait chaque fois voir s'esquisser un petit sourire de triomphe sur ses lèvres.

Comme si je n'éprouvais pas assez de difficulté à me faire accepter, je compliquais les choses en reprenant Ginger lorsqu'à table elle déchirait le poulet en petits morceaux avec ses mains et trempait ses doigts dans la sauce (Mary était persuadée que Ginger essayait de venir à bout de ma patience), et lorsqu'elle refusait de porter son appareil dentaire. Sa chambre était toujours sens dessus dessous, et chaque matin elle laissait les serviettes de toilette mouillées roulées en boule traîner partout. Je me tuais à lui répéter qu'elles ne sécheraient jamais ainsi, et qu'elles moisiraient. Quand elle disait: «Si j'aurais le temps, je ferais ma chambre», je corrigeais sa grammaire. C'était à devenir fou!

J'aurais voulu que Mary réprimande plus souvent Ginger. Mais si ma femme m'écoutait d'une oreille sympathique, elle répugnait à faire quoi que ce soit qui puisse faire croire à Ginger que sa mère s'alliait avec moi contre elle. Mary a même confié à des amis qu'elle se sentait écartelée entre Ginger et moi.

D'autres problèmes surgissent dans les familles reconstituées. Dans certains cas l'homme et la femme qui se marient ont déjà tous deux des enfants et ceux-ci doivent apprendre à bien s'entendre entre eux et avec leur beau-parent respectif. Il arrive que les droits de visite et les questions d'argent suscitent du ressentiment chez l'ex-conjoint.

Dans mon cas particulier, le temps a bien fait les choses. Les trois ou quatre années de relations pénibles entre Ginger et moi ont été suivies de quatre ou cinq années d'amélioration graduelle. En outre, Ginger a mûri, ce qui a contribué à alléger nos difficultés. Elle passait d'un âge où elle dépendait presque totalement de sa mère à un âge où elle désirait son indépendance. Plus elle grandissait, moins je constituais une menace pour elle.

Après coup, je pense que nous aurions probablement pu devenir des amis plus tôt si j'avais eu assez de bon sens et de contrôle sur moi-même pour éviter de la critiquer. Tous les experts qui ont écrit au sujet des relations à l'intérieur des familles reconstituées recommandent que le beau-parent soit très prudent et avisé quand il s'agit de commencer à faire respecter la discipline. Ce rôle pousse l'enfant à penser ou à dire ceci: «Tu n'es pas mon père (ma mère). Je n'ai pas à t'obéir.» Cela ne veut pas dire que le beau-parent doit accepter qu'on abuse de lui; il doit seulement attendre d'être accepté avant d'essayer d'assumer le contrôle et l'orientation des enfants.

Ginger a maintenant vingt-deux ans. Elle et moi sommes de bons amis, la plupart du temps. À la fin de ses études secondaires, elle m'a fait inviter à son école pour que j'y prononce une allocution à la remise des diplômes. Ce geste d'acceptation m'a fait grand plaisir. Il lui arrive de m'appeler papa et, même si je ne veux pas prendre la place de son vrai père, ce terme d'affection me fait chaud au cœur.

Voici, dans la version de Ginger, l'histoire de mes premières années avec elle.

Il est arrivé et s'est mêlé de tout par Ginger Councille

«Un jour, comme ça, j'ai eu instantanément un second père. Celui qui avait manqué à notre famille depuis que j'avais sept ans venait d'être remplacé. Le seul ennui, c'est que mon nouveau père était un homme que je ne connaissais pas. Je ne l'avais rencontré qu'une seule fois quand j'ai su qu'il épouserait ma mère. La première crainte que j'ai ressentie, c'était de voir un parfait étranger envahir notre petite famille bien unie. Comment mon beau-père et moi allions-nous nous entendre? Fallait-il que je l'accepte automatiquement?

«J'ai vite compris que ma relation avec mon beau-père, le docteur Benjamin Spock, ne ressemblerait à aucune autre des relations que j'avais connues et qu'elle serait de loin la plus ardue. Après son mariage, je ne voyais ma mère, la personne la plus proche de moi au monde, qu'à peu près cinq mois par année. J'ai choisi de ne pas vivre avec mon vrai père en Arkansas, de sorte que, durant les voyages de ma mère et de son mari, je vivais avec des amis. Il me semblait que Ben et ma mère ne comprenaient pas que je me sentais bien malheureuse et rejetée comme c'est, je pense, le cas de tout enfant placé dans cette situation. À mes yeux, il était entré dans notre vie et s'était mis à la régenter.

«Je n'ai jamais consciemment voulu que Ben se sente indésirable; je n'ai jamais cherché à être impolie avec lui. Dans mon inconscient, toutefois, il est probable que je le voulais, parce que je trouvais difficile d'accepter sa seule présence. Ben a dit à de nombreuses reprises dans ses articles et dans ses conférences que, les deux premières années, je ne le regardais pas et ne lui parlais pas, et que de plus je l'ignorais le matin, sur le chemin de l'école. Premièrement, je ne suis pas très loquace le matin. Deuxièmement, je peux dire avec franchise que je n'avais pas grand-chose à lui dire. Pendant longtemps, je n'ai fait que l'observer.

«Le premier été après leur mariage, ma mère et Ben voulaient aller dans le Maine. Je n'y avais jamais été et je voulais qu'ils restent en Arkansas. Quand ils ont décidé de partir de toute façon, j'ai pensé que mes préférences ne comptaient pas pour eux. Sans Ben, ma mère ne m'aurait jamais laissée seule ni l'été ni en d'autre temps. J'étais obligée de rivaliser avec Ben pour obtenir l'attention de ma mère; j'étais incapable de ne pas m'en prendre à lui.

«Je n'ai jamais détesté Ben. Il y avait tellement de différences entre nous que notre relation devait en souffrir. Il a soixante ans de plus que moi et a été élevé dans une atmosphère puritaine. Il a un esprit plus conventionnel que le mien. À treize ou quatorze ans, j'aimais passer des heures au téléphone à potiner avec mes amies et à flirter avec les garçons. Je sentais que Ben trouvait ce comportement bien sot. J'ai toujours aimé les animaux en peluche, mais Ben, dont les quatre sœurs n'en avaient jamais fait collection, trouvait cela puéril. Et bien sûr, lui et moi n'aimions pas la même musique. J'écoutais du rock dans ma chambre pendant qu'il faisait jouer du jazz ou de la musique classique dans le living. Il arrivait que l'un de nous augmente le volume de sa musique pour étouffer celle de l'autre.

«Ma relation avec Ben s'est améliorée avec le temps. En apprenant à le connaître je me suis rendu compte qu'il n'était pas un homme sournois et sans égards, déterminé à me voler ma mère. Peu à peu nous avons commencé à faire du canot et de la voile ensemble, et à lire à haute voix. Un jour où ma mère et moi n'étions pas d'accord à propos de quelque chose qui me tenait beaucoup à cœur, Ben a pris mon parti. J'ai été touchée. J'ai pris conscience qu'il se souciait de moi et qu'il ne voulait que mon bien.

«Je me souviens de la première fois où j'ai donné un cadeau à Ben pour la fête des Pères. Tous deux nous savions ce que cela signifiait: je considérais désormais qu'à trois nous formions une véritable famille.»

TROISIÈME CHAPITRE

Le divorce et ses conséquences

- LES ENFANTS ET LE DIVORCE
- UN PARENT PEUT-IL EN REMPLACER DEUX ?
- SOLUTIONS AUX PROBLÈMES DE GARDE

• LES ENFANTS ET LE DIVORCE

Comment préparer les enfants au divorce des parents pour que son effet soit le moins néfaste possible? Il vous faut être conscient de ce que le sens de la sécurité de l'enfant est fortement relié au fait qu'il a un père *et* une mère et que les deux vivent dans la même maison. À la première annonce d'un divorce, il se peut que les enfants supplient les parents de rester ensemble. Même une fois que le divorce est devenu une réalité depuis des mois, voire des années, les enfants pourraient bien continuer d'espérer et de supplier. Il est donc important que les parents en désaccord ne se menacent pas de divorce dans leurs disputes. Une fois prise cette décision, il est sage d'être franc avec les enfants. Quand une crise grave pointe à l'horizon et qu'on n'en discute pas avec les enfants, ceux-ci sentent immédiatement que quelque chose ne va pas, et leur imagination inquiète peut leur faire croire des choses pires que la réalité.

En premier lieu, par un étrange raisonnement d'enfant, ils pourraient penser qu'ils sont responsables du divorce. Je suppose que, étant habitués à se faire réprimander pour ceci et pour cela, ils tiennent leur culpabilité pour acquise, tant que la preuve de leur innocence n'est pas faite.

Deuxièmement, ils croient que le parent qui quitte le foyer le fait pour toujours et qu'il ne sera plus leur parent. Et si ce parent ne garde pas contact d'une façon ou d'une autre avec eux, les enfants peuvent se convaincre qu'ils sont indignes d'être aimés, ce qui constituera un handicap pour eux leur vie durant. C'est pourquoi il est si important non seulement que le parent qui quitte le foyer promette de rendre visite à l'enfant, mais aussi qu'il tienne ses promesses qui sont sacrées ou du moins qu'il reste en contact avec lui par des lettres, des coups de fil, des présents d'anniversaire et de Noël, et même par des cartes de Saint-Valentin.

Troisièmement, les jeunes enfants croient que, si un des parents part — les abandonne, dans leur esprit —, l'autre aussi partira bientôt, les laissant orphelins.

Enfin, si les enfants sont persuadés par l'un des parents que l'autre est un bon à rien, ils seront convaincus qu'eux aussi sont partiellement des bons à rien, en raison de leur filiation.

En dépit de la meilleure préparation, les parents peuvent s'attendre à voir leurs enfants donner des signes de bouleversement pendant au moins deux ans. Ces symptômes sont variés et dépendront de la personnalité et de l'âge des enfants: peurs, cauchemars, sanglots, exigences, agressivité, esprit querelleur, humeur belliqueuse, insuffisance dans le rendement scolaire, etc.

Je conseille au parent qui a la garde de l'enfant et à celui qui ne l'a pas de le traiter le plus possible comme avant le divorce. La mère qui auparavant ne travaillait pas à l'extérieur pourrait croire qu'elle doit souvent donner des cadeaux à son enfant, parce qu'elle se sent coupable. Mais c'est sa présence qui compte, pas ses présents. Ou encore, les parents peuvent se montrer trop faibles avec leurs enfants, quand ils leur font la lecture, qu'ils jouent avec eux ou qu'ils acceptent leur manque de coopération et leur impolitesse. Le parent qui n'a pas la garde de l'enfant pourrait tomber dans le piège des visites du samedi: lunch chez McDonald's puis cinéma, comme si c'était la norme à adopter avec tous les enfants. Il est souhaitable que les parents aient des activités amusantes avec leurs enfants, pourvu que cela les amuse eux aussi et que cela ne prenne pas toutes leurs heures libres. Sinon, il ne s'agirait plus, pour les parents, que de calmer leur sentiment de culpabilité. C'est cela que les enfants percevraient et ils seraient tentés de se montrer de plus en plus exigeants. Dites seulement: «Maintenant je suis fatigué; je veux lire le journal.»

Il faut encourager les enfants à maintenir leurs occupations habituelles et à continuer de jouer avec les voisins, de faire de la bicyclette, de s'adonner à leurs passe-temps préférés, de regarder de bonnes émissions à la télévision, de faire leurs devoirs et de lire. Au point de vue émotionnel, il est bon qu'ils participent aux tâches domestiques, chez le père comme chez la mère.

La mère peut-elle jouer le rôle du père aussi? Non, et cela ne devrait pas la désoler non plus. Les grands-pères, les oncles, les entraîneurs, les moniteurs de camps d'été, les chefs scouts et tous les amis de la mère peuvent jouer le rôle du père. Il se peut qu'elle s'inquiète de ne plus avoir aucun contrôle sur son fils, devenu un géant durant l'adolescence. La force physique et les châtiments, qu'elle s'en souvienne, ne sont pas un moyen de venir à bout d'un enfant; mieux vaut lui inculquer le respect, le bon sens et l'idéalisme.

Il importe que la mère n'essaie pas de transformer son fils en un substitut du père, en le faisant dormir avec elle ou en discutant avec lui de ses préoccupations les plus intimes. Si le comportement du mari lui a laissé un goût amer dans la bouche ou si elle a décidé une fois pour toutes que tous les hommes sont des salauds, elle ne doit pas essayer d'en convaincre ni son fils ni sa fille, même si la tentation de le faire est forte. Il est essentiel que garçons et filles grandissent en croyant que les hommes et les femmes en général, et leurs parents en particulier, sont des gens décents et de bonne volonté. Autrement, l'image qu'ils se feront d'eux-mêmes, du sexe opposé et du mariage sera négative et faussée.

De bien des façons, c'est la mère, si elle a la garde des enfants, qui est le plus affectée par le divorce et par sa situation de parent seul. De nombreuses femmes qui n'avaient jamais gagné leur vie auparavant ont rapporté que leur plus grande crainte de parent seul était de ne pas pouvoir faire vivre leurs enfants. (Les mères qui demandent le divorce, si elles ne sont pas très riches, devraient toujours exiger une pension alimentaire suffisante pour leurs enfants, même si dans la plupart des cas celle-ci sera difficile à percevoir. Leur fierté n'a rien à voir dans tout cela.) Mais elles ont également déclaré que, après s'être prouvé à elles-mêmes qu'elles pouvaient avoir un bon emploi et élever leurs enfants, elles avaient gagné une assurance et une fierté nouvelles. Toutefois, dans notre société, la mère souffrira généralement du fait que les femmes ne gagnent en général, à travail égal, que cinquante-neuf pour cent du salaire des hommes. Elle disposera donc de moins d'argent pour ses enfants, pour elle, pour les baby-sitters et pour les garderies.

Après une journée de travail bien remplie, le parent qui a la garde des enfants doit tenir maison, satisfaire les besoins quotidiens de ses enfants, se montrer particulièrement attentif à leurs besoins affectifs particuliers résultant du divorce et faire souvent face à leurs exigences excessives et à leurs comportements déplaisants. Voilà qui laisse au parent peu de temps et d'énergie pour ses propres besoins sociaux et affectifs. (J'ai un jour participé à une longue discussion dans un club de parents divorcés. Un nombre important d'entre eux ont déclaré que, compte tenu de ce qu'était devenue leur situation, ils regrettaient de ne pas avoir travaillé plus fort à la réussite de leur union en se montrant plus compréhensifs et en suivant des thérapies de couples. J'en conclus que certains d'entre eux avaient persisté à vouloir le divorce, par colère, par obstination ou par vengeance, sentiments qui s'étaient évaporés par la suite.) Dans la prochaine partie, je parlerai des fréquentations.

Comme elles ne sont pas sûres de pouvoir survivre économiquement du fait qu'elles sont moins bien payées que les hommes, certaines divorcées retournent chez leurs parents, du moins temporairement. D'autres trouvent utile de cohabiter avec une autre femme, généralement mère aussi. Voilà qui réduit les frais, qui fournit une bonne compagnie et qui permet à l'une ou à l'autre de sortir le soir. Bien sûr ces colocataires devraient bien se connaître avant d'emménager ensemble. Les hommes auraient avantage à rechercher le même arrangement.

La famille monoparentale présente donc un défi de taille. Mais elle peut être une bonne occasion pour le parent de s'épanouir et de devenir plus mûr. Cela pourrait favoriser la réussite d'un second mariage éventuel ou tout simplement rendre la vie plus satisfaisante.

• UN PARENT PEUT-IL EN REMPLACER DEUX?

Comment réussir à titre de parent seul? Question importante à notre époque où se multiplient les familles monoparentales. Le plus grand nombre de celles-ci ont pour chef une femme divorcée, abandonnée ou veuve. Mais ces dernières années, certains juges ont accepté de confier au père la garde des enfants. En plus, un nombre toujours croissant de femmes choisissent d'élever seules un enfant — leur propre enfant ou un enfant adopté — sans les avantages (d'aucuns diront les inconvénients) que leur apporterait un partenaire.

Nous pouvons trouver le meilleur moyen pour le parent unique d'élever ses enfants en examinant d'abord ce que ceux-ci reçoivent de leur père et de leur mère dans les familles traditionnelles.

En général, les enfants veulent un père *et* une mère, en partie parce que c'est ainsi qu'a commencé leur vie et qu'ils en sont arrivés à une forte dépendance affective vis-à-vis des deux parents. Ce désir s'illustre par leur façon de supplier les parents divorcés de reprendre la vie commune. Les enfants désirent également ce que possèdent les autres enfants, que ce soit un ordinateur, une nouvelle poupée ou une famille nucléaire.

Autrefois, quand existait encore ce que l'on appelait les *orphelinats* (lesquels abritaient en fait non des orphelins, mais des enfants négligés ou abandonnés), on pouvait constater que des enfants qui n'avaient jamais connu leurs parents mouraient néanmoins d'envie d'être près d'eux. Ils se créaient des parents en imagination, à partir des différents adultes qu'ils pouvaient observer et qu'ils aimaient, comme les membres du personnel de l'institution ou les parents rendant visite aux autres enfants. Les enfants pouvaient décrire par le menu l'apparence de leurs parents fictifs, dire combien de fois ils recevaient leur visite, parler des beaux cadeaux qu'ils leur apportaient et déclarer qu'ils viendraient bientôt les chercher pour les emmener dans leur merveilleux foyer.

De la même façon, fils et filles de familles intactes recourent à leur père *et* à leur mère pour définir les grands objectifs qui les guideront toute leur vie.

Jusqu'à maintenant, j'ai parlé comme si les enfants tiraient leur modèle et leur inspiration exclusivement de leur identification ou de leur attachement à leurs deux vrais parents. Les deux parents sont l'influence majeure dans les familles intactes et dans les familles séparées où les visites et les contacts (lettres, présents, coups de fil) sont réguliers, surtout au cours des années formatrices qui précèdent l'école. Mais même dans les familles intactes, à mesure que les enfants se développent, qu'ils apprennent à connaître le monde extérieur et qu'ils commencent à vouloir leur indépendance, ils subissent l'influence des enseignants, des chefs de groupes, des héros, à qui ils s'attachent et s'identifient.

Ainsi, l'enfant même très jeune, de deux à cinq ans, dont le parent est éloigné ou qui n'a plus de contact avec lui se tournera instinctivement vers des remplaçants — grand-parent, oncle, tante, ami ou amie de la famille, cousin, cousine, voisin sympathique — qui sont amicaux et attentifs, afin de combler le vide laissé par le parent absent. (Il n'est pas possible de s'identifier à quelqu'un que l'on laisse indifférent.) Je me souviens encore de la petite fille de quatre ans d'un collègue qui devait passer deux ans dans un hôpital militaire du Pacifique durant la Seconde Guerre mondiale. Celle-ci me sautait au cou et prenait possession de moi quand je lui rendais visite à titre de pédiatre. Il ne fait aucun doute — et de nombreuses biographies l'attestent — que les enfants de familles monoparentales peuvent devenir des adultes bien adaptés et qui réussissent, parce qu'ils peuvent s'accommoder de parents qui vivent séparés ou de remplaçants.

Quels sont les facteurs qui favorisent la réussite ou qui y nuisent? (Pour faciliter la compréhension, je présumerai ici que les enfants vivent surtout avec leur mère.) Parlons d'abord des cas où le père ne vit pas trop loin et est heureux d'assumer ses responsabilités auprès de ses enfants. Ceux-ci peuvent tirer beaucoup d'un père séparé qui leur rend visite régulièrement ou qui garde contact avec eux d'autres façons (lettres, présents, coups de fil). La mère, en encourageant ces visites et ces contacts, fait en sorte que ses enfants bénéficient du fait qu'ils ont un père.

Dans un sens, le meilleur arrangement c'est la garde conjointe où les enfants passent régulièrement beaucoup de temps dans les deux foyers. Le père se sent ainsi moins lésé. Mais la garde conjointe requiert des parents une attitude de coopération nécessaire au bien de l'enfant. Elle ne porte pas fruit si les parents sont toujours à couteaux tirés. Vient ensuite, par ordre d'efficacité, le droit de visites fréquentes, la mère ayant généralement la garde légale de l'enfant. Toutefois, il arrive souvent que le père néglige de rendre visite à ses enfants ou de rester en contact avec eux, parce qu'il sent qu'il n'a plus d'autorité sur ses enfants eux-mêmes ou sur les questions qui les concernent. Il déclare que la mère ne lui demande plus — ou n'accepte pas — son avis à propos des soins, de l'éducation, etc., et que les enfants ne lui demandent plus son opinion ou sa permission. Ils ne le traitent pas comme un père, ce qui l'empêche de sentir qu'il en est un. Le père peut penser que la mère profite de ses visites pour le sermonner ou pour le punir en réduisant ces visites sous prétexte qu'il est arrivé en retard, qu'il a ramené les enfants plus tard que prévu, qu'il les a laissés manger des friandises ou veiller tard (d'où leur rhume) ou qu'il a du retard dans le versement de la pension.

Ainsi, l'une des grandes responsabilités de la mère est de favoriser les contacts avec le père, en essayant d'ignorer ses fautes, d'être cordiale ou au moins polie quand il arrive à la maison et de lui demander son avis à l'occasion (comme par exemple pour les soins médicaux ou dentaires).

S'il n'y a aucun contact entre l'enfant et son père, ni aucun souvenir, l'opinion que se fera du sexe masculin l'enfant dépendra entièrement de ce que la mère dira du père et de son attitude envers les hommes en général. Si elle parle des qualités du père et de l'amour de celui-ci pour ses enfants, et si elle manifeste son respect pour les hommes en général, son fils pourra s'identifier positivement à l'image du père telle que la lui peint la mère. Mais si elle parle toujours du père comme d'un bon à rien, le fils n'aura pas de modèle à qui s'identifier et il se croira à moitié bon à rien lui-même. Si elle est amère et qu'elle méprise les hommes — en paroles et en comportements —, elle imprimera dans la tête de sa fille comme de son fils une image malsaine. Sa fille pourrait se montrer plus tard froide et soupçonneuse avec les hommes; elle pourrait être fascinée par eux, mais établir un lien entre leur séduction et un prétendu manque de fiabilité; elle pourrait aussi être attirée par les hommes qui manifestent une certaine méchanceté, qui sont infidèles ou incompétents, selon le défaut sur lequel sa mère a surtout mis l'accent.

«Mais, s'écrieront de nombreuses femmes divorcées, c'était un homme cruel! Il courait les jupons ou il était incapable de faire vivre sa famille.» C'est peut-être leur opinion, mais cela nuit à la bonne image du père qu'il faut préserver dans l'esprit des enfants. Pour ce faire, la mère essayera par exemple de se rappeler — et d'en parler — les qualités de l'homme dont elle s'est un jour éprise et tout l'amour et la fierté que celui-ci éprouvait pour ses enfants en des temps meilleurs.

Moins le fils ou la fille aura de contacts avec son père, plus il est important qu'il ou elle en ait avec d'autres hommes sympathiques et attentifs. La mère peut-elle faire naître une relation entre sa fille ou son fils et un suppléant paternel? Je dirais qu'elle peut préparer le terrain, mais qu'elle ne peut provoquer le déclic nécessaire entre eux. Ce déclic dépendra du goût et de la personnalité des intéressés. Si la mère voit que son enfant réagit favorablement à la présence d'un enseignant, d'un voisin, d'un parent ou d'un ami, elle peut dire à cet homme qu'il a conquis l'enfant et ajouter qu'elle en est ravie, vu que le père absent manque terriblement à l'enfant. Si cet homme se dit heureux de cette situation mais que cela s'arrête là, la mère peut l'inviter à dîner, lui et sa famille, s'il en a une. La mère peut être plus directe quand il s'agit d'un parent. Cette démarche pourrait inciter l'homme en question à poser de petits gestes amicaux envers l'enfant, ce qui signifierait beaucoup pour ce dernier. (Durant toute ma jeunesse et ma vie d'adulte j'ai porté un complet bleu à rayures blanches parce que je m'étais identifié avec un enseignant bon et plein d'allant, entraîneur par surcroît, qui en portait toujours un.) La mère peut proposer à son enfant de faire du scoutisme, de suivre un cours de gymnastique ou de natation, d'entrer dans une équipe de base-ball, si elle a entendu parler en termes élogieux de tel ou tel homme qui dirige cette activité. Elle peut aussi envoyer l'enfant à un camp d'été.

Que dire de l'homme (ou des hommes) que la mère fréquente? Celui-ci pourrait bien sûr prendre une importance capitale si elle l'épousait. Mais ce n'est pas nécessairement pour demain. Entre-temps, plusieurs précautions s'imposent.

La plupart des enfants persistent à croire pendant des années que leurs parents se réuniront un jour. Par conséquent, quand leur père ou leur mère semble s'engager dans une relation intime avec une autre personne, il leur semble que c'est de l'infidélité. Voilà qui doit inciter le parent à y aller doucement pour ce qui est de ce que l'enfant voit et entend. Tôt ou tard ils devront apprendre que leur mère dîne au restaurant avec un homme. Mais elle peut attendre, avant d'inviter un homme à manger chez elle avec les enfants, d'en avoir rencontré un qu'elle sera fière de leur présenter. Cela les empêchera de croire qu'elle va d'un homme à l'autre. Elle peut même éviter les manifestations d'affection jusqu'à ce que les enfants aient appris à le connaître et montré qu'il leur est sympathique. Elle ne doit pas lui demander de passer la nuit chez elle ou révéler aux enfants qu'elle a passé la nuit avec lui avant plusieurs mois d'intimité croissante, à laquelle les enfants auront participé. C'est mon avis. Ces précautions empêcheront les enfants de penser que leur mère se dévergonde.

Ce que je viens de dire pour la mère s'applique également au père. Il est logique de donner ce conseil aux deux parents, parce que c'est souvent en affichant leurs aventures que les parents réagissent à la douleur, à l'humiliation et aux insultes subies au cours des procédures de divorce, comme pour prouver qu'ils sont encore séduisants, malgré l'échec.

Si la relation amoureuse de la mère est sérieuse et qu'elle envisage le mariage, elle devrait écouter ce que ses enfants ont à dire de l'homme en question, leur dire qu'elle pense au mariage et qu'elle veut connaître leur opinion. Mais elle ne doit bien entendu pas leur donner droit de veto dans sa décision. Beaucoup d'enfants aiment la compagnie de l'ami de leur mère, mais deviennent soupçonneux, jaloux ou hostiles quand ils se rendent compte que cet homme pourrait devenir leur beau-père. En fait, ils pourraient mettre plusieurs années à l'accepter à ce titre. Il est donc sage, avant le mariage et après, d'encourager les enfants à exprimer leurs sentiments — sans grossièreté — envers le parent et le beau-parent.

De nombreuses mères seules m'ont posé la même question angoissée: «Comment puis-je être à la fois un bon père et une bonne mère, surtout pour mon fils?» Cette question laisse transparaître trois préjugés. Le premier: la mère aurait à jouer le rôle du père — dans le sens, par exemple, où elle devrait apprendre à son fils à jouer au football ou expliquer à son adolescent la sexualité du point de vue de l'homme. Le deuxième: le fils devrait apprendre ces choses de son père. Le troisième: les hommes et les femmes connaîtraient de la vie des choses tout à fait différentes et ignoreraient tout du sexe opposé. Or, la mère n'a pas à devenir l'entraîneur sportif de son fils. Celui-ci apprendra plus facilement des entraîneurs à l'école et de ses camarades. La mère en sait assez long sur le sexe, de son point de vue à elle comme du point de vue de l'homme, pour parler à son fils et répondre à ses questions. Nombre de mères réussissent mieux que les pères à parler à leurs fils de ces choses, car la majorité des hommes sont timides et évasifs quand vient le temps d'en discuter avec leurs enfants. En outre, les mères feraient bien de se rappeler que la plupart des adolescents apprennent ce qu'ils veulent savoir sur le sexe de la bouche d'autres adolescents ou en lisant des livres, recommandables ou non.

J'ai déjà expliqué que les hommes et les femmes n'ignorent pas tout des sentiments et des façons de penser du sexe opposé. Beaucoup de ces connaissances mutuelles reposent sur l'intuition, à un degré plus ou moins élevé selon chacun, et sont acquises dans la petite enfance par le biais de l'identification au parent du sexe opposé. Les mères ne doivent donc pas s'inquiéter ni essayer de jouer le rôle du père auprès de leurs fils. Elles ont bien d'autres contributions à apporter.

La mère ne doit pas se remarier dans le seul but de donner un père à ses enfants; ce motif ne doit être qu'accessoire. Elle ne se remariera que si elle aime profondément l'homme choisi et est persuadée qu'il fera un bon mari; sinon ce mariage sera un échec. Tôt ou tard, il est probable que les enfants finiront par l'accepter comme un bon deuxième père.

• SOLUTIONS AUX PROBLÈMES DE GARDE

Au cours des cinquante dernières années, pendant que les femmes réclamaient les emplois jadis réservés aux hommes, un certain nombre d'entre eux ont prouvé qu'ils étaient capables d'élever des enfants aussi bien qu'elles. Ils ont dans certains cas demandé la garde légale des enfants et l'ont obtenue, grâce à l'ouverture d'esprit de tel ou tel juge. Cependant, la majorité des pères qui divorcent n'ont aucune envie d'obtenir cette garde.

La moitié des mariages environ aboutissent au divorce. Ce qui m'inquiète surtout, c'est le nombre d'enfants qui doivent faire face à l'éclatement de la famille.

J'ai été étonné d'apprendre qu'avant le XXe siècle la coutume voulait que la garde des enfants soit accordée au père. Pourtant, la loi commune, jadis et maintenant, interdisait que l'on favorise la mère ou le père dans l'octroi de la garde, le facteur déterminant étant le *meilleur intérêt de l'enfant*. En d'autres mots, le fort préjugé des juges, d'abord en faveur du père, puis de la mère, repose sur des croyances sociologiques et psychologiques, et non pas sur des points de loi. Dans ce qui suit, je présumerai que la garde a été accordée à la mère, à moins que je ne spécifie le contraire.

Chez les jeunes enfants, tout de suite après le divorce, se manifeste une tendance considérable à la régression, en ce qui a trait à l'apprentissage de la propreté, aux pleurnicheries, à l'irritabilité, aux crises de colère, aux troubles du sommeil et à l'agressivité.

Un an plus tard, le problème risque de s'accentuer, surtout si les parents sont encore en conflit. La relation des enfants avec le père pourrait bien s'améliorer tandis que leur relation avec la mère risque de se détériorer.

Les enfants d'un certain âge ont tendance à ressentir de la colère envers l'un des parents, mais finissent généralement par se ranger du côté de la mère.

Le divorce est également pénible pour les adolescents. Toutefois, après un an, ils ne se sentent plus obligés de prendre parti et ils ne s'occupent plus que de leurs propres affaires.

Le fait le plus important qui ressort de nos études, c'est que les enfants de tout âge ont tendance à mieux s'ajuster — et les mères à être plus efficaces — quand ils ont des contacts fréquents avec le père et que les parents coopèrent pour le bien de leurs enfants.

Quand la garde est accordée à la mère, dans une grande mesure, le père est divorcé de ses enfants autant que de sa femme. Dans de nombreux cas, on lui permet de voir ses enfants une ou deux fois par semaine, souvent un week-end sur deux. Il se peut qu'il n'ait pas le droit de les garder chez lui la nuit. Il arrive qu'il doive leur rendre visite au domicile de la mère et pas ailleurs.

Les pères qui viennent tout juste de divorcer se sentent rejetés, déprimés, sans foyer. Certains disent même avoir plus ou moins perdu le sens de leur propre identité. Ils mettent l'accent sur la douleur qu'ils ressentent à propos de la rareté de leurs visites aux enfants et de l'éloignement croissant qui en résulte. Les mères qui n'ont pas obtenu la garde des enfants éprouvent les mêmes sentiments.

Des pères avancent que leur ex-femme les humilie délibérément et, croient-ils, prend un malin plaisir à se montrer arbitraire et arrogante dans les conditions qu'elle impose pour leur droit de visite. Ces mères interdisent souvent au père de rendre visite à ses enfants si la pension n'est pas payée. Dans certains cas, toutes ces récriminations ne sont qu'une excuse pour le père qui rend rarement visite à ses enfants et qui tarde souvent à verser la pension due.

La plupart des mères, malgré la garde obtenue, se sentent malheureuses pendant au moins les deux premières années suivant le divorce. Elles ressentent angoisse, colère et impuissance. Les deux tiers d'entre elles doivent subvenir à leurs propres besoins (la moitié des mères non divorcées travaillent à l'extérieur du foyer) et s'accommoder d'une baisse de leur niveau de vie. (Les pensions octroyées par les juges sont minimes et, dans bien des cas, ne sont de toute façon pas versées.)

Rentrées du travail, ces mères doivent s'occuper du ménage, sans l'aide ni la compagnie d'un autre adulte. Elles doivent faire face seule aux besoins des enfants, à leurs exigences, à leurs disputes et à leur comportement difficile. Souvent, les enfants se montrent moins coopératifs et plus hostiles qu'auparavant.

La plupart des mères divorcées trouvent leur vie sociale tout à coup limitée par le travail, par la nécessité de rester auprès des enfants, par le fait que leurs anciens amis pensent que sorties et réceptions doivent se faire en couples, par la rareté des occasions de rencontrer de nouveaux amis.

Pour résumer et souligner l'importance de ce que je veux dire, je dirai ceci: L'intimité continue du père avec ses enfants est essentielle pour que ces derniers s'adaptent plus aisément à leur nouvelle situation. Il a été prouvé que la volonté du père de coopérer avec son ex-femme fait que celle-ci se sent plus apte à relever le défi d'élever ses enfants et d'avoir une relation satisfaisante avec eux. Néanmoins, il est fréquent que les jugements de divorce limitent considérablement les contacts du père avec son ex-femme et avec ses enfants. Par conséquent, il sent qu'on n'a pas besoin de lui et qu'on ne veut pas de lui; mal à l'aise, il pourrait bien réduire la fréquence de ses visites, au fil des mois et des années. Voilà un cercle vicieux des plus tragiques. Il en va de même pour la plupart des mères, dans les dix pour cent des cas de divorce où c'est le père qui a la garde légale des enfants.

Je crois, comme nombre d'autres professionnels, que les pères sont tout aussi aptes que les mères à élever leurs enfants. Aujourd'hui, beaucoup de familles monoparentales ont un père comme chef, en raison du décès, de la désertion ou du divorce du conjoint. Les pères qui ont obtenu la garde des enfants disent que cette expérience les a conduits à moins se préoccuper de la discipline et les a sensibilisés aux sentiments de leurs enfants et à l'importance — sans compter la joie — d'une plus grande intimité avec eux.

La garde conjointe — en vertu de laquelle les parents ont l'un et l'autre la garde légale de l'enfant — est un choix juridique relativement nouveau. Dans cet arrangement, je crois que ce qui compte le plus, c'est que chacun des parents, pour l'amour des enfants, manifeste son respect pour les opinions de son ex-conjoint et coopère avec lui dans toutes les décisions importantes concernant l'enfant, de sorte que ni le père ni la mère n'ait l'impression de ne plus être un parent, et aussi pour que l'enfant éprouve de l'admiration pour chacun d'entre eux. Quand la méfiance, l'esprit d'antagonisme et le ressentiment subsistent entre les parents, la réussite de la garde conjointe est peu probable; dans ce cas, la garde devrait être donnée à l'un des parents, l'autre obtenant un droit de visite, comme c'était toujours le cas dans le passé.

L'entente de garde conjointe précise parfois que les enfants passeront le même temps avec l'un et l'autre des parents ou bien que le temps sera divisé dans une proportion quelconque jamais inférieure à un tiers pour deux tiers. En théorie, l'avantage d'une telle entente, c'est que les deux parents se sentent également proches de leurs enfants. Mais pour y arriver, il faut que tous deux vivent dans la même ville, que leurs résidences soient situées près de l'école des enfants et puissent accueillir leurs petits camarades. Je pense que la responsabilité conjointe — où chacun des parents a son mot à dire — est de loin l'aspect le plus important de la garde conjointe et que le partage du temps de garde est un élément accessoire qui se décide selon ce qui est pratique.

Quand les parents coopèrent en général, mais qu'ils n'arrivent pas à s'entendre sur une question particulière, ils peuvent s'adresser à un conseiller familial qui connaît leur situation.

Je recommande vivement la garde conjointe aux parents qui croient pouvoir trouver au fond d'eux-mêmes l'esprit de coopération nécessaire. Grâce à cette formule, les enfants sentiront qu'ils ont encore leur père, parce qu'ils continueront de vivre avec lui la moitié du temps et sauront qu'il participe à la prise des décisions qui les concernent. Le père, lui, continuera de sentir qu'il est proche de ses enfants, qu'il joue un rôle dans leur vie et qu'il est également responsable de leur bien-être. Si la garde conjointe impose à la mère des compromis frustrants au sujet des enfants, dans la plupart des cas il y aura compensation: elle disposera de plus de temps pour elle-même et sera libérée d'une partie de ses responsabilités quand viendra le moment de résoudre les problèmes et de prendre les décisions.

D'un point de vue théorique, je comprends les objections que soulèvent certains professionnels au fait que les enfants vivent une vie séparée en deux foyers. Toutefois, nous disposons maintenant de preuves — non seulement par l'observation des cas de garde conjointe, mais aussi par celle des familles où les deux parents travaillent et où les enfants d'âge préscolaire passent toute la journée dans une garderie ou dans la maison d'une gardienne — que les enfants peuvent s'adapter très bien à la vie dans deux foyers, quand les arrangements sont faits avec soin et dans le respect de leurs besoins.

J'ai toujours cru essentiel pour le père divorcé de voir ses enfants le plus souvent possible, pour le bien de ceux-ci et pour son bien à lui. Il continue alors de se sentir proche d'eux et responsable de leur bien-être. Une fois les arrangements établis, il importe qu'il les respecte. Plutôt que de faire des excursions avec ses enfants ou de les gâter, mieux vaut que le père divorcé les voie dans son propre foyer, où ils ont des lits, des jouets, des livres et des vêtements.

QUATRIÈME CHAPITRE

Le nouveau bébé

• LES TROIS PREMIERS MOIS

Au cours des trois premiers mois de vie du bébé, les parents éprouvent un mélange d'exaltation et d'angoisse. Lequel de ces deux états prédomine-t-il? Cela dépend de la docilité de l'enfant et de l'assurance des parents.

Certains bébés sont naturellement si sages qu'ils ne rechignent jamais, même quand ils ont faim ou froid ou qu'on les laisse seuls pendant une longue période. Les bébés plus charmants que les autres répondent si bien à l'attention des adultes qu'ils peuvent susciter une réaction chaleureuse du plus dur ou du plus impassible d'entre eux. Ces bébés ont beaucoup de chance, car toute leur vie ils feront ressortir toute la bonté des individus qu'ils rencontreront. Ils ne possèdent cependant pas tous les avantages. Par exemple, il y a peu de chances qu'ils deviennent des personnes ambitieuses qui changent le monde.

À l'autre extrême se trouvent des bébés — surtout des garçons, je crois — dont il est difficile de prendre soin, avec qui il est quelquefois difficile de vivre: ceux qui sont agités, ceux qui se fatiguent ou s'impatientent vite, ceux qui sont tendus au point de vue physique ou émotionnel, ceux qui souffrent de coliques, ceux qui sont grognons, ceux qui restent éveillés presque tout le temps et qui ne semblent guère aimer la vie. La plupart de ces bébés, en grandissant, finissent par se calmer et par devenir plus faciles — l'âge de trois mois semble être le point tournant — mais, pendant un bout de temps, ils peuvent empoisonner la vie de leurs parents.

Il existe aussi — en petit nombre, soit — des bébés inexpressifs, qui suscitent peu de ravissement chez leurs parents. J'ai observé des bébés de ce type avec un peu d'appréhension, me demandant si leur *froideur* ou leur insociabilité faisait partie de leur constitution. Bien sûr, eux aussi finissent par se montrer amusants et affectueux. Mais, au début de leur vie, rien de ce qu'ils font ne les rapproche de leurs parents ni ne donne à ceux-ci confiance en eux-mêmes.

Le déroulement en douceur de ces premiers mois dépend d'un certain nombre d'éléments. Par exemple, les mères et les pères qui ne manquent pas de confiance en eux-mêmes pourront endurer le comportement difficile de leur bébé sans en perdre leur latin. Mais ceux qui, en raison de leur éducation, doutent facilement d'eux-mêmes pourraient se laisser démoraliser par un bébé difficile.

Les parents qui jouissent d'une expérience considérable, pour avoir pris soin de leurs petits frères ou de leurs petites sœurs ou pour avoir fait beaucoup de baby-sitting, auront les reins plus solides.

Personnellement, je crois que les parents qui ont suivi des cours en développement de l'enfant sans avoir d'expérience pratique auront plus de difficulté que les autres. Si leur bébé pleure, ils s'inquiéteront d'un point de vue abstrait: le bébé manque-t-il d'amour ou est-il simplement trop gâté? Impossible à déterminer par la seule observation.

Je pense que c'est la nature qui a voulu instiller de l'angoisse chez les nouveaux parents, pour que l'enfant ne soit pas négligé. Les individus irresponsables ne manquent pas sur terre, et cela ne les empêche pas de faire autant d'enfants que les gens plus consciencieux. La nature n'est pas juste, malheureusement, parce que ce sont les parents les plus consciencieux qui ressentent le plus d'angoisse.

Les médecins, les infirmières et les psychologues se rendent compte que les parents s'inquiètent d'une variété étonnante de petites choses chez leur bébé: hoquets, rots, ronflements, éternuements, frissons, tremblements, pâleur, bleuissement de la peau, froideur des extrémités, érections. La nuit, la mère entre furtivement dans la chambre du bébé pour vérifier s'il respire encore; elle meurt presque d'effroi quand elle ne voit pas se soulever la petite poitrine. (La respiration du bébé est presque exclusivement abdominale.)

Si le bébé pleure beaucoup, les parents sans expérience s'inquiètent encore davantage. Il est logique, croient-ils, que quelque chose n'aille pas. Je me souviens à quel point je me sentais incompétent en tant que pédiatre quand, après avoir examiné un bébé, je devais expliquer aux parents qu'il était en parfaite santé. «Pourquoi pleure-t-il, alors?» Pouvoir coller sur l'état du bébé une bonne vieille étiquette comme *coliques* — qui n'explique rien du tout — est peu utile. Les parents seront rassurés un certain temps, mais quand leurs doutes referont surface, ils souhaiteront un autre examen. Ce type d'angoisse use les parents.

Peut-être plus graves que l'angoisse sont la dépression et le sentiment de culpabilité qui l'accompagnent souvent. Si le bébé pleure beaucoup dans les premières semaines suivant la naissance, alors qu'il arrive encore à la mère de se sentir déprimée même si le comportement de son enfant est tout à fait normal, la mère a tendance à croire qu'elle lui a fait du mal, par omission ou par maladresse. Au niveau du conscient, elle peut se dire qu'il a peut-être subi des lésions à la naissance ou encore qu'elle ne lui donne pas une nourriture adéquate. Au niveau de l'inconscient, cependant, couve souvent un sentiment de culpabilité d'ordre sexuel, qui provient de la petite enfance. Ma mère, en m'avertissant des conséquences de la masturbation, m'a dit: «Tu veux avoir des enfants normaux, non?» Alors, dans la salle d'accouchement, quelques minutes après la naissance de mon premier fils, j'ai dit à ma femme avec un soupir de soulagement: «Il a bien dix doigts et dix orteils!»

La colère est une autre réaction possible des parents dans les premières semaines suivant la naissance d'un enfant qui pleure beaucoup. L'idée d'être en colère contre un enfant impuissant horrifie la plupart des gens. Par conséquent, si ce sentiment commence à poindre en eux, ils l'étoufferont promptement. Voilà qui n'élimine pas la colère, mais lui donne un autre visage. Elle peut se manifester sous forme d'un sentiment de culpabilité, d'habitudes compulsives, d'inquiétude constante ou de dépression. La colère se ressent peut-être le plus souvent comme la tension qui résulte des efforts fournis pour la réprimer. Cette tension, si elle dure des jours ou des semaines de suite, peut mener à la fatigue émotionnelle ou physique et peut-être à une irritabilité avec tout le monde, sauf avec le bébé.

Je me souviens de deux parents mûrs et sensibles qui étaient extrêmement tendus à la suite d'un mois de pleurs continus de leur bébé souffrant de coliques. Quand l'un des deux a avoué spontanément à l'autre à quel point le bébé le mettait en rogne, l'autre a admis refouler le même ressentiment. Après en avoir discuté un peu plus longuement, les deux parents se sont sentis beaucoup mieux.

Plusieurs moyens sont à la disposition des parents qui désirent garder leur équilibre. Le plus important, je crois, c'est d'être attentionné l'un envers l'autre et de coopérer. Le père doit assumer sa pleine part des responsabilités pour le bien-être de l'enfant.

Ceci ne signifie pas qu'il doive donner le même nombre de biberons et changer le même nombre de couches que la mère quand il travaille à l'extérieur et que celle-ci reste au foyer. Cela signifie simplement qu'il doit s'engager entièrement: il discutera et s'inquiétera avec la mère, s'il y a lieu, plutôt que de se retrancher derrière son journal, comme si les soins au bébé relevaient exclusivement de la mère. Si le bébé est nourri au biberon, il pourrait lui donner celui de la soirée et celui de 2 h du matin. Non pas que s'il s'abstenait de le faire, on le jugerait paresseux — il a peut-être un emploi particulièrement exténuant — mais parce qu'il veut simplement montrer qu'il considère les soins à l'enfant comme aussi importants que son travail et qu'il soutient sa femme durant la période où elle assume des responsabilités nouvelles et exigeantes.

La psychologie nous apprend que la personne à qui on demande de donner plus de soins et d'affection aux autres que jamais auparavant a besoin elle-même de plus d'amour et d'attention, du moins pour un certain temps. La naissance du bébé, surtout du premier, demande beaucoup à la mère du point de vue émotionnel. Peut-être est-ce seulement parce que dans le passé nous avons tous tenu pour acquis qu'élever un enfant était principalement l'affaire de la mère. Quoi qu'il en soit, la mère a besoin qu'on l'appuie, et c'est le père qui doit surtout satisfaire ce besoin.

La grand-mère peut être aussi utile que le père si elle vit tout près et si la mère s'entend bien avec elle. Dans les sociétés ou le jeune couple vit près des grands-parents et du reste de la famille, et où l'âge est synonyme de sagesse, l'esprit de coopération dans les relations entre les diverses générations prend le premier plan. On présume que la grand-mère est la meilleure amie de la nouvelle mère, sa confidente, sa conseillère, son assistante et son soutien affectif.

Si la nouvelle mère est mûre et sûre d'elle-même, elle peut s'adresser à la grand-mère (maternelle ou paternelle) et obtenir d'elle un grand soutien. Mais si la mère s'est toujours sentie critiquée et rabaissée par celle-ci (même si ce n'était pas l'intention de la grand-mère), il se peut qu'elle ne souhaite pas la voir trop souvent, de peur de la voir tout régenter et d'être reléguée dans un rôle de second plan.

Il est certain que la mère doit sentir que c'est son bébé à elle et qu'elle apprend à bien l'élever. Par conséquent, si elle nourrit des doutes au sujet de sa mère ou de sa belle-mère, elle ferait mieux de ne pas lui demander de l'aider. Ou bien, si la jeune mère lui demande son aide et se rend compte plus tard qu'elle se montre trop autoritaire ou trop critique, elle pourra lui dire avec tact qu'elle se sent maintenant capable de s'en tirer toute seule. De même, la mère doit congédier la gouvernante qui la rabaisse.

J'ai laissé entendre plus tôt que les parents — surtout les mères — devraient sortir de la maison au moins une fois par semaine, durant les premiers mois suivant la naissance. C'est particulièrement important dans le cas d'un premier enfant, ou d'un enfant grognon ou qui souffre de coliques. Il se peut que les parents aient peur de s'éloigner ou se sentent coupables s'ils le font. Mais s'ils réussissent à s'arracher de la maison, ils se rendront compte qu'ils peuvent s'amuser et ensuite rentrer détendus et tout ragaillardis. Voilà qui leur fera du bien, à eux et à l'enfant. Après avoir été parents pendant quelques années, ils se seront mieux adaptés à leur nouvelle non-liberté et éprouveront probablement moins intensément le désir de s'échapper.

Pour le père et la mère, les trois premiers mois de l'enfant constituent la période idéale pour s'habituer à discuter des soucis, ressentiments et tensions qui ne manquent pas d'abonder dans chaque famille. Si les parents apprennent à se parler franchement et avec tact, si chacun essaie de comprendre le point de vue de l'autre, ils risqueront moins de voir leur ménage souffrir de querelles et de maussaderies résultant de faux problèmes ou de problèmes refoulés. Sur une note plus positive, disons que les conjoints peuvent tirer parti de ce grand tournant dans leur vie pour apprendre la franchise mutuelle, une des garanties les plus sûres d'une union solide et heureuse.

• LES PLEURS

Dans toutes les discussions entre jeunes parents, la question qui risque le plus d'être soulevée est celle-ci: «Comment réagir devant les pleurs de l'enfant et comment éviter de faire de lui un enfant gâté?» Avant de répondre à cette question, il convient de se demander pourquoi il pleure.

La majorité des bébés pleurent beaucoup durant les premiers mois de leur existence. Les causes connues (faim, fatigue, etc.) et inconnues sont multiples. Il y a la colique, bien sûr, dont les symptômes sont de vives douleurs abdominales, le ballonnement et les gaz. Cette indisposition survient périodiquement, surtout le soir, à partir de l'âge de deux semaines jusqu'à environ trois mois. Il y a aussi ce que j'appelle les pleurs périodiques d'irritabilité, dont l'horaire et le calendrier sont les mêmes que pour la colique; dans ce cas il n'y a pas de gaz ni de ballonnement, et la douleur est douteuse. Enfin, il y a aussi un malaise plus vague, l'agitation, qui se manifeste à toute heure du jour ou de la nuit et qui dure plus ou moins longtemps.

C'est durant les trois premiers mois de la vie de l'enfant que l'on retrouve ces trois phénomènes; personne ne sait pourquoi. Mon hypothèse est la suivante: comme l'image du monde extérieur est pour le bébé, très floue par rapport à ce qu'elle deviendra plus tard, il est plus sensible que l'adulte aux stimuli internes, comme la faim, la fatigue ou les malaises intestinaux, qui sont plus prononcés à cet âge vu le manque de maturité et d'entraînement de l'appareil digestif et du système nerveux. Certains psychologues avancent le trauma de la naissance comme cause, bien qu'il n'y ait aucune corrélation entre l'épreuve de la naissance et ces troubles ultérieurs.

Malheureusement, on ne connaît pas encore de remèdes efficaces contre la colique, l'irritabilité périodique ou l'agitation. (Les fonds destinés à la recherche sont consacrés aux maladies fatales, quelle qu'en soit la rareté, et non pas aux affections courantes.)

Dans ce cas, je pense que les tétines sont aussi efficaces qu'autre chose. Elles ne guérissent rien, mais elles réconfortent suffisamment le bébé — du moins lui gardent-elles la bouche fermée! — pour le faire cesser de pleurer pendant un moment.

Si la tétine n'est pas efficace et que vous avez envie de bercer le bébé dans vos bras ou de le promener, faites-le. Vous pouvez également essayer ceci, surtout en cas de colique: couchez l'enfant à plat ventre en travers de vos genoux, sur une bouillotte enveloppée d'une serviette de bain. (La bouillotte ne doit pas être trop chaude.) Certains parents trouvent qu'une promenade en auto avec l'enfant qui pleure résout le problème (sauf quand la voiture s'arrête aux feux rouges).

Ne vous demandez pas si vous gâtez trop votre enfant pendant les trois premiers mois. Il est fort improbable que votre bébé pleure parce qu'il est gâté. En outre, vous avez bien d'autres soucis au cours de cette étape. Dans de nombreuses régions du monde, la mère porte son bébé sur le dos ou sur la hanche toute la journée pendant qu'elle travaille. La nuit, il dort à ses côtés. Peut-on dire qu'il s'agit d'un enfant gâté? Il est probable que le bébé s'attend à être bercé toute la journée et à la proximité de sa mère la nuit et le jour, qu'il est constitué en fonction de cela, c'est d'ailleurs ce que l'enfant a connu durant toute la grossesse. Vous verrez la différence entre les malaises dont nous parlons et le fait d'être gâté grâce à l'exemple suivant, dans lequel un bébé est vraiment gâté. La grand-mère passe quelques semaines avec le jeune couple et joue avec le bébé chaque fois qu'il est éveillé; elle le promène dans la maison, lui montre des choses, le fait sauter sur ses genoux et le chatouille pour l'entendre rire. Une fois la grand-mère partie, le bébé s'attend à ce qu'on continue à le promener dans la maison et à ce qu'on l'amuse toute la journée. Les premiers jours, il pleure lorsque ses parents ne satisfont pas ses désirs. Voilà ce que c'est qu'un enfant gâté.

• L'ARRIVÉE DU BÉBÉ CHANGE-T-ELLE LA VIE DU MÉNAGE?

D'un certain point de vue, après la naissance de l'enfant, l'idéal serait que les parents puissent continuer de s'amuser comme avant, de conserver leurs hobbies et leurs champs d'intérêt, de garder leurs amis, de penser et d'être attentifs l'un à l'autre tout autant qu'auparavant. Mais, bien sûr, les soins à l'enfant exigent beaucoup de temps et d'efforts: préparer ses biberons et les lui donner, le changer de couches et de vêtements, lui donner son bain, faire la lessive, etc.

Ce qui consomme encore plus d'énergie vitale, c'est l'inquiétude — du moins les préoccupations — des parents, surtout au début. De nombreuses questions restent sans réponse. Le biberon est-il préparé comme il doit l'être? D'où vient cette rougeur? Pourquoi le bébé pleure-t-il maintenant? Suis-je en train de le gâter? Est-ce que je ne l'entends pas pleurer? Le fait qu'il suce son pouce est-il signe d'une privation ou d'une tension quelconque?

Toute cette inquiétude provient du sentiment écrasant d'être pour la première fois responsable de la vie et de la sécurité d'un autre être, un petit bébé qui ne peut se débrouiller, pas même dire ce qui ne va pas. Et l'inquiétude ne résulte pas seulement du fait que les parents manquent d'expérience ou sont trop consciencieux. Peut-être les médecins se sont-ils inquiétés temporairement de l'état du nouveau-né? Ce dernier est peut-être un de ces bébés grognons ou pris de coliques qui en font voir de toutes les couleurs aux nouveaux parents?

En outre, tous les nouveaux parents sentent un peu de leur liberté leur échapper; ils ne peuvent plus aller au restaurant ou au théâtre sur une impulsion, rendre visite à des amis, magasiner, veiller et se lever tard le week-end. Cette perte de liberté cause non seulement des regrets, mais aussi un léger ressentiment.

La difficulté pour les parents, ce n'est pas seulement qu'ils subissent toute une série de nouvelles tensions. Non. C'est qu'ils font face sans doute au plus grand retournement de situation de leur vie: ce ne sont plus eux qui reçoivent les soins, ce sont eux qui ont à les prodiguer.

On ne peut attendre des nouveaux parents qu'ils dispensent l'amour altruiste et sans réserve nécessaire pour élever le premier enfant sans, à la fin de la journée, se sentir émotionnellement vidés, comme des ballons dégonflés. C'est en prenant soin du premier enfant que les parents se forment et finissent par pouvoir donner sans se sentir épuisés ou vidés. À l'arrivée du second enfant, l'effort additionnel qui est requis est moins perceptible.

Si l'un des parents reste à la maison pour prendre soin du bébé, c'est celui-là qui, le soir venu, sentira vide son réservoir d'émotions. Les manifestations d'amour et de soutien du conjoint qui travaille à l'extérieur peuvent l'aider à reprendre ses forces.

L'inquiétude exagérée au sujet du bébé a divers effets secondaires, dont l'un est que les parents ennuient à mourir leurs amis sans enfants. En fait, cela peut même se produire quand les parents ne s'inquiètent pas, mais qu'ils sont ravis de leur progéniture. Il est difficile de renouer avec les amis que l'on s'est aliénés pour cette raison; une fois qu'ils vous ont étiquetés, ils sont peu enclins à vous donner une seconde chance. (Je me souviens encore d'avoir, avec ma femme, ennuyé beaucoup de nos amis sans enfants, il y a cinquante ans.)

L'arrivée du bébé affecte la relation existant entre la mère et le père. Quand l'un et l'autre se consacrent entièrement à l'enfant, cela empêche l'attention et l'affection de circuler librement entre les conjoints. Ils sentiront ce manque, consciemment ou non; leur relation semblera manquer de relief; une légère dépression pourrait même s'installer.

Si l'un des parents de l'enfant se préoccupe de celui-ci beaucoup plus que l'autre, ce dernier est susceptible d'en éprouver du ressentiment, même s'il en ignore la cause. Dès lors, le parent inquiet peut tout à coup avoir l'impression de supporter seul le fardeau de l'enfant. Il faudra alors du temps pour mettre fin à ce cercle vicieux et rallumer l'enthousiasme de naguère.

Du point de vue des enfants, mieux vaut qu'ils ne deviennent pas le point de mire d'une attention excessive. Si l'attention se manifeste de façon inquiète, les enfants finiront par percevoir cette angoisse et par se sentir eux-mêmes angoissés ou effrayés.

Mais même si l'attention est sereine, les enfants deviendront quelque peu égocentriques et timorés. Ils s'inquiéteront trop de savoir si les gens les aiment. Ils auront envie d'une attention plus grande que celle que les gens sont disposés à leur donner. Ils se sentiront blessés plus facilement que les autres enfants. Ces attitudes sont courantes chez les premiers-nés, mais rares chez les enfants qui suivent.

Même si les parents ne s'inquiètent pas exagérément pour leur enfant, s'ils renoncent pour lui à une trop grande partie de leur indépendance et à trop de choses qu'ils aiment, ils en éprouveront à long terme un certain ressentiment, conscient ou non. Il arrive qu'à cause de cela des parents fassent souffrir leur enfant, en se montrant irritables avec lui ou en le réprimandant sans raison. (C'est ce que faisait ma mère.) À tout le moins, ils attendront de l'enfant trop de gratitude ou de perfection dans son comportement.

Alors, jusqu'à quel point doit-on se faire du souci pour ses enfants? Les bébés ont besoin de nombreuses manifestations perceptibles d'attention, d'appréciation et d'affection: leur parler en langage de bébé, leur sourire, leur faire des compliments, les embrasser, les porter dans ses bras. Quand le bébé ne va pas bien, en raison d'une douleur ou d'une irritabilité mystérieuse, il a besoin de parents qui s'inquiètent assez de lui pour en chercher la cause et appliquer le remède, ou au moins le réconforter.

Bien sûr, les tensions que suscite l'arrivée du premier bébé ne constituent qu'une face de la médaille. Aujourd'hui, les jeunes couples attendent généralement, avant d'avoir un enfant, de se sentir prêts, d'avoir envie de relever le défi, de vouloir un enfant pour le chérir comme eux-mêmes l'ont été par leurs parents. Par conséquent, une fois passés les deux ou trois premiers mois si difficiles, les tensions sont largement compensées par de petites satisfactions.

Je considère que l'inquiétude exagérée pour son enfant est un problème quand il n'y a pas de raison évidente de s'inquiéter; et la préoccupation est excessive si on est incapable de penser à autre chose ou de parler d'autre chose. Toutefois, ces deux attitudes étant dues à l'esprit consciencieux des parents et à leur manque d'expérience, elles sont bien compréhensibles.

Que faire pour prévenir l'inquiétude ou, plus positivement, pour préserver chez les parents la joie qu'ils ont à être ensemble? Il est aussi inutile de dire aux nouveaux parents de ne pas se laisser entièrement absorber par leur enfant qu'il l'est de dire aux inquiets de ne pas s'inquiéter. Mais je crois utile de recourir à certains trucs. Que les parents sortent ensemble une ou deux fois par semaine, pour rendre visite à des amis (qu'ils emmènent le bébé dans un moïse s'ils n'ont pas de gardienne), ou pour aller au cinéma ou au restaurant. Que les parents demandent à quelqu'un de la famille de garder l'enfant ou qu'ils embauchent une gardienne. S'ils n'ont pas d'argent, ils peuvent toujours mettre sur pied un coopérative de baby-sitting. Dans ce type de coopérative, un groupe de parents s'occupent des enfants d'un autre groupe et se rendent la pareille, jusqu'à ce que, à la fin de l'année, le temps donné équivale au temps reçu.

Ce qui est merveilleux, dans les premiers mois, c'est que les bébés s'adaptent bien et acceptent facilement de dormir dans une autre maison que la leur ou de recevoir leur biberon d'une autre personne que de leurs parents. Si le bébé est nourri au sein, l'intervalle est généralement de quatre heures entre les tétées, ce qui donne à la mère un temps appréciable à passer seule ou avec son mari.

Ne craignez pas de trop vous endetter en dépensant en frais de garde une trop grande partie de l'argent du ménage, ni d'accumuler trop d'obligations envers d'autres parents. Ce sont les deux ou trois premiers mois qui comptent: il faut apprendre à se préserver un certain degré d'indépendance par rapport au bébé. Si vous y parvenez, la bataille est gagnée. Vous pourrez toujours rembourser vos dettes plus tard.

Si, pour une raison ou pour une autre, les parents ne parviennent pas à trouver de gardienne, ils peuvent se relayer auprès de l'enfant, ce qui permettra à l'un et à l'autre de sortir ne serait-ce qu'une fois par semaine.

Les parents consciencieux pourraient croire qu'ils passent trop de temps en *congé* de l'enfant. Ils pourraient se sentir irresponsables, un peu comme la femelle du coucou qui va pondre ses œufs dans le nid des bruants ou des fauvettes. Ils croiront peut-être abuser de la gentillesse des autres. Un autre handicap, c'est que les nouveaux parents sont susceptibles de penser au bébé et de se tracasser encore plus quand ils ne sont pas à la maison. C'est un stade qui ne dure généralement pas; les parents finissent par se convaincre que le bébé peut survivre à leur absence. Dans tous les cas, pour le bien de leur relation conjugale et de la personnalité future de leur enfant, les parents devraient s'encourager mutuellement à prendre des heures de congé.

Un autre truc, c'est de vous entraîner à ne pas parler du bébé durant vos sorties à deux ou avec des amis. Au début, vous constaterez que vos pensées et vos conversations reviennent au bébé toutes les deux minutes. Mais si vous arrivez à vous discipliner, c'est-à-dire à ne pas parler du bébé ou à vous rappeler mutuellement de changer de sujet, vous apprendrez peu à peu non seulement à ne pas parler de lui, mais à ne pas penser à lui.

Il est sage pour les deux parents de continuer de lire ou de s'adonner aux passe-temps ou aux activités récréatives et culturelles qu'ils préfèrent. Le manque de temps n'est pas une excuse.

Tout le monde n'est pas d'accord avec cette façon de penser. Il existe des parents bardés de principes qui croient dur comme fer que tous les bébés doivent être nourris au sein pendant au moins deux ans, qu'ils doivent prendre l'enfant dans leurs bras chaque fois qu'il pleure ou s'agite et que, pendant deux ans, toutes les décisions qu'ils prennent doivent profiter d'abord et avant tout à l'enfant. Je comprends pourquoi ces parents adoptent ces attitudes, mais, quand même, je ne suis pas d'accord avec eux.

Ce que j'ai conseillé aux parents pour qu'ils ne deviennent pas obsédés par leur bébé semblera contredit par les observations qui suivent sur l'intimité mère-bébé, dans les autres sociétés et pour d'autres espèces. L'obsession accapare tout le champ de la conscience; elle est courante chez les parents très appliqués qui manquent d'expérience. Ce que je m'apprête à décrire, c'est l'intimité naturelle, dénuée d'angoisse, qui prévaut dans les sociétés plus simples que la nôtre. Je veux montrer à quel point notre culture *scientifique* nous a éloignés de la nature, qu'il soit souhaitable ou non de faire renaître certains aspects de cette intimité.

• L'ÉCLOSION DE LIENS AFFECTIFS ENTRE PARENT ET BÉBÉ

L'observation et l'expérimentation des quarante dernières années au sujet de l'importance d'une intimité qui se développe tôt entre la mère et l'enfant dans les sociétés non industrielles, dans notre propre société hautement technicisée et dans des sociétés animales, nous montrent à quel point nous nous sommes écartés du naturel. Avant les années 40, pour protéger les nouveau-nés des microbes et pour les garder sous observation, on les mettait dans une pouponnière aussitôt nés. Pour que la mère puisse se reposer à la suite du travail, on attendait de nombreuses heures avant de lui apporter son bébé pour la première fois. L'horaire des repas — sein ou biberon — du nourrisson était rigidement maintenu à une fréquence de toutes les quatre heures, sauf le biberon de 2 h du matin qu'on donnait à la pouponnière pour ne pas réveiller la mère. De ce fait, il arrivait que le bébé ne soit pas prêt à boire ou, plus souvent encore, qu'il ait à attendre pour être rassasié.

Cet horaire rigide différait beaucoup de ce qui est naturel: sommeil le premier ou les deux premiers jours, ensuite, pendant quelques jours, réveils fréquents pour boire, puis espacement graduel des tétées jusqu'à raison de sept ou huit par période de vingt-quatre heures. Cette évolution de la fréquence favorise la montée rapide du lait maternel. Le fait que jusqu'à la Seconde Guerre mondiale les patientes des maternités privées y passaient douze jours nuisait encore davantage à l'allaitement maternel, en retardant la souplesse naturelle pouvant être exercée à la maison. Comme le bébé en pouponnière était éloigné de la mère et que c'étaient les infirmières qui prenaient soin de lui, la nouvelle mère en venait à croire qu'elle était trop stupide pour qu'on lui confie son bébé, qui semblait être le bébé des infirmières.

Dans les années 40, on a fait l'expérience de mettre le berceau du bébé dans la chambre de la mère, pour qu'elle s'occupe de lui, s'habitue à son gazouillis, à son horaire d'éveils et de mouvements intestinaux. En outre, depuis lors le père peut rendre visite à sa femme et au bébé en même temps et participer très tôt aux soins à ce dernier. (Ce partage de la chambre maternelle était courant en Amérique au cours des siècles passés et reste l'usage dans certains pays d'Europe.)

À peu près à la même époque, on a vu réapparaître l'*accouchement naturel*, en vue duquel on enseigne aux femmes à coopérer avec les contractions et relaxations utérines durant le travail, de sorte que l'anesthésie ne soit pas nécessaire quand les douleurs sont insupportables et que la mère soit consciente au moment triomphal de la naissance.

Entre-temps, l'observation des animaux nous a appris que certains comportements, que l'on croyait naguère innés, dépendent en fait partiellement de l'expérience. Par exemple, le comportement maternel que manifestent les rates envers leur première portée n'apparaîtra pas si durant leur gravidité on leur a mis une collerette de papier autour du cou. La collerette les a empêchées de faire les gestes qui sont normaux pour la rate gravide, comme celui de lécher son abdomen et son appareil génital en transformation. Chez les chimpanzés, la nouvelle mère traite son petit avec tendresse si la durée du travail a été normale. Mais en cas d'accouchement soudain et précipité, la guenon a peur de son petit et elle grimpe au grillage de sa cage pour s'éloigner de lui. Les petits singes que l'on isole de la mère et de ses semblables dès la naissance adoptent une attitude anormalement farouche et agressive quand, à la puberté, on les met en compagnie d'autres singes. Ces diverses déviations du comportement animal ont incité les chercheurs à examiner de plus près comment le comportement humain chez la mère et son bébé a dévié lui aussi du naturel.

Au cours des années 70, on a observé que si, dans les soixante minutes suivant la naissance, on apporte le bébé à sa mère pour qu'ils passent ensemble une heure tranquille, la mère caresse son enfant lentement et affectueusement sur tout le corps. Elle commence du bout des doigts par lui toucher les bras, les jambes et peut-être le visage. Puis elle touche de la paume sa poitrine, son ventre et son dos. Les mères à qui on a donné cette occasion se sont montrées — un mois plus tard et un an plus tard — plus enclines que les autres à réconforter leur bébé, à le regarder dans les yeux et à le caresser tout en le nourrissant. Ces bébés se nourrissent mieux, se développent plus rapidement et souffrent de moins d'infections.

Les chercheurs qui ont observé des mères indiennes et leurs bébés au Guatemala, où la mère retourne au travail immédiatement après la naissance, porte l'enfant sur son dos et le nourrit au sein fréquemment, n'ont remarqué aucun signe de colique ou d'agitation chez ces bébés, pas même un rot — ces mères n'avaient jamais entendu dire qu'il fallait faire faire leur rot aux bébés après la tétée.

Mais si nous avons adopté des méthodes d'accouchement plus naturelles, nous avons par ailleurs acquis certaines pratiques nouvelles et artificielles qui, tout compte fait, non seulement ne présentent aucun avantage, mais apportent de nouveaux inconvénients. Par exemple, les moniteurs compliqués qui surveillent les battements de cœur du bébé durant le travail n'offrent aucun avantage de plus que le bon vieux stéthoscope, ils ne font qu'effrayer un peu plus la mère.

Le nombre de césariennes a augmenté de façon spectaculaire. Dans la majorité des cas, elles ne sont pas essentielles à la sécurité de la mère ou du bébé. C'est que les parents ont de plus en plus tendance à poursuivre leur obstétricien devant les tribunaux si le bébé a quelque chose qui ne va pas. Le médecin se sent donc obligé d'exagérer les précautions, pour pouvoir dire, à un procès éventuel, qu'il a vraiment tout tenté. Il doit contracter une assurance extrêmement coûteuse contre les fautes professionnelles. Ses honoraires tiennent évidemment compte de ces frais énormes.

Avec plus d'enthousiasme que jamais, je recommande l'allaitement à celles qui le souhaitent, parce que de plus en plus de mères constatent qu'elles en sont capables, et parce que nous avons davantage de preuves des qualités immunisantes du lait maternel. Le recours au biberon devrait être évité, sauf si on ne peut faire autrement, comme dans le cas de jumeaux qui s'éveillent et pleurent toujours au même moment. Je crois qu'une bretelle convient mieux qu'un siège de plastique dur pour transporter l'enfant; elle est très utile pour calmer le bébé agité. Je conseille aux mères de demander l'accouchement naturel, d'insister pour passer une heure d'intimité avec l'enfant immédiatement après la naissance et pour partager la même chambre. C'est ainsi que s'accélérera la création de liens affectifs entre elle et son bébé.

Je tiens à préciser que, si vous n'avez pas eu l'occasion d'utiliser plusieurs ou toutes les techniques naturelles d'accouchement, cela ne veut pas dire que votre enfant a été lésé de façon permanente ou grave. En outre, nous savons que la grande majorité des enfants qui dans le passé sont venus au monde par des techniques moins naturelles d'accouchement sont quand même devenus des adultes brillants et sensibles. Ils n'ont pas été privés; je dirais plutôt que la création de liens affectifs avec leur mère pourrait avoir été retardée. Je voudrais que les parents en général aient le courage de se tourner vers ce qui est naturel et de se montrer sceptiques devant les méthodes hautement artificielles et techniques, jusqu'à ce que la preuve de leurs avantages réels soit faite.

CINQUIÈME CHAPITRE

Se coucher et dormir

- LE JOUR OU LA NUIT
- LE SOMMEIL ET L'ANGOISSE DE LA SÉPARATION À DEUX ANS
- SE COUCHER ET DORMIR À PARTIR DE TROIS ANS
- LE LIT FAMILIAL ET LA NUDITÉ

• LE JOUR OU LA NUIT

Un certain nombre de bébés prennent le jour pour la nuit. La nuit, ils sont éveillés par moments, souvent agités; ils ont envie qu'on les nourrisse. À l'aurore, ils plongent dans un profond sommeil contre lequel le bruit de l'aspirateur, le cri des enfants et le claquement des portes ne peuvent rien. En fait, même quand le père ou la mère essaie de réveiller le petit — en le prenant dans ses bras, en lui parlant doucement puis plus fort, en le secouant un peu puis un peu plus —, ce dernier reste engourdi de sommeil. Personne ne sait pourquoi ces bébés sont tout à l'envers à la naissance et personne n'a de solution à ce problème.

J'avais l'habitude de suggérer aux parents divers moyens de réveiller ces bébés et de les garder éveillés durant la journée, de sorte que, très fatigués, ils dorment davantage la nuit. Vous pouvez essayer cette méthode si cela vous chante, mais en général rien n'est efficace. Même si vous réussissez à réveiller un de ces bébés et à lui mettre un biberon dans la bouche pour piquer son intérêt, il pourrait très bien se rendormir avant d'avoir bu une demi-gorgée de lait. La seule consolation des parents, c'est de savoir qu'en grandissant ces enfants cesseront de rester éveillés et de s'agiter la nuit, souvent entre un mois et trois mois.

Résistance chronique au sommeil ou au coucher

Il existe un problème que j'ai appelé *résistance chronique au sommeil*, dans un article rédigé pour un journal de pédiatrie, vers le milieu des années 40. J'ai alors écrit que je n'avais jamais vu ce type de problème auparavant, à l'époque où les pédiatres donnaient aux mères des règles strictes à suivre pour les biberons («Toutes les quatre heures, pas une minute plus tôt, pas une minute plus tard») et le coucher. Le problème est apparu quand les pédiatres ont commencé à conseiller aux mères un horaire plus souple, adapté aux besoins particuliers de chaque bébé. Certains parents ont naturellement présumé que les bébés devraient choisir leur propre horaire de sommeil. L'ennui, c'est qu'il y a des bébés qui croient que la nuit est faite pour rester en société et pour se faire promener.

Voici comment le problème peut se manifester. Il s'agit généralement d'un bébé qui a beaucoup souffert de coliques et d'agitation le soir, durant les trois premiers mois, et que ses parents ont souvent pris dans leur bras et promené pour le réconforter. Avec l'âge, il semble être soulagé de ses malaises, mais pas de son désir d'être promené le soir. En fait, à quatre, cinq, six et sept mois, ce désir s'accentue. Alors qu'il avait l'habitude de finalement s'endormir vers 7 h ou 8 h du soir, il a appris graduellement à rester éveillé jusqu'à 9 h, 10 h et même 11 h.

Si vous demandez à ces parents si leur bébé semble somnolent à ces heures tardives, ils vous répondront que ses yeux se ferment et que sa tête dodeline. Aussitôt que le parent qui le tient dans ses bras se dirige sur la pointe des pieds vers le berceau et place doucement le bébé en position horizontale pour le mettre au lit, ce dernier s'éveille brusquement et commence à pleurer à grands cris, pleurs qui, selon les parents, ne cesseraient jamais s'ils ne reprenaient pas le bébé dans leur bras pour continuer à le promener.

Le plus souvent, ce sont les nouveaux parents très consciencieux et qui manquent d'assurance dans leur nouveau rôle qui connaissent ces problèmes. Ils ne voient pas d'autre solution que de céder. Pourtant, plus ils cèdent, plus leur bébé devient exigeant.

Un autre élément vient compliquer la situation. Quand les parents commencent à sentir que leur bébé est trop exigeant, ils ne peuvent s'empêcher de lui en vouloir, inconsciemment. Mais se mettre en colère contre *un petit être impuissant* semble odieux. Leur sentiment de culpabilité leur fait donc vite réprimer leur ressentiment et ils continuent de céder encore plus qu'avant. Le bébé pourrait bien percevoir ces tensions intérieures et en être encore plus troublé.

La solution à la résistance chronique au sommeil est relativement simple, une fois les parents convaincus de ce que, pour le bonheur de l'enfant comme pour le leur propre, ils doivent prendre certaines décisions finales, comme celle concernant l'heure du coucher. Toutefois, ils doivent aussi être convaincus que le bébé ne pleurera pas sans arrêt chaque fois qu'ils refuseront de retourner dans sa chambre, après l'avoir bordé. Celui-ci pleurera sans doute pendant vingt ou trente minutes le premier soir, peut-être pendant dix minutes le deuxième soir, et pas du tout le troisième.

Je conseille vivement aux parents de ce bébé, quand ils le mettent au lit, de l'embrasser et de lui parler tendrement, pour se rappeler à eux-mêmes — et en faire prendre conscience au bébé — que leur cœur ne s'est pas endurci, qu'il s'agit simplement de régler une situation pénible. J'ajoute que les parents devraient dire à l'enfant, d'un ton amical mais ferme, que bébé, papa et maman ont chacun besoin de se reposer, et que ni papa ni maman ne viendra plus dans sa chambre, mais que tous deux seront dans l'autre pièce, tout près. (Ils peuvent lui dire que c'est un ordre du médecin, si cela leur facilite la tâche.) Le bébé ne comprendra pas les mots, c'est sûr, mais il sentira que ses parents ont pris une décision et qu'ils ne reviendront pas dessus.

Quand le parent, torturé par un sentiment de culpabilité qui lui fait croire que le bébé se prendra la tête dans les barreaux du berceau ou s'étranglera, entre dans la petite chambre, quinze minutes après la mise au lit, le bébé pensera qu'enfin on vient le prendre. Quand il se rendra compte que ce n'est pas le cas, il se fâchera et pleurera deux fois plus fort. Si le parent revient le voir toutes les dix minutes, il se peut que le bébé pleure d'indignation toute la nuit.

Bébé se réveille au milieu de la nuit

Il existe une variante susceptible de se produire vers la deuxième moitié de la première année ou vers le début de la deuxième. La façon dont elle s'amorce nous apprend quelquefois pourquoi elle continue et empire. Voici un exemple: Un bébé de huit mois s'éveille et pleure fort et longtemps pour la première fois. Les parents attendent quelques minutes, espérant que tout rentrera dans l'ordre, mais finissent par aller le prendre et le réconforter. Le lendemain, le médecin découvre chez le bébé une infection de l'oreille ou une quelconque maladie. Les parents sont effrayés par cette première vraie maladie et se sentent coupables d'avoir essayé de l'ignorer. La nuit suivante — et la troisième, et la quatrième, et la cinquième —, lorsque le bébé s'agite un peu ou gémit faiblement pendant un instant, les parents, désormais aux aguets, se lèvent immédiatement et vont le réconforter. Au bout de quelques jours, l'habitude est prise. Le bébé s'était probablement toujours agité un peu auparavant, émettant quelques sons et se tournant plusieurs fois dans son lit, comme le font les enfants plus grands et les adultes. Mais les parents ne s'étaient jamais éveillés, n'ayant aucune raison de s'inquiéter.

Plusieurs éléments, je crois, jouent un rôle dans cette situation, dont la vigilance exacerbée des parents, derrière laquelle se cachent des sentiments, si légers qu'ils soient, d'angoisse et de culpabilité, à la suite de la découverte de l'infection. Je soupçonne que ces sentiments suscitent chez l'enfant une certaine angoisse. Les bébés et les jeunes enfants sont extrêmement sensibles aux sentiments de leurs parents. Le bébé pourrait sentir que, si les parents sont si inquiets et réagissent si vite, il y a vraiment de quoi avoir peur. De plus, à mesure que les nuits passent et que les parents se lèvent pour réconforter le bébé, celui-ci ressent de plus en plus fort le pouvoir qu'il exerce sur eux.

Au fil des semaines et des mois, les périodes d'éveil s'allongent, et les parents commencent à éprouver du ressentiment parce que le bébé les mène par le bout du nez; ils souhaiteraient ne pas lui céder. Mais ils sont incapables de s'avouer ce ressentiment; ils n'ont pas assez confiance en eux pour savoir qu'ils auraient raison de ne pas retourner dans la chambre du bébé. Ils cèdent donc chaque fois. À mon avis, le bébé perçoit leur ressentiment et leur sentiment de culpabilité; cette combinaison d'émotions l'encourage à devenir de plus en plus exigeant.

Dans la moitié des cas de réveil au milieu de la nuit, il n'y a à l'origine rien d'aussi dramatique qu'une infection de l'oreille ou une maladie quelconque. J'ai souvent dû en attribuer la cause possible à la dentition. Certes les bébés sont grognons le jour qui précède l'éruption des premières dents, vers cinq ou six mois, et surtout à l'apparition des premières molaires, vers l'âge de un an. La nuit, durant leur sommeil, on peut voir certains bébés grimacer de douleur et gémir. Mais la situation peut devenir aussi difficile que dans l'exemple d'infection dont nous venons de parler si les parents réagissent trop promptement au moindre gémissement du bébé, en le prenant dans leurs bras, en l'emmenant au salon où ils l'amuseront de plus en plus longtemps et lui donneront peut-être un biberon. La tension s'accentuera quand ils commenceront à en vouloir au bébé, sans pour autant pouvoir résister à ses exigences.

La meilleure preuve que c'est le sentiment de culpabilité des parents et leurs hésitations qui peuvent faire durer ces situations pénibles, c'est le peu de temps qu'il faut pour éliminer la résistance chronique au sommeil et le réveil au milieu de la nuit, quand les parents refusent d'aller dans la chambre du bébé malgré ses pleurs. Comme nous l'avons dit, le bébé pleurera sans doute une trentaine de minutes, la première nuit, et peut-être dix, la deuxième. Mais, trois ou quatre jours plus tard, il ne pleurera probablement plus.

Venir à bout de l'habitude de s'éveiller et de pleurer au milieu de la nuit pourrait prendre plus de deux nuits, surtout quand le bébé est un peu plus âgé et un peu plus résolu. Mais le principe ne change pas: ne retournez pas dans sa chambre une fois que vous l'avez bordé.

Si vous vivez avec les grands-parents ou dans un appartement, et que vous craigniez que les pleurs ne dérangent d'autres personnes, expliquez-leur que vous suivez les conseils du médecin, et que tout rentrera dans l'ordre au bout de quelques jours.

Si le bébé dort dans la même chambre que vous, il sera sans doute nécessaire de lui trouver un autre endroit quand vous voudrez vous coucher: salon, cuisine, couloir, si vous ne disposez pas d'une seconde chambre. Si le bébé habitué à se faire prendre la nuit voit que ses parents feignent de rester endormis, il se sentira mis au défi et pleurera aussi fort et aussi longtemps qu'il faudra pour les faire lever. À défaut d'une meilleure solution, les parents pourront envisager de placer un paravant entre leur lit et le berceau.

À Los Angeles, une clinique téléphonique traite des difficultés courantes relativement aux bébés et aux jeunes enfants. On y répond à beaucoup d'appels au sujet des difficultés reliées au sommeil et au coucher dont je viens de parler. Les conseillers répondent aux parents qu'il n'est pas nécessaire de laisser pleurer le bébé pendant trente minutes. Ils leur recommandent de s'asseoir près du berceau (sans prendre l'enfant dans leurs bras), dans l'obscurité, et de murmurer des paroles rassurantes de temps à autre. Selon ces conseillers, le problème sera réglé en environ une semaine. Dans un sens, cette méthode est plus *douce* pour l'enfant et pour les parents, et je la recommande également. (Je n'ai pas eu l'occasion de la mettre à l'épreuve personnellement.) Si elle se révèle inefficace, les parents peuvent toujours recourir à la méthode décrite plus haut.

Au début, j'ai beaucoup hésité avant de conseiller aux parents de ne pas aller dans la chambre du bébé en pleurs, de crainte de paraître sans cœur et par trop sévère aux yeux des parents. Mais quand mère après mère m'ont rapporté que les pleurs cessaient au bout de trente minutes le premier soir, de dix minutes le deuxième, et ainsi de suite, que le bébé était plus reposé et plus joyeux le jour, et que les parents, après des mois de fatigue et de tension, pouvaient enfin se détendre et retrouver le bien-être auprès de leur enfant, j'ai eu le sentiment d'avoir raison. D'ailleurs, aucune autre solution n'était efficace.

Je me suis toutefois rendu compte, à ma grande consternation, que parents et médecins croyaient que je recommandais — comme politique générale — de toujours laisser pleurer l'enfant plutôt que de le réconforter, de crainte de le gâter. *Ce n'est pas le cas.* J'ai toujours dit aux parents que, si le bébé se mettait à pleurer tout à coup, ils devaient bien sûr le réconforter et essayer de découvrir la cause des pleurs: maladie, pousse des dents, cauchemar, etc. Mon conseil de ne pas aller dans la chambre du bébé s'applique à une situation bien particulière et, finalement, assez peu courante: le bébé résiste au sommeil pendant des semaines ou des mois, et ses parents sont déconcertés, frustrés et épuisés.

Je reconnais cependant avoir conseillé aux parents sans expérience de ne pas s'empresser de prendre dans leurs bras le bébé qui gémit occasionnellement durant son sommeil, mais d'attendre pour voir s'il se calmera au bout de quelques minutes. On encourage ainsi le bébé à dormir toute la nuit et jusqu'à une heure convenable le matin, aussitôt que c'est possible. Mais j'ai toujours précisé que, si le bébé se réveille vraiment et pleure sans arrêt, les parents doivent aller voir ce qui ne va pas. Si c'était moi, je commencerais par m'asseoir près du berceau, dans l'obscurité, et je murmurerais des paroles rassurantes ou je chantonnerais. Si cela ne marche pas, prenez le bébé dans vos bras. Si possible, évitez d'allumer les lampes, de marcher et de nourrir le bébé (s'il a passé l'âge des biberons de nuit). J'ai aussi fait remarquer que certains enfants sont incapables de passer calmement de la fatigue au sommeil, mais connaissent toujours d'abord une courte période d'agitation ou de pleurs. Il n'y a pas de moyen facile d'éviter ces pleurs de transition.

• LE SOMMEIL ET L'ANGOISSE DE LA SÉPARATION À DEUX ANS

De un an et demi à trois ans, l'enfant, de par sa nature même, est très conscient de dépendre de ses parents, surtout du parent (ou du remplaçant) qui prend soin de lui la plupart du temps, généralement la mère. Voici quelques exemples dramatiques de ce qui peut arriver si on le sépare d'elle.

Si la mère s'absente tout à coup pendant une semaine — pour prendre soin d'un parent malade, par exemple — ou qu'elle commence à travailler à temps plein, laissant ainsi l'enfant aux bons soins d'une personne que ce dernier connaît peu ou pas du tout, l'angoisse de l'enfant pourrait être aiguë. Mais, généralement, cette angoisse ne se manifeste pas comme telle durant l'absence de la mère. En fait, la personne remplaçant la mère pourrait constater que l'enfant s'est comporté comme un ange. À un moment donné, la mère se rendra compte que ce comportement un peu trop parfait était l'expression d'une angoisse refoulée: l'enfant était trop bouleversé pour regarder en face la situation. Il n'a même pas osé poser à la personne suppléante (dans la plupart des cas) la grande question qui le préoccupait: «Où est maman?»

L'angoisse de l'enfant pourrait devenir plus évidente au retour de la mère. L'enfant se rue sur elle, ne la laisse pas sortir de son champ de vision, la suit d'une pièce à l'autre, pleure s'il la perd de vue, s'agrippe à elle si elle essaie de sortir de la maison.

L'enfant se montre hostile envers la personne suppléante avec qui il s'était si bien entendu, et ne la laisse pas s'approcher de lui ni rien faire pour lui.

La scène la plus dramatique se produit à l'heure du coucher, lorsque le parent essaie de mettre l'enfant au lit et que celui-ci s'agrippe à lui avec une poigne d'acier et crie de terreur. Il arrive parfois, quand le parent a réussi à le coucher et se dirige ensuite vers la porte, que l'enfant, sans hésiter un seul instant, saute par-dessus son petit lit, même s'il ne l'a jamais fait auparavant. Il tombe par terre, se relève et court en direction du parent. Si l'enfant n'ose pas sortir de son lit, il pourrait rester assis toute la nuit, à moitié endormi.

Pendant des semaines, l'enfant suivra sa mère comme une ombre et essayera de l'empêcher de quitter la maison, voire la pièce.

Dans les années 30, certaines maternelles acceptaient les petits de deux ans. Mais la plupart ont cessé de le faire, surtout parce que la séparation d'avec le parent angoissait l'enfant. Certains de ces petits, dès le premier jour de maternelle, retenaient le parent qui les y avait amenés. D'autres semblaient s'être bien adaptés pendant plusieurs jours. Puis, s'étant fait un peu mal à la suite d'une chute ou d'une petite dispute avec un autre enfant, ils commençaient à hurler et à réclamer leurs parents. Ils pouvaient pleurer pendant des heures, sans qu'il soit possible de les consoler, jusqu'à ce que le parent réclamé arrive à la maternelle. Le lendemain, l'enfant refusait qu'on le laisse à la maternelle. Il lui arrivait même de refuser de quitter la maison.

En Angleterre, il y a de nombreuses années, on a observé attentivement le comportement d'une fillette de deux ans hospitalisée pendant quelques jours en raison d'une hernie ombilicale, une des interventions les plus fréquentes en Angleterre à l'époque. De nos jours, toutes ces opérations ne sont jugées nécessaires qu'à l'occasion. L'enfant était souvent déprimée et inactive. Mais quand une infirmière lui parlait ou parlait à un autre enfant, elle se mettait à pleurer et à réclamer sa mère. Quand ses parents lui rendaient visite, elle se montrait amicale avec son père, mais froide avec sa mère, de plus en plus longtemps chaque fois.

Ce rejet de la mère a souvent été observé chez les jeunes enfants qui passent une longue convalescence à l'hôpital. En fait, la froideur durait plus longtemps à chaque visite, jusqu'à persister pendant toute la durée de celle-ci, comme si l'enfant oubliait tout à fait qui était la mère. Mais le fait que ces enfants restent cordiaux avec le père montre bien qu'il ne s'agit pas d'une défaillance de mémoire. Les enfants punissent le parent avec qui ils étaient le plus intimes, comme pour lui dire: «J'avais confiance en toi plus qu'en quiconque, mais tu m'as abandonné.»

La profondeur du ressentiment de ces enfants se manifeste d'une autre façon à leur retour à la maison. Ils continuent pendant plusieurs jours à prétendre ne pas connaître leur mère. Une fois ce petit jeu fini, l'enfant attaque sa mère avec des paroles si dures, si méchantes, que cette dernière en demeure abasourdie.

J'ai cité ces cas extrêmes pour montrer aux sceptiques que l'angoisse de la séparation existe vraiment chez les jeunes enfants, et que ses répercussions peuvent être foudroyantes.

D'autres expressions, plus bénignes, de l'angoisse de la séparation apparaissent souvent au moment du coucher chez les enfants de vingt à trente mois. L'enfant qui s'était toujours mis au lit sans faire d'histoires (je suis toujours étonné par l'empressement à se coucher de la plupart des petits de un an) commence à essayer de retenir le parent à son chevet. Les ruses les plus courantes sont: «Je dois faire pipi» ou: «J'ai soif», même si l'enfant vient tout juste d'aller aux toilettes ou qu'il a bu deux minutes auparavant.

Puisque c'est l'âge où les parents essaient d'habituer l'enfant à ne plus se mouiller, il leur est presque impossible de lui refuser la permission d'aller aux toilettes. L'enfant recourra en alternance aux deux prétextes cités, jusqu'à ce que les parents se rendent compte qu'il s'agit là de besoins d'ordre affectif et non physique.

Une variante de cette situation: l'enfant permet au parent de quitter sa chambre mais, cinq ou dix minutes plus tard, il apparaît, charmant et enjôleur, dans la pièce où se trouvent les parents. Lui qui, le jour, est trop impatient pour rester plus de cinq secondes sur les genoux du parent, s'y blottit de lui-même et y reste. Il complimente sa mère au sujet de sa robe ou son père sur sa cravate. Si finalement on le repousse vers son lit, il réapparaît quelques minutes plus tard, l'air aussi innocent que s'il n'avait jamais entendu parler de l'heure du coucher.

On m'a déjà consulté au sujet d'enfants qui sortaient de leur lit jusqu'à vingt fois de suite, en dépit de la désapprobation et de la colère croissantes des parents.

Il faut beaucoup de temps, selon mon expérience, pour soulager l'angoisse de l'enfant qui a été gravement bouleversé. Si un voyage de la mère est à l'origine du bouleversement, elle devrait éviter si possible de partir en voyage encore une fois. Mieux vaut éviter les séparations même durant le jour, pendant plusieurs semaines. Si elle doit faire ses courses, qu'elle emmène l'enfant avec elle.

Il est sage de veiller à ce que l'enfant soit toujours conscient de ce qui l'effraie. Chaque fois qu'il pleure ou qu'il s'accroche à sa mère qu'il croit sur le point de partir, elle lui dira avec chaleur: «Tu as peur parce que tu crois que maman s'en va encore une fois en Floride. Mais maman ne s'en va nulle part. Maman reste avec petit Jeannot.» Sinon l'appréhension principale de l'enfant est réprimée et déguisée en une phobie — il aura peur d'une pièce ou d'un objet — qui pourrait se révéler permanente.

Au coucher, il se peut que la mère doive s'asseoir près du petit lit chaque soir, pendant plusieurs semaines, jusqu'à ce que l'enfant s'endorme. Si elle essaie de s'esquiver avant qu'il dorme profondément, il s'inquiétera et restera éveillé plus longtemps que jamais. Les premières nuits, l'enfant pourrait mettre jusqu'à deux heures pour s'endormir. Mais plus tard, une fois rassuré, il ne restera éveillé que de vingt à trente minutes. Il est inutile pour la mère de coucher l'enfant sur son lit avec elle; le moindre mouvement le réveillerait. La mère peut garder allumée une petite lampe dans la chambre de l'enfant pour pouvoir lire pendant que lui s'endort.

Les parents peuvent-ils quitter la maison le soir, une fois l'enfant endormi? S'il est susceptible de s'éveiller, son angoisse doublera s'il constate que sa mère est de nouveau partie. Mieux vaut donc rester à la maison durant cette période. Si l'enfant ne se réveille jamais une fois qu'il est endormi, les parents peuvent sortir, pourvu qu'il soit habitué à la gardienne.

Dans tous ces exemples j'ai parlé de la mère, parce que c'est son absence à elle qui bouleverse le plus l'enfant. Toutefois, si la personne qui s'occupe le plus de lui est le père, une grand-mère ou une gardienne, l'absence de cette personne suscitera la même panique.

Le meilleur traitement contre l'angoisse bénigne au coucher reste l'attitude douce mais ferme des parents: «Un petit pipi et un verre d'eau, ça suffit. Quand on se met au lit, on y reste.» Si l'enfant se présente de nouveau hors du lit, on ne doit pas lui permettre de rester debout et de jouer de son charme. Les parents doivent immédiatement, et avec fermeté, le ramener dans son lit. Nul besoin de manifester colère ou mauvaise humeur — cela pourrait accentuer l'angoisse de l'enfant; il suffit d'être déterminé et constant. La ferme détermination des parents indique à l'enfant qu'il n'a pas de raison de s'inquiéter.

En d'autres mots, ce sont les hésitations des parents qui semblent justifier les craintes de l'enfant. Il sent que s'ils hésitent à le laisser seul, c'est qu'il y a un danger réel. Ce sont ces hésitations qui l'encouragent à contourner les règles.

L'angoisse de la séparation, une fois suscitée, doit être traitée. Mais il est encore plus sage de la prévenir. La mère doit-elle partir au chevet de sa propre mère malade? Le moment est-il arrivé pour elle de retourner sur le marché du travail? Doit-elle accompagner son mari dans un voyage d'affaires? Ou prendre avec lui les deux semaines de vacances que ses parents ont offert de payer?

Le premier enfant, généralement enfant unique jusqu'à l'âge de deux ou trois ans, est souvent plus vulnérable à l'angoisse de la séparation que les enfants suivants. Dans la plupart des cas, sa famille se réduit à lui et à sa mère, qui passent la journée ensemble, et au père, qui montre le bout du nez le soir. Par conséquent, le gros de sa vie affective et sociale tourne autour de sa mère. Si elle part soudainement en visite ou au travail, le vide laissé est immense. Le deuxième ou troisième enfant qui voit sa mère partir peut, grâce à un aîné, continuer à se sentir en sécurité. Les précautions sont donc importantes dans le cas du premier-né ou de tout enfant qui semble particulièrement dépendant de ses parents.

Si le père peut partir plus tard au travail et rentrer plus tôt le soir durant l'absence de la mère, l'enfant éprouvera moins d'angoisse. S'il peut recourir à la gardienne habituelle qui a déjà passé beaucoup de temps avec l'enfant et compte vraiment dans la vie de celui-ci, ce sera une très bonne mesure de prévention.

Supposons qu'il n'y ait pas de gardienne habituelle et que la mère doive absolument partir en voyage ou rentrer au travail. Il faudrait alors s'efforcer de trouver une personne de confiance et l'intégrer graduellement dans la vie de l'enfant, au moins une semaine, de préférence deux, avant la séparation.

Une fois que l'enfant aura accepté la participation (pas seulement la présence) d'une telle personne, la mère commencera à s'absenter de plus en plus longtemps pour faire ses courses, afin d'habituer l'enfant à son absence et de lui donner la certitude qu'elle reviendra à la maison chaque fois.

Si l'urgence de la rentrée de la mère sur le marché du travail est discutable, je lui conseille d'attendre que le petit ait environ trois ans avant de se mettre à travailler. Plusieurs compromis sont possibles. La mère et le père pourraient organiser leur horaire de travail de sorte que l'un des deux soit presque toujours à la maison ou que les services d'une gardienne ne soient nécessaires que peu d'heures par jour. Ou encore, la mère pourrait se contenter d'un travail de quelques heures par semaine, qui deviendrait graduellement un travail à temps plein. Ce que je déconseille, c'est au parent à temps plein d'un enfant de moins de trois ans de devenir un travailleur à temps plein à l'extérieur du foyer.

Pour ce qui est de prendre des vacances sans l'enfant, ou d'accompagner le mari en voyage d'affaires, je suis contre, tant que l'enfant n'a pas atteint l'âge de trois ans, s'il est enfant unique ou s'il est particulièrement dépendant de ses parents.

Jusqu'à ce moment-là, mieux vaut emmener l'enfant avec soi, même si les vacances risquent d'être moins agréables. Si les parents partent en voyage, il vaut mieux que l'enfant soit gardé dans son propre foyer, si possible. Vers l'âge de deux ans, les enfants ressentent souvent de l'insécurité à la suite d'un déménagement, même en compagnie des parents.

Je ne veux pas être aussi arbitraire que je semble l'être. Je ne veux pas dire que la mère ne peut travailler à temps plein ou partir en vacances si c'est elle qui a le plus pris soin de son enfant de moins de trois ans. Il y a des mères qui l'ont fait apparemment sans répercussions négatives; par ailleurs, il arrive également à des enfants qui ont des frères ou des sœurs aînés à la maison, ou une gardienne habituelle, d'être bouleversés.

Le conseil le plus important que je puisse donner aux parents, c'est d'habituer leur enfant, depuis le plus jeune âge possible — pour une période de plusieurs heures par semaine — à être régulièrement sous la garde du même parent ou de la même gardienne, pour qu'il ne croie pas que l'absence temporaire de la mère est la fin du monde.

S'il s'habitue à une gardienne en particulier, le problème restera entier si celle-ci ne peut prendre soin de lui à temps plein quand les parents partent. Il aura à s'adapter. Mais cette adaptation sera plus facile s'il a appris à ne pas dépendre exclusivement de sa mère.

Si la mère a autant envie que son mari de mener une carrière — elle en a parfaitement le droit —, elle et lui doivent alors convenir ensemble de certains arrangements. Avant même la naissance du bébé, de préférence quand ils font leurs projets de mariage, ils décideront comment ils coordonneront leurs carrières respectives et leurs horaires de travail, de sorte que chacun participe aux soins du bébé, avec ou sans l'aide d'une gardienne à temps partiel.

L'angoisse de la séparation est un phénomène qui n'est ni étrange ni inexplicable. Elle est inhérente à la nature humaine. Elle est aussi inhérente à la nature de toutes les espèces d'animaux chez qui le petit reste près de la mère un certain nombre de semaines ou de mois. Il y a au début de la vie chez ces espèces — bovins, chevaux, moutons, chèvres — une période critique au cours de laquelle l'apparence de la mère, son odeur et sa voix laissent une marque indélébile sur le petit. Durant cette période, le petit aussi laisse son empreinte sur sa mère.

Par la suite, une fois séparé de sa mère il s'inquiète et pleure, à la manière des petits de son espèce, pour que sa mère lui réponde. Si, plutôt que la mère, c'est un être humain qui est là durant cette période critique, le petit animal s'attachera à cette personne.

La nature veut que l'enfant dépende fortement de la personne qui s'occupe de lui. Mais dans l'espèce humaine, et c'est généralement le cas dans les autres, cette dépendance existe à un degré moindre par rapport à d'autres membres de la famille et à des voisins. Cette dilution de la dépendance aide l'enfant à s'adapter, d'abord à sa famille étendue, puis à la société en général. Elle soulage aussi les parents du sentiment d'oppression qu'ils éprouvent quand il leur arrive de considérer l'enfant comme une sangsue. La dilution de la dépendance profite donc à tous les intéressés.

• SE COUCHER ET DORMIR À PARTIR DE TROIS ANS

L'enfant ergote sur l'heure du coucher

À mon avis, la situation qui ennuie le plus souvent les parents, c'est quand ils disent aux enfants d'aller se coucher et que ceux-ci commencent à faire des histoires: l'heure n'est pas encore arrivée, la semaine passée on les a laissés veiller plus tard, leurs amis ne sont pas obligés d'aller au lit si tôt, ils ont quelque chose à préparer pour l'école, etc. Ou encore, ils demandent en gémissant qu'on les laisse regarder encore une autre émission de télévision. Ils présentent des douzaines de raisons; vous les connaissez aussi bien que moi.

Une grande partie de la difficulté réside dans le fait que les enfants sont comme des avocats: s'ils entrevoient la moindre possibilité de gagner, ils se mettent immédiatement à discuter sans lâcher pour obtenir ce qu'ils veulent, malgré les règles.

Bien sûr, le caractère vacillant des parents est une autre grande cause des difficultés qui surviennent à l'heure du coucher. L'enfant redouble ses assauts si ses parents hésitent un dixième de seconde avant de refuser ses demandes, par exemple, quand ils ont pitié du petit qui a été malade dernièrement, ou qu'ils se sentent coupables d'avoir été de mauvaise humeur avec lui une demi-heure auparavant, ou encore qu'ils sont de ceux qui détestent refuser quoi que ce soit à l'enfant, même quand ils sont sûrs qu'ils auraient tort de l'accorder.

Quelle que soit la raison qui pousse l'enfant à vouloir rester debout ou qui fait hésiter les parents à l'envoyer au lit, la situation se déroule à peu près toujours de la même façon: même après que l'enfant a cessé de discuter, il continue de gagner du temps. Il reste devant le téléviseur un peu plus longtemps. Ou il fait ceci ou cela sans se presser, répétant: «J'y vais», sans y aller. Les parents, plutôt que de l'observer et de lui faire remarquer qu'il ne respecte pas les règles, se remettent à lire, à regarder la télé ou continuent de bavarder. C'est une guerre froide qui ne cesse jamais et qui n'est jamais réglée.

Vous penserez peut-être que je laisse entendre que les parents doivent aboyer comme des chiens de garde à l'heure du coucher. Loin de là. Ils peuvent garder un ton amical et doux, c'est beaucoup plus efficace ainsi. Tout ce qu'ils doivent faire, c'est surveiller l'enfant pendant deux minutes, jusqu'à ce qu'il aille au lit. Quand l'enfant cherche toujours à gagner du temps, il est utile que l'un des parents insiste pour lui faire dire «bonne nuit!» et aille se coucher, ou bien il se lèvera et accompagnera l'enfant dans sa chambre. Le parent peut promettre d'aller lui lire une histoire, une fois qu'il se sera couché. Il convient que le père prenne la situation en main quand les enfants refusent de se coucher, surtout s'il a été absent le gros de la journée; à cette heure du soir, il se pourrait bien que l'autorité de la mère se soit affaiblie.

Il faut également que les parents fassent preuve de constance. L'heure du coucher doit être la même tous les soirs. S'ils veulent faire une rare exception, mieux vaut qu'ils l'annoncent eux-mêmes, plutôt que d'attendre que les enfants les importunent. En d'autres mots, il n'est pas bon de céder pour la simple raison que les demandes et supplications incessantes de votre enfant sont venues à bout de vous.

Une constance sans faille n'est pas obligatoire dans les familles où les enfants coopèrent avec leurs parents et respectent en général les règles établies. Les conseils donnés s'adressent surtout aux parents d'enfants qui ne sont jamais satisfaits de l'heure du coucher.

Certains parents laissent veiller leur enfant jusqu'à ce qu'il soit assez fatigué pour aller se coucher de son propre chef. Je ne suis pas assez indulgent pour recommander cette façon de faire, surtout quand la télévision exerce un tel attrait sur les enfants. Si le bon sommeil de votre enfant vous tient à cœur, vous serez constant. Vous ne pouvez le laisser décider de l'heure du coucher un soir et pas l'autre — du moins pas sans vous exposer à des discussions incessantes.

Voici un autre problème relié au sommeil de l'enfant. Disons qu'une fillette dont l'âge se situe entre trois et six ans insiste pour que la porte de sa chambre reste ouverte. Souvent, ce n'est pas par crainte de l'obscurité, mais parce qu'elle veut garder un œil sur ses parents. Quand ceux-ci se couchent, elle semble tout à fait éveillée et leur demande à eux aussi de laisser ouverte la porte de leur chambre. Une heure plus tard, quand les parents, à la recherche d'intimité, referment furtivement leur porte, la petite s'éveille instantanément et leur demande de la rouvrir.

Un sentiment de rivalité tient l'enfant éveillé

Voici une variante du problème décrit ci-dessus: L'enfant ne cesse pas de se lever la nuit, pour venir dans le lit des parents et se blottir entre eux. Quelquefois, les parents commencent par résister et ramènent l'enfant dans son lit. Mais celui-ci revient toutes les demi-heures. Fatigués, ils finissent par le laisser faire. Récemment, un père m'a confié en riant que son garçonnet de quatre ans venait se blottir entre lui et sa femme chaque fois qu'ils passaient le week-end dans leur cottage près de la mer. «Ce petit est un des meilleurs moyens de contrôler les naissances.»

Ce père ne se rendait pas compte à quel point il disait vrai. Les enfants de trois à six ans en sont aux premiers stades de leur développement sexuel. Le garçon s'attache romantiquement à sa mère. À quatre ans, il déclare souvent qu'une fois grand il l'épousera. Peu à peu, il se rend compte que le mariage de sa mère avec son père rend ses projets impossibles; il ressent de plus en plus de rivalité avec son père. Mais l'idée d'une rivalité farouche avec un homme tellement plus grand et plus fort que lui l'effraie. Il finit par refouler ces pensées dans son inconscient, où elles continuent de couver sous une autre forme.

De la même façon, la fille s'éprend de son père, et finit par se rendre compte qu'elle est une bien petite et bien faible rivale pour sa mère. Mais, dans son inconscient, elle ne renonce pas à l'espoir de gagner son père, sans savoir comment ni quand.

Quand la fille garde l'œil sur ses parents le soir et insiste pour qu'ils laissent ouverte la porte de leur chambre et celle de sa chambre à elle, ou quand elle tente sans cesse de monter dans le lit conjugal, il se peut bien que ce soit parce que, inconsciemment, elle tente de les séparer — physiquement comme au figuré.

Mais les enfants de trois, quatre ou cinq ans savent-ils vraiment ce qui se passe entre les parents? À certains on l'a appris, à d'autres pas. Mais tous les enfants ont assez d'instinct sexuel possessif, si vague soit-il, pour vouloir, d'une façon ou d'une autre, s'interposer entre les parents.

Ce souhait ne se transforme en action que dans de rares cas, selon les circonstances. Si par exemple le père est commis-voyageur et que la mère, pendant son absence, laisse coucher son garçonnet dans le grand lit des parents ou dans le lit jumeau du père, le souhait du fils est grandement renforcé; il pourrait manifester plus ouvertement sa rivalité avec son père. De même, si la mère se montre trop séduisante dans son attitude avec son fils, ou le père avec sa fille, la rivalité de l'enfant avec le parent du même sexe pourrait se manifester plus ouvertement.

Il arrive que des parents attentionnés et *modernes*, en apprenant la frustration de leur enfant qui vient de se rendre compte qu'il ne peut avoir pour lui seul le parent du sexe opposé, fassent preuve d'un empressement exagéré — voire de soumission — devant l'enfant rival, et refusent de s'embrasser devant lui, ou le laissent même leur interdire de se parler. Répondre lâchement aux exigences irréalistes de l'enfant lui fait du tort à longue échéance. Il croira que sa volonté domine celle de ses parents et qu'il peut vraiment accaparer sa mère (ou son père).

Je crois qu'il est utile pour les parents de connaître les attentes sexuelles et romantiques des premières années de leur enfant, parce qu'elles expliquent des comportements qui autrement pourraient les déconcerter. Mais il n'est pas besoin — en fait, il est même néfaste — que les parents cèdent aux souhaits de l'enfant ou l'encouragent de quelque façon que ce soit à penser qu'il peut remplacer le conjoint dans le cœur de l'autre. Encourager de faux espoirs ne peut que mener l'enfant dans des culs-de-sac dont il aura peine à se sortir plus tard.

En réalité, l'enfant le sent généralement quand il exige plus que ce qui lui est dû ou qu'il essaie de vivre une étape de son développement pour laquelle il n'est pas prêt. Il est alors réconfortant pour lui de s'entendre dire — d'un ton affectueux, mais ferme — qu'il demande l'impossible. Les êtres humains de tous les âges se sentent beaucoup mieux quand ils respectent les droits des autres et restent à leur place.

Je crois que l'enfant devrait être promptement ramené dans son lit chaque fois qu'il vient dans celui de ses parents. Si l'enfant récidive sans cesse, les parents envisageront de fermer à clé la porte de leur chambre. À l'enfant qui leur demande de la laisser ouverte, les parents répondront qu'ils veulent préserver leur intimité. L'enfant est en mesure de comprendre cela. Les parents n'ont pas besoin de se mettre en rogne. Qu'ils répondent avec bonté et fermeté.

Quand un enfant de cet âge demande à ses parents de laisser ouverte la porte de leur chambre ou exige qu'ils ne s'embrassent pas ou qu'ils cessent de se parler, il peut être utile aux parents d'être plus précis et de faire prendre conscience à la fillette de ce que celle-ci veut papa à elle seule (inversement, pour le garçonnet) et de ce que cela la fâche de voir papa parler à maman (ou l'embrasser, ou partager le même lit, selon le cas). Les parents poursuivront en disant que papa et maman s'aiment et veulent continuer de faire ces choses; qu'ils aiment leur enfant et qu'ils veulent aussi lui parler et l'embrasser. Tout cela peut sembler par trop évident à un adulte. Mais pour un enfant torturé par une jalousie qu'il ne comprend pas, ce peut être une révélation et un réconfort.

Il est bien entendu que l'attitude de l'enfant peut avoir d'autres raisons. Il se peut que des cauchemars l'éveillent et qu'il recherche alors sécurité et réconfort dans le lit de ses parents.

L'enfant a peur de l'obscurité et des monstres

Le troisième problème: l'enfant refuse d'aller au lit parce qu'il craint l'obscurité. Il peut s'exprimer plus précisément et dire qu'il a peur qu'un lion soit caché sous son lit ou qu'un ravisseur entre par la fenêtre, ou encore que telle ombre sur le mur est une vilaine créature venue l'attraper. Ce type de peurs est fréquent vers l'âge de cinq ou six ans. Elles ont souvent un rapport avec la rivalité de l'enfant à l'égard du parent et avec la crainte de son ressentiment.

L'attachement romantique et possessif envers le parent du sexe opposé joue un rôle dans la formation des idéaux romantiques qui guideront l'enfant plus tard vers un bon mariage et qui l'aideront à mûrir à d'autres égards aussi. Mais cet attachement ne doit pas devenir si profond et si permanent qu'il empêche l'enfant devenu adulte de se détacher et d'épouser quelqu'un de son âge. Certains individus s'enlisent dans un comportement d'enfant de trois ans et demeurent à jamais le *petit garçon à sa maman* ou la *petite fille à son papa*.

Chez la plupart des enfants, cet attachement joue son rôle puis se dissipe graduellement. Le garçon cesse de chercher l'amour total de sa mère, parce qu'il a peur que son père ne devienne également jaloux de lui. Il se dit que, si la situation se corse, ce dernier va sûrement remporter la victoire.

À mon avis, cette peur constitue l'élément principal des cauchemars qui sont si courants entre cinq et sept ans. En général, les rêves des garçons sont peuplés de géants et de gorilles qui les poursuivent, alors que les filles rêvent souvent aux sorcières. C'est le facteur le plus commun de la peur de l'obscurité et des monstres à l'heure du coucher.

D'autres éléments contribuent aux phobies et aux cauchemars de l'enfant durant cette période de sa vie, pour remuer et intensifier les craintes qui couvent en lui. Les émissions de télévision terrifiantes en sont un, surtout si elles sont regardées le soir. Je crois que les émissions violentes qui bouleversent l'enfant sont nocives, que celui-ci manifeste son angoisse ou non. Raison de plus pour les interdire à l'enfant qui souffre déjà de peurs au coucher. (Il est intéressant de noter ceci sur la nature humaine: un grand nombre des enfants — et des adultes — que les émissions terrifiantes bouleversent en redemandent.) On devrait également interdire les livres qui risquent d'épouvanter l'enfant.

Les bagarres amicales entre le père et les enfants, le soir, peuvent facilement surexciter les petits, bien qu'ils adorent cela. Dans l'inconscient du petit garçon, le potentiel d'agression du père devient réel. Dans celui de la fillette, le jeu peut prendre une signification sexuelle trop excitante et ainsi alimenter la crainte de la rivalité maternelle.

On pourrait croire que je suis rabat-joie parce que je laisse entendre qu'il faut éliminer cette stimulation. Croyez-moi, les enfants en reçoivent assez en vivant leur vie normale et en écoutant leur propre imagination. Ils n'ont pas besoin de stimulation délibérée de la part de leurs parents ou des réseaux de télévision.

Quand nous parlons de mesures à prendre face à l'enfant qui souffre de peurs au coucher ou de cauchemars, il faut faire une distinction entre l'enfant pour qui c'est le seul problème et celui qui semble atteint d'autres déséquilibres.

Il est toujours utile de rechercher, pour son enfant souffrant de craintes (ou d'autres problèmes), les conseils d'un spécialiste en psychopédagogie ou de s'adresser à un organisme de services sociaux. Je dirais que c'est particulièrement important quand l'enfant est craintif et timide à maints égards et qu'il manifeste d'autres symptômes de tension (il bégaie, mouille son lit ou a des problèmes d'adaptation sociale, par exemple). Par ailleurs, dans le cas d'un enfant qui souffre de craintes au coucher ou de cauchemars, mais qui réussit bien à l'école, s'entend bien avec les autres enfants et est relativement facile à élever, on peut reporter la consultation, le temps de voir si l'âge dissipera ses peurs.

Pour ce qui est de la peur de l'obscurité et des monstres dans sa chambre, les parents peuvent évidemment rassurer l'enfant en le convainquant qu'il n'y a rien de dangereux dans sa chambre et que ses peurs ont d'autres sources. (Ces autres sources d'inquiétude sont trop complexes, à mon avis, pour que les parents essaient de les interpréter pour l'enfant.) Les parents peuvent encourager l'enfant à se comporter comme un grand et à aller dans sa chambre tout seul. S'il n'en a pas le courage, ils peuvent l'accompagner. S'il veut qu'une veilleuse reste allumée la nuit, pourquoi pas? Elle est préférable à la lampe forte qui encouragerait le jeu, la lecture et l'état de veille.

Il est quelquefois difficile de réveiller le jeune enfant en plein cauchemar. Celui-ci peut sembler éveillé, mais être encore aux prises avec ses monstres. Il est utile de l'emmener dans une autre pièce, bien éclairée, et de le rassurer en lui parlant jusqu'à ce qu'il soit bien éveillé et calmé.

Autrefois, les parents réprimandaient leurs enfants ou essayaient de leur faire honte pour faire passer les symptômes de tension et d'immaturité. Plus tard, quand les causes de certaines angoisses ont été connues, parents et enseignants ont penché dans la direction opposée. Ils ont tenté de se montrer parfaitement compréhensifs et d'éliminer toutes les obligations externes pesant sur l'enfant, vu ses tensions internes. Maintenant, nous savons que cette attitude encourage quelquefois l'enfant à rester dans son immaturité et à s'accrocher à ses symptômes. Nous rappelons donc de temps à autre à l'enfant que ce n'est pas drôle d'être effrayé — de sucer son pouce ou de mouiller son lit, selon le cas — et que nous sommes persuadés qu'il finira par ne plus l'être pour devenir un grand garçon.

Soit dit en passant, si vous trouvez ces explications — rivalité et peur de la colère des parents — farfelues ou malsaines, vous n'êtes pas obligés de les accepter. Cela ne vous empêchera pas d'être de bons parents.

• LE LIT FAMILIAL ET LA NUDITÉ

Il y a plusieurs années paraissait un ouvrage* conseillant aux parents de faire partager leur lit à leurs enfants. L'auteur, Tine Thevenin, ménagère de Minneapolis, y faisait remarquer que, dans les cultures primitives, les membres de la famille couchaient toujours dans le même lit. C'était aussi le cas à l'époque des premiers colons américains. Même avant la parution du livre de Tine Thevenin, de nombreuses familles avaient adopté cette habitude, dans la frénésie du retour à la nature qui prévalait durant les années 60 et 70.

Y a-t-il des objections au concept du lit unique pour la famille? Les spécialistes en thérapie de l'enfant rapportent que dormir avec les parents stimule trop certains enfants du point de vue sexuel. D'autres enfants, qui ne font que partager la chambre des parents, sont troublés par les images et les sons de l'amour physique, en raison de son apparente violence. En outre, une fois que l'enfant — surtout celui qui a peur de dormir seul — s'habitue à dormir dans le lit des parents, ceux-ci auront beaucoup de peine à l'en déloger. J'ai connu un ou deux enfants qui y dormaient encore à douze ans.

Les enfants âgés de trois à six ans sont attirés physiquement et spirituellement vers le parent du sexe opposé; il n'y a rien d'anormal au désir de l'enfant de voir et de toucher ses parents, et de déclarer son intention de les épouser. Ces désirs sont contenus par deux facteurs. Le premier: la peur inconsciente d'une rivalité avec le parent du même sexe. Le second: le bon sens des parents empêchant leur enfant d'aller trop loin.

Les bons parents serrent leurs enfants dans leurs bras et les embrassent; ils réagissent avec joie quand ces derniers font de même avec eux. Mais il y a une différence entre une manifestation d'affection relativement brève et un contact prolongé au lit.

Quel mal cela peut-il faire? Partager le lit des parents de façon régulière risque de

* *The Family Bed: An Age-Old Concept in Childrearing*, de Tine Thevenin.

mener à une relation intense que l'enfant sera peut-être incapable de briser quand viendra le temps de tomber amoureux de quelqu'un de son âge.

Mais depuis quelques années je me suis rallié à l'idée qu'il est bon pour les jeunes enfants de monter dans le lit des parents le matin (surtout le samedi et le dimanche) pour une petite réunion familiale toute confortable. Une bonne raison justifie ces contacts: l'influence de la culture anglo-saxonne a malheureusement inhibé les manifestations d'affection entre hommes. Mes propres fils me l'ont reproché quand, une fois adultes, ils ont eu le courage de le faire.

Certains parents ont un mouvement de recul à la seule pensée de se trouver avec leur enfant dans leur lit, même un instant, parce qu'ils craignent l'excitation sexuelle — la leur et celle de l'enfant. Dans le cas où l'enfant accorderait trop d'attention au corps du parent ou persisterait à le caresser, il n'est ni utile ni sage de se comporter comme si l'enfant faisait quelque chose de mal. Changez plutôt discrètement de position ou distrayez l'enfant. Si rien n'y fait, sortez simplement du lit comme si vous alliez commencer votre journée. Par ailleurs, si les contacts physiques intimes mettent vraiment le parent mal à l'aise (peut-être en raison de son éducation), celui-ci ferait mieux de ne pas laisser l'enfant monter dans son lit. L'enfant percevrait l'appréhension du contact chez le parent, et cela le troublerait davantage que l'absence d'une réunion au lit le dimanche matin.

Je profite de ce que je parle de la curiosité sexuelle et du contact entre le parent et l'enfant pour faire quelques commentaires sur le nombre croissant de nos compatriotes qui sont devenus nudistes à leurs heures, c'est-à-dire qu'ils restent nus à la maison, que leurs enfants soient là ou non. Est-ce bénéfique? Est-ce à déconseiller?

Bien sûr, tout est affaire d'us et coutumes. Selon les sociétés, ce ne sont pas les mêmes parties du corps que l'on recouvre; je songe aux mètres de tissu qui cachent le visage et le corps des Arabes, aux mini-maillots des Occidentaux *modernes*. L'expérience nous a appris qu'un corps entièrement voilé n'en est pas moins excitant, et que par ailleurs la nudité dans les sociétés où tout le monde est nu n'est pas nécessairement excitante.

Les parents doivent tenir compte de leurs motifs sous-jacents quand ils se dénudent. La plupart d'entre nous ressentent l'impulsion de montrer leur corps, vêtu ou pas, surtout quand ils sont jeunes et beaux. L'exhibitionniste ressent cette impulsion à un degré exagéré. Certains parents exhibitionnistes, sans nécessairement s'en rendre compte, se servent de leur corps pour éblouir les enfants autant que les adultes. D'autres n'ont aucune pulsion exhibitionniste décelable. L'effet de la nudité des parents sur les enfants différerait dans ces deux cas.

La nudité des parents, en plus de stimuler l'enfant du sexe opposé, risque de susciter l'antagonisme de l'enfant du même sexe. Par exemple, un de mes fils, alors âgé de quatre ans, a pris l'habitude de se *raser* (avec un rasoir sans lame, bien sûr) pendant que je me rasais, nu, le matin. Au bout de quelques semaines, il s'est mis à faire semblant — mi-drôle, mi-féroce — de me saisir les organes génitaux. Je me suis alors rendu compte que ma nudité le troublait, parce qu'elle avivait en lui de la rivalité. Dès lors, j'ai pris l'habitude de me raser en caleçon.

Des millions de parents sont occasionnellement nudistes à la maison; il est évident que cela ne fait guère de tort à un grand nombre d'enfants, sinon on le saurait par l'entremise des cliniques de psychopédagogie. Pourtant, je crois que l'on ne devrait pas ignorer entièrement les thérapeutes qui prétendent que la nudité des parents peut troubler certains enfants.

Si j'étais père ou mère de jeunes enfants, et pudique de nature, je le resterais. Si je préférais me promener tout nu, je ne me sentirais pas obligé de changer pour le bien de mon enfant, sauf si je constatais que la vue de mon corps l'excite, le préoccupe ou lui fait faire l'idiot. Dans ce cas, je ne me dévêtirais pas complètement.

SIXIÈME CHAPITRE

La discipline

- L'AMOUR COMME INGRÉDIENT DE BASE
- INDULGENCE OU SÉVÉRITÉ?
- AUTORITARISME OU DÉMOCRATIE?
- DISCIPLINE IMPOSÉE OU AUTODISCIPLINE?
- MA POSITION SUR LA DISCIPLINE
- LE CHÂTIMENT
- ÊTES-VOUS SÉRIEUX?
- DISCUSSIONS AVEC LES ENFANTS
- SORTIES AVEC LES ENFANTS

• L'AMOUR COMME INGRÉDIENT DE BASE

Au cours de la Seconde Guerre mondiale, j'ai passé presque tout mon service dans la marine à titre de psychiatre chargé d'une salle complète de patients qu'on appelait alors psychopathes. (Aujourd'hui, on les appelle inadaptés sociaux.) Ce sont des individus irresponsables, difficiles, impulsifs, à qui l'expérience n'enseigne jamais rien. Dans la marine, ils ne remplissent pas leurs fonctions et n'obéissent pas aux règles. Souvent, ils s'absentent plus longtemps qu'il ne leur est permis, ou encore, ils s'absentent sans permission. Les châtiments répétés sont sans effet. Après une série d'infractions toujours plus sérieuses, il devient malheureusement évident que ces gens ne seront jamais utiles à la marine, qu'ils n'y seront jamais qu'une source d'ennuis. Ils finissent donc par être rendus à la vie civile, sans les honneurs.

Puisqu'ils avaient tous récemment commis des infractions, mes patients étaient gardés dans un pavillon pour prisonniers durant les quelques semaines nécessaires à la compilation de leurs antécédents psychiatriques, jusqu'à ce que Washington autorise leur renvoi de la marine. Dans la plupart des cas, malgré le peu d'information que ces inadaptés sociaux pouvaient faire resurgir de leur mémoire, on pouvait voir clairement comment leur personnalité avait dévié. Ils n'avaient simplement pas été aimés durant leur enfance. Ils n'avaient jamais vraiment senti qu'ils appartenaient à leurs parents. Par conséquent, ils n'avaient jamais acquis le sens de leurs responsabilités, ni envers leurs parents, ni envers personne. Le plus souvent, leur père avait abandonné sa famille, leur mère avait dû aller travailler et confier les enfants à une quelconque autre personne qui ne leur avait donné que peu d'attention ou d'affection. Ou encore, leur mère était décédée et leur père les avait fait garder par une personne indifférente. Certains d'entre eux avaient même été négligés dans leur propre foyer.

D'habitude, ces enfants mal aimés ne réussissent pas à l'école. Ils ne manifestent aucune envie de plaire à l'enseignant ou de coopérer avec lui. (Les enfants qui sont aimés commencent par vouloir plaire à leurs parents, puis à leurs enseignants et aux autres.) De plus, ces enfants n'ont aucun intérêt pour le travail scolaire, parce que ce sont les parents aimants qui communiquent leurs idées à leurs enfants et donnent un sens à celles-ci.

Les écoliers mal aimés passent une grande partie de leur temps à faire l'école buissonnière, à essayer d'impressionner leurs camarades de classe et à poireauter devant le bureau du principal en attendant d'être réprimandés. En moyenne, ils ont un an ou deux de plus que leurs camarades de classe, mais en réalité, leur retard est encore plus grand. Arrivés à quatorze ou quinze ans, ils en ont souvent assez de se faire réprimander à l'école; ils ont honte d'être dans la même classe que de jeunes enfants et ils trouvent la force de lâcher l'école pour de bon.

Dans la marine, je m'intéressais beaucoup aux histoires que me racontaient mes patients à propos de leur départ du foyer parental. En voici une typique: Le père dit au fils de faire telle ou telle corvée. Ce dernier, âgé d'environ seize ans, est à l'âge rebelle où on dit souvent non. Il refuse. Le père, fâché, insiste; le fils, fâché aussi, refuse encore une fois. Le père ferme le poing pour frapper son fils. Mais les réflexes de ce dernier sont plus vifs et, en un éclair, il a cogné sur son père. Le fils se rend compte que la vie à la maison sera désormais difficile; il part donc pour la ville voisine où il se cherche du travail.

Les inadaptés sociaux ne réussissent pas mieux au travail qu'à l'école. Ils veulent gagner beaucoup d'argent, mais ils n'arrivent pas à s'intéresser à un travail et ils ne ressentent aucune envie de plaire à leur patron. Leur rendement est lamentable. On a vite fait de les congédier, s'ils ne se sont pas déjà défilés avant d'être renvoyés. Leurs excuses sont multiples: «Le patron était toujours sur mon dos» ou: «On me payait un salaire de famine.» Il est rare qu'un inadapté social garde un emploi plus de quelques semaines.

La marine — tout comme l'armée ou l'aviation — convient encore moins bien à l'inadapté social que le milieu civil. Les règles y sont plus arbitraires et plus strictes. Par exemple, il est interdit de quitter la base sans permission. Les supérieurs s'intéressent généralement peu à leurs subalternes en tant qu'êtres humains. L'inadapté social a donc toujours des ennuis. Quand j'ai demandé, par exemple, à Jenkins pourquoi il était parti, il m'a répondu avec une grande indignation: «J'ai demandé un congé, mais ils ne voulaient pas me l'accorder!»

La plupart des criminels chroniques dans la vie civile sont également des inadaptés sociaux. Ceux qui commettent de petits délits — comme *emprunter* une voiture qui ne leur appartient pas — ont été négligés durant leur enfance. Ils veulent biens matériels et argent. Comme ils ne savent pas comment les gagner, ils les volent.

Ceux qui commettent des crimes violents, en plus d'avoir été négligés, ont généralement été maltraités durant l'enfance. Chaque fois qu'on les attrape, on les renvoie derrière les barreaux pour des peines de plus en plus longues. Ils n'en sont pas pour autant honteux, parce qu'ils ne se rendent pas compte qu'ils ont fait faux bond à la société et qu'ils n'ont aucun désir de plaire. Les châtiments ne servent donc à rien d'autre qu'à renforcer leur ressentiment.

Cette description de l'inadapté social n'a qu'un seul but, fort simple: les châtiments sont sans effet sur l'adulte ou l'enfant qui a été mal aimé. La douleur causée par le châtiment n'a pas d'effet de dissuasion. Si le châtiment a un effet sur les gens qui ont été aimés, c'est surtout parce qu'ils représentent une interruption temporaire de l'approbation et de l'amour qui les fait se sentir abandonnés et malheureux.

Quand les enfants ont été aimés pendant leur enfance, de l'amour naît en eux et ils veulent devenir des adultes semblables à leurs parents. La plupart du temps, ils ont envie de leur plaire. Voilà le levier principal des parents quand ils élèvent leurs enfants; ils peuvent ainsi les contrôler et les motiver. Si ce lien réciproque n'existe pas entre enfants et parents, ces derniers sont impuissants. Il est impossible de faire quoi que ce soit pour l'enfant devenu vraiment rebelle, comme on le voit dans les centres de psychopédagogie ou dans les tribunaux de la jeunesse.

C'est surtout pendant les deux premières années que l'amour des parents peut faire naître une réaction d'amour chez leur enfant. C'est durant cette période que tout se décide: ou l'enfant deviendra un adulte chaleureux, confiant et optimiste, ou il sera distant, méfiant et pessimiste. D'autres traits particuliers — comme les champs d'intérêt et les façons d'agir — se développent plus tard dans la vie, mais les traits fondamentaux s'établissent tôt.

Certains voient l'amour exclusivement comme étant l'expression de l'affection physique et émotionnelle. L'amour des parents comporte plus de facettes que cela. Ils doivent faire en sorte que leur enfant devienne un adulte responsable et qu'il réussisse dans la vie, lui rappelant chaque jour, avec la plus grande bonté du monde, comment y arriver.

Beaucoup d'autres éléments jouent dans l'orientation et la motivation d'un enfant: l'exemple des parents, leur sincérité, leur constance, leur assurance, leur respect de leur enfant, leur façon de le punir lorsque cela se révèle nécessaire. Mais l'amour des parents pour leur enfant et l'amour qu'ils reçoivent en retour est de loin ce qui compte le plus.

Dans les trois prochains textes, je me pencherai sur trois alternatives en matière d'éducation des enfants: indulgence ou sévérité? autoritarisme ou démocratie? discipline imposée ou autodiscipline? Je décrirai les positions extrêmes dans chacun des cas, pour que les différences ressortent bien, même si les parents ne sont jamais tout à fait d'un côté ou de l'autre. J'essaierai ensuite de clarifier ma propre position.

• INDULGENCE OU SÉVÉRITÉ?

Examinons d'abord l'opposition entre *sévérité* et *permissivité*, ce dernier terme étant ambigu. Si quand on parle de *permissivité* on veut évoquer des méthodes d'éducation indulgentes, mais efficaces et remplies de bon sens, alors je suis tout à fait pour. Mais la plupart des gens aujourd'hui se servent du mot quand ils parlent de parents qui font des courbettes devant leurs enfants et dont le laxisme produit des enfants difficiles et gâtés. J'utiliserai donc plutôt le mot *indulgence*.

Certains parents qui préfèrent la sévérité croient que cette approche garantira le bon comportement de leurs enfants, tandis que l'indulgence produirait à coup sûr des enfants indisciplinés et grossiers. Ces deux croyances sont erronées ou, pour être plus précis, disons qu'elles ne sont qu'à moitié vraies. Tout dépend de l'esprit ou des motifs subconscients qui sont à l'origine de l'attitude des parents.

Ce qui détermine surtout les méthodes et les attitudes des parents avec leurs enfants, c'est la façon dont leurs propres parents les ont élevés. Si on a appris à ces parents, par exemple, qu'en toutes circonstances la cordialité, l'obéissance immédiate ou la sincérité sont essentielles (comme on me l'a appris à moi, mais je n'y crois plus de façon si absolue), ceux-ci auront tendance à inculquer à leurs enfants la même échelle de valeurs, à moins de s'être rebellés contre certains des enseignements de leurs parents.

Quand les parents sont trop sévères parce que leurs normes sont très élevées — pour ce qui est, par exemple, de la politesse, de la ponctualité, de la tenue vestimentaire, de la serviabilité, de la propreté de la chambre, etc. —, mais qu'ils sont par ailleurs fondamentalement bons et aimants (c'est le cas de bien des parents), cette combinaison fera généralement adopter à leurs enfants arrivés à l'âge adulte les mêmes normes élevées et la même sévérité, sans nécessairement entraver leur dynamisme de quelque façon que ce soit. C'est-à-dire que, contrairement à ce que certains voudraient vous faire croire, élever vos enfants avec sévérité ne les transformera pas nécessairement en adultes hostiles ou guindés. J'ai connu beaucoup de gens qui ont été élevés dans la sévérité, mais aussi dans l'amour, et qui sont devenus de merveilleux amis et des adultes travailleurs et créatifs.

D'autre part, il y a les parents stricts qui sont carrément autoritaires; ils ressentent le besoin impérieux de mener leurs enfants par le bout du nez, même si ceux-ci se conduisent bien. Ces enfants sont susceptibles de devenir timorés, du moins jusqu'à ce qu'ils deviennent parents aussi. Il existe aussi des parents durs et hostiles qui rabaissent constamment leurs enfants, les invectivent ou les frappent; leurs enfants prennent alors un air de chien battu ou, s'ils osent se défendre, sont odieux.

De nombreux parents durs et autoritaires présument que la peur est le facteur déterminant d'un bon comportement chez les enfants. Ils oublient la puissance incroyable de l'amour, du désir d'imiter, de réussir, de plaire, d'assumer ses responsabilités, de devenir un adulte. À mon avis, ces facteurs sont infiniment plus efficaces que la peur pour obtenir des enfants — ou des adultes — le meilleur rendement. La plupart des parents qui recourent à la peur comme à un outil ont appris à le faire durant leur enfance, quand l'attitude de leurs propres parents les a convaincus qu'on ne peut attendre des êtres humains — y compris d'eux-mêmes — qu'ils aient de bonnes intentions et qu'ils fassent ce qu'ils doivent simplement parce qu'ils préfèrent cela.

La sévérité des parents est une attitude plus complexe qu'il ne paraît. Elle procède de motifs et de sentiments divers. Ce sont ces autres motifs et sentiments — non la sévérité en elle-même — qui déterminent si l'enfant deviendra responsable ou délinquant, aimant ou hostile, coopératif ou subversif.

De la même façon, l'approche indulgente — grâce à laquelle les parents ne s'inquiètent pas outre mesure de voir leur enfant ignorer les bonnes manières à table, interrompre la conversation des adultes, refuser de ranger sa chambre, avoir les mains sales ou se montrer grossier, pourvu que ce ne soit pas une attitude délibérée de sa part — peut être efficace ou non, selon l'esprit qui l'anime. J'ai vu — du point de vue personnel comme du point de vue professionnel — des centaines de parents éduquer leurs enfants sans recourir aux punitions et aux menaces, avec très peu de réprimandes ou de regards réprobateurs. Ces parents respectaient manifestement leur enfant et lui parlaient poliment. Bien sûr, ils devaient lui donner de nombreux conseils, comme le font tous les bons parents. Pourtant, malgré ce manque de sévérité, l'enfant était vraiment un *bon* enfant, coopératif avec parents et enseignants. Il assumait ses responsabilités et réussissait assez bien à l'école. Il entretenait des amitiés solides et était bienveillant. Il ne se lamentait pas pour rien. Ceux de ces enfants que j'ai connus adultes étaient devenus de bons citoyens et de bon travailleurs.

Peut-on en conclure que l'approche indulgente est celle que l'on doive privilégier? Pas du tout, parce que l'indulgence peut être dégradée par les parents trop hésitants, qui se sentent coupables de quelque chose et qui se montrent trop faibles avec leurs enfants, peut-être parce qu'ils l'ont toujours été, peut-être parce qu'ils craignent de perdre l'amour de leurs enfants s'ils ne leur cèdent pas, peut-être parce qu'ils déplorent le sort de tous les enfants qui ont été maltraités au cours des générations passées, ou enfin parce qu'ils redoutent que leurs enfants leur en veuillent comme eux en ont quelquefois voulu durant leur enfance à leurs propres parents qu'ils jugeaient trop sévères. Quoi qu'il en soit, ces parents n'exigent pas le respect: ils permettent à leurs enfants de refuser de coopérer, de manquer d'égards envers les autres, d'être grossiers ou difficiles. Dans les cas extrêmes, les enfants frustrés crieront à leurs parents: «Je te hais!» ou: «Tu es dégueulasse!» sans que ces derniers réagissent, comme s'ils méritaient ces insultes.

En psychologie, depuis près de cent ans circule une théorie pernicieuse — souvent fausse en tout ou en partie — selon laquelle les parents sont à l'origine du mauvais comportement de leurs enfants. Voilà qui choque à juste titre les parents consciencieux. Cette théorie ne tient pas compte du fait que les racines du comportement sont incroyablement complexes et que la plupart des parents font de leur mieux.

Je me souviens d'une mère qui avouait avec honte que le comportement désagréable et insultant de son fils adolescent prouvait qu'elle n'avait pas réussi à satisfaire les besoins élémentaires de celui-ci. Je me suis dit en moi-même qu'un des besoins élémentaires de son fils était d'avoir une mère qui exigeait qu'on la respecte. Un cercle vicieux se forme dans ces familles: le parent concerné accepte le blâme pour le comportement inacceptable de l'enfant et réagit en se sentant de plus en plus coupable et en se montrant toujours plus faible. Cette soumission du parent donne à l'enfant un sentiment inconscient de culpabilité, parce que tous les enfants savent bien qu'on ne doit pas traiter ainsi ses parents. Instinctivement, l'enfant se comporte de plus en plus mal, comme pour dire: «Jusqu'où dois-je aller dans mon comportement pour que tu me prennes en main comme j'ai besoin que tu le fasses?»

Il se peut que le père dirige deux de ses enfants avec compétence et ne se montre faible qu'avec le troisième. Un élément inconscient agit peut-être en lui. Ce troisième enfant, par exemple, pourrait lui rappeler un frère à qui il en voulait, ce qui le culpabilisait.

Il me faut donc conclure encore une fois qu'il ne s'agit pas d'opposer sévérité et indulgence. C'est la façon dont se manifestent ces attitudes qui compte. La sévérité chez les parents aimants et respectueux peut être une réussite et ne pas opprimer les enfants. La sévérité chez les parents autoritaires ou hostiles peut donner des enfants timorés ou agressifs, ou des êtres timorés durant l'enfance et agressifs une fois adultes. L'indulgence chez les parents qui se répandent toujours en excuses et qui courbent l'échine devant leurs enfants produira des êtres grossiers et plutôt difficiles.

Mais l'indulgence exercée par les parents qui se respectent eux-mêmes peut donner une famille idéale. L'attitude démocratique et affectueuse des parents inspire des sentiments chaleureux dans le cœur de leurs enfants, ainsi que la fierté d'être traités comme des grands et le désir de plaire. Si l'enfant élevé au sein d'une telle famille se lève un beau matin de mauvaise humeur et se montre un peu effronté ou pas très serviable, le parent qui se respecte le corrigera promptement et fermement, mais gentiment, en lui disant: «Je suis malheureux quand tu me parles de cette façon. J'ai besoin que tu m'aides.» Ce léger reproche sera sans effet au début, si parent et enfant sont habitués aux récriminations criardes; mais il sera efficace si le respect des autres a toujours régné dans la famille.

• AUTORITARISME OU DÉMOCRATIE?

Je voudrais maintenant comparer l'autoritarisme et la démocratie dans l'exercice de l'autorité. Le terme *méfiance* conviendrait peut-être mieux que celui d'autoritarisme. Les parents qui sont autoritaires le sont parce qu'ils présument que les enfants laissés à eux-mêmes auront tendance à être plus mauvais que bons, qu'ils ne seront pas polis, coopératifs, généreux, travailleurs ou honnêtes par choix, mais bien par crainte de la désapprobation et du châtiment. Par conséquent, seules la vigilance et les réprimandes fréquentes les garderont dans le droit chemin. Ces parents sentent qu'ils ne peuvent pas laisser leurs enfants prendre leurs propres décisions, même durant l'adolescence. Ils disent, par exemple:

«Je vais écouter si tu travailles vraiment ton piano.»

«Finis tes corvées maintenant, sinon tu n'iras pas à la partie de base-ball.» (Il se peut que vous ayez à recourir à ce type de menaces si l'enfant a manqué à plusieurs reprises à ses devoirs, mais elles ne favorisent pas l'acquisition définitive du sens des responsabilités.)

«Fais-le parce que je te dis de le faire!» (Voici un ordre naturel que vous pouvez utiliser très occasionnellement, quand vous êtes exaspéré par l'enfant qui sait parfaitement pourquoi vous lui demandez ceci ou cela, mais qui interroge rien que pour ergoter. Cependant, ce n'est certes pas un bon moyen de vous assurer chaque jour la coopération de vos enfants.)

Je me souviens d'une mère aux tendances autoritaires à qui, après la naissance, on amenait son bébé pour la première fois. Le nouveau-né suçait résolument son pouce. Elle lui a immédiatement dit d'un ton contrarié: «Mauvaise petite fille!»

Les parents autoritaires s'indignent de voir que certaines écoles font monter de classe les enfants qui n'ont pas réussi dans toutes les disciplines parce qu'ils présument que leurs enfants cesseront de faire des efforts parce qu'ils savent que de toute façon ils monteront de classe — ceci malgré la preuve absolue que les enfants font plus de progrès scolaires si on les fait monter de classe que si on les fait redoubler.

Tout comme les enfants absorbent les autres angoisses de leurs parents — que ce soit leur peur de l'orage ou des serpents —, ils acceptent que leurs parents croient en la prédominance de leurs mauvaises intentions et trouvent nécessaire de les surveiller de près. Ils acceptent cette image peu flatteuse d'eux-mêmes, même s'ils en veulent à leurs parents d'être sévères. Une fois adultes, la plupart d'entre eux attribuent leur bon comportement à leur éducation stricte et, sans hésitation, ils élèvent de la même façon leurs propres enfants.

Bien sûr, il existe des enfants qui, ayant été élevés sévèrement, se révoltent et choisissent d'éduquer leurs enfants autrement. Mais il est difficile de changer du tout au tout; difficile pour un enfant en qui on n'avait pas confiance de devenir un parent plein de confiance en ses enfants.

On pourrait appeler *démocratiques* ou *confiants* les parents qui adoptent l'attitude opposée; ils pensent que leurs enfants sont tout aussi bien intentionnés et dignes de respect qu'eux-mêmes. Même s'ils se rendent compte que leurs enfants, en raison de leur inexpérience, ont grand besoin d'une ferme orientation, ils les laissent jouer un rôle raisonnable dans la prise des décisions. Ils considèrent que leurs enfants ont envie de faire des choses, qu'ils sont travailleurs, honnêtes, originaux, créatifs et que, de façon générale, ils veulent s'épanouir et assumer des responsabilités. Ils respectent les sentiments de leurs enfants, leur dignité et leur individualité.

Les enfants qui grandissent dans une atmosphère familiale où règnent l'amour et le respect mutuel acquièrent l'assurance qu'ils sont des citoyens responsables et la conviction que la plupart des gens sont mus par des motifs également dignes. Quand ils auront des enfants, ils s'attendront à ce qu'ils tournent bien. Ils ont tendance à privilégier les méthodes et philosophies d'éducation qui donnent aux enfants, dans les limites du bon sens, le plus possible d'indépendance et le plus d'occasions de faire preuve d'initiative et de créativité.

Bien sûr, aucun parent n'est entièrement autoritaire ou entièrement démocratique en esprit. Chacun se trouve quelque part entre ces deux pôles. L'un se montrera plus autoritaire ou plus démocratique que l'autre dans telle ou telle situation, bien que son attitude puisse varier d'une fois à l'autre.

Dans notre pays, en tant qu'entité, aussi bien que dans divers groupes ou localités, le pendule oscille d'un pôle à l'autre, selon certains facteurs, comme le sens de la sécurité économique et de la paix sociale, qui favorise l'attitude démocratique, ou comme les crises nationales ou internationales, au cours desquelles les gens et les leaders exigent des mesures sévères.

Si les parents qui sont enclins à se montrer autoritaires sont également des gens hostiles, toujours sur le point de se mettre en colère contre leurs enfants — par crainte de ne pouvoir les contrôler ou en raison d'autres tensions —, ces derniers sont susceptibles de devenir un peu trop hostiles eux-mêmes. Que cette hostilité soit tout à fait apparente ou qu'elle soit efficacement réprimée, elle restera quand même un élément important de leur nature. Si les parents sont bien à l'aise dans leur attitude autoritaire, les enfants seront peut-être moins souples, plus conformistes que la moyenne dans leurs attitudes fondamentales, tout en demeurant des gens de commerce agréable.

Les parents qui adoptent une philosophie démocratique éprouveront sans doute beaucoup de difficulté à l'appliquer si diriger leurs enfants les intimide, par exemple, s'ils ont peur d'insister sur la coopération, la politesse, l'heure du coucher ou les corvées. Depuis leur très jeune âge, les enfants savent parfaitement qui — si cette personne existe — tient les rênes dans les diverses situations où se trouve la famille. Ils savent s'ils ont des parents qui leur donneront tout ce qu'ils veulent, des parents qu'ils peuvent charmer pour les faire céder ou qu'ils peuvent intimider par des crises de colère ou par des cris de reproche comme «Je te hais». J'ai connu plus d'un enfant qui, à peine âgé de huit mois, était déjà devenu un tyran, parce que ses parents craignaient de se montrer fermes en quoi que ce soit. Dans telle famille, par exemple, il se peut que les parents soient très fermes quand vient le temps de refuser les boissons gazeuses ou les friandises, mais qu'ils cèdent toujours quand les enfants ne veulent pas aller se coucher. Les enfants n'exigent donc plus de bonbons, mais ils ne vont jamais au lit sans faire d'histoires. Dans telle autre famille, ce sera l'inverse.

Pour ma part, je penche vers l'attitude démocratique qui, à mon avis, favorise la souplesse, le caractère raisonnable, l'initiative et l'autodiscipline. Mais, bien sûr, je crois aussi que les parents peuvent se voir obligés de se montrer un peu plus autoritaires quand ils décident que leurs enfants se coucheront à telle heure malgré leurs protestations, qu'ils ne mangeront pas d'aliments qui leur font du tort, que leurs adolescents ne peuvent rentrer au beau milieu de la nuit et qu'eux, les parents, ont le droit d'exiger qu'on leur parle avec respect.

Avant d'opposer leur veto, toutefois, les parents écouteront avec sympathie les demandes de leurs enfants, discuteront dans une atmosphère démocratique plutôt que tyrannique, et leur comportement montrera que leur décision n'est pas bêtement arbitraire, mais qu'elle va dans le sens du bien-être de toute la famille. Les parents peuvent aussi montrer qu'ils ont le sens de l'humour. Ils encourageront la discussion tournant autour des sentiments éprouvés par les intéressés, y compris le ressentiment éventuel des enfants, pourvu que les interventions de chacun restent polies et respectueuses. Ces attitudes dans les discussions familiales incitent généralement les enfants à coopérer. Mais ce n'est pas toujours le cas. Les parents doivent alors profiter de leur droit (c'est au moins un droit) à la décision unilatérale. Celle-ci s'exprimera sans colère — ce qui laisserait supposer que les parents sont hésitants ou qu'ils se sentent coupables — et d'une voix neutre.

Être démocratique, pour un parent, ne signifie pas qu'il doive s'engager dans des discussions interminables chaque fois que les avis ne sont pas unanimes. Si les enfants se rendent compte que leurs parents ont peur de mettre fin à la discussion de façon intelligente et raisonnable, ils rendront toute la famille malheureuse, y compris eux-mêmes.

• DISCIPLINE IMPOSÉE OU AUTODISCIPLINE

Il y a longtemps, des psychologues ont fait, sur des garçons de dix et douze ans, des expériences ayant pour but de faire ressortir les différences d'effets entre la discipline autoritaire et la discipline démocratique. Ces chercheurs ont mis sur pied des clubs d'activités parascolaires et ont invité les garçons à s'y joindre.

Le premier volet de l'expérience portait sur la discipline autoritaire. Le leader ramenait les garçons à l'ordre dès la première réunion et annonçait, par exemple, qu'ils allaient construire de petites tables. Il commençait alors à dicter aux garçons toutes les étapes à suivre, les matériaux et les outils à utiliser, l'endroit où se les procurer, la façon de s'en servir et le rôle de chaque garçon et groupe de garçons. Le leader restait à la tête du groupe de garçons, les dirigeant, les reprenant, les réprimandant. Il ne tenait compte d'aucune suggestion et les garçons ont vite cessé d'en faire.

Le deuxième volet portait sur la discipline démocratique et fut menée d'une façon tout à fait différente. Le leader annonça aux garçons que le club leur appartenait et que ce seraient eux qui décideraient des activités. Certains membres ont suggéré des projets dont certains ont été rejetés vu leur intérêt limité. La suggestion de bâtir un petit avion dans lequel un garçon pourrait vraiment voler, par exemple, peut avoir beaucoup d'attrait de prime abord. Mais la discussion concernant les questions pratiques, comme le coût énorme d'un tel projet et la permission des parents de laisser voler leur enfant aboutit généralement à l'abandon de l'idée.

Le leader faisait vraiment partie du groupe. Si le comportement de quelqu'un dérangeait le groupe, il venait à bout du problème par le raisonnement. Il lui arrivait de guider les discussions en posant une question pertinente à laquelle les garçons n'avaient pas pensé. Mais il prenait soin de laisser aux garçons le gros des suggestions, des discussions et des décisions. Si ceux-ci décidaient d'un plan d'action pour lequel il avait émis des réserves, comme emprunter des outils à un charpentier professionnel, il les laissait faire — pourvu que le plan ne cause de tort à personne —, afin qu'ils découvrent par eux-mêmes qu'un charpentier sensé ne peut se permettre telle confiance et telle générosité.

Tout comme les deux méthodes utilisées dans ces expériences, les résultats ont été bien différents. Si, par exemple, les garçons du groupe *démocratique*, après avoir considéré plusieurs propositions, décidaient de construire des cabanes à oiseaux, des discussions s'ensuivaient, surtout entre les garçons mais à l'occasion avec les conseils du leader adulte. Ils se demandaient où ils pouvaient trouver des plans et lequel choisir, quel était le meilleur ordre d'assemblage, quels travaux devraient être faits en groupe et quels autres pouvaient être faits individuellement. À mesure que les décisions se prenaient et étaient mises en œuvre, et que les garçons commençaient à bien connaître les capacités de chacun, ils ont eux-mêmes attribué les responsabilités aux groupes et aux individus. Résultat: chacun des garçons a fini par comprendre qu'il avait une responsabilité particulière envers le groupe.

Laquelle des approches a permis la production la plus rapide? La méthode autoritaire a été beaucoup plus rapide et a donné de meilleurs résultats. Mais chaque fois que le leader quittait la pièce, la plupart des garçons cessaient de travailler pour chahuter. Certains d'entre eux bousculaient les membres les plus timorés du groupe et maltraitaient les tables auxquelles ils travaillaient. Évidemment, ils sentaient que le projet, dont chacune des étapes avait été dictée par le leader, était précisément celui du leader, non le leur, et qu'ils avaient le droit de cesser de travailler chaque fois que celui-ci s'absentait. Il était également évident que certains garçons en voulaient au leader de les dominer ainsi et qu'ils se défoulaient sur d'autres garçons ou sur leur travail.

Dans le groupe *démocratique*, quand le leader s'absentait, les garçons continuaient de travailler presque autant que s'il était là. Ils savaient que le projet leur appartenait à tous les égards. Ils avaient une bonne idée des étapes à suivre et connaissaient les responsabilités de chacun envers le groupe. En outre, ils avaient du cœur à l'ouvrage.

Je n'ai pas parlé du troisième volet de cette expérience, dans lequel l'adulte n'était pas un leader. Le rôle de celui-ci se limitait à être présent. Il pouvait accorder son aide seulement quand on la lui demandait spécifiquement, c'est tout. Il ne devait pas se conduire comme un leader. Dans ce groupe, les garçons s'amusaient. Ils n'accomplissaient rien, n'arrivant même pas à décider quoi que ce soit. De temps à autre, certains des garçons un peu plus âgés incitaient le groupe à s'organiser et à choisir un projet. Les membres du groupe acceptaient sur le moment, mais cela n'allait pas plus loin. Les jeunes chefs improvisés n'avaient pas assez d'influence sur leurs camarades pour faire régner la discipline dans le groupe.

Je suis heureux que l'expérience ait touché à l'attitude de laisser-faire, parce que certains partisans de l'autoritarisme croient qu'il n'existe que deux façons de diriger les enfants, que ce soit pour les enseignants, pour les parents ou pour quiconque. La première est de les mener par le bout du nez et de toujours les reprendre; selon eux, les enfants ainsi élevés se comportent bien et ont des activités constructives. L'autre façon consiste à les laisser faire ce qui leur plaît, ce qui aboutit à de mauvais comportements chez l'enfant. Comme l'expérience l'a prouvé, il y a une grande différence entre le laisser-faire, exempt de tout leadership, et le leadership démocratique, qui s'attache à développer la sociabilité et l'autodiscipline et à produire des résultats.

L'expérience prouve que le leadership autoritaire peut produire des résultats et enseigner des aptitudes manuelles. (À l'école, il permet d'enseigner les choses simples, comme l'épellation ou les tables de multiplication aux enfants motivés et prêts.) Mais il n'inculque pas l'esprit de coopération. C'est plutôt le contraire. De plus, la discipline y est imposée de l'extérieur et disparaît aussitôt que le leader s'absente. Le leadership démocratique, lui, forme à l'autodiscipline, qui se manifeste alors dans toutes les circonstances, parce qu'elle vient de l'intérieur.

Les résultats positifs viennent de ce que l'enfant se voit confier de plus en plus de responsabilités par un leader dont l'attitude est amicale et qu'il apprend par expérience qu'il est capable de les assumer. L'enfant acquiert graduellement assurance, fierté, esprit d'initiative et ressources. Ce sont ces qualités qui feront de lui un bon citoyen. Ce sont elles également qui permettent à l'étudiant de collège ou d'université d'assumer la responsabilité de son propre apprentissage plutôt que de se limiter au travail imposé. Plus tard dans la vie, ces qualités motivent l'individu à exécuter les fonctions de la carrière choisie pour l'amour du travail bien fait, et pas seulement pour ne pas se faire congédier. Ces hommes et ces femmes se rendent compte que leur travail, à la maison ou à l'extérieur, peut être amélioré, et ils tirent beaucoup de satisfaction de cette amélioration. Ils perçoivent bien les exigences du poste qu'ils visent et, consciemment ou non, ils s'y préparent.

Les enfants qui sont dirigés de façon démocratique au foyer et à l'école apprennent également — dans l'enfance et pour leur vie future — à s'intégrer et à bien travailler dans les groupes, au sein de la famille, au travail ou dans des entreprises communautaires. Ils apprennent à vraiment écouter les suggestions des autres, à présenter leurs propres suggestions avec persuasion et tact, à reconnaître et à apprécier les aptitudes particulières des autres et à les aider à trouver les tâches qui leur conviennent, à accepter le leadership des autres et à devenir eux-mêmes des chefs — pas des chefs qui harcèlent ou tyrannisent, mais des chefs qui inspirent leur groupe.

Certains parents qui ont eux-mêmes fréquenté des écoles fonctionnant selon le principe de l'autoritarisme, où les élèves s'asseyaient en rangées et se taisaient sauf si on leur demandait de réciter leurs leçons, où on ne les invitait jamais à donner leur avis, et où ils n'entretenaient jamais de relations entre eux (sauf pour les taquineries et les messages secrets), sont ébahis quand ils rendent visite à une classe où les enfants sont regroupés de façon informelle. Ces parents constatent que les enfants se lèvent sans permission et consultent l'enseignant ou d'autres élèves, que l'enseignant leur demande leur opinion et les encourage à parler librement, que les enfants travaillent en groupe sur certains projets, souvent sans supervision immédiate, et qu'ils aident à décider qui assumera telle ou telle responsabilité, comme celle d'aller chercher des livres à la bibliothèque. Aux yeux des parents autoritaires, cette atmosphère est trop *libre*, presque anarchique.

Aujourd'hui, les enseignants des bonnes écoles encouragent la spontanéité, l'indépendance de pensée, l'auto-apprentissage, l'autodiscipline, l'esprit de coopération et l'appréciation des autres, qualités et aptitudes qui sont tout aussi importantes que la lecture, le calcul et l'écriture. En fin de compte, elles sont beaucoup plus importantes qu'apprendre à s'asseoir, à se taire et à plaire à l'enseignant.

Pour que les enfants profitent pleinement, à l'école, de l'apprentissage de l'esprit d'initiative et du sens des responsabilités, les parents doivent commencer à favoriser ces attitudes durant les années préscolaires, même dès l'âge de un ou deux ans. Si au foyer les enfants ont appris dès leur jeune âge que, pour s'entendre avec leurs parents, ils doivent se mêler de leurs *affaires*, ne pas poser de questions ni discuter, faire ce qu'on leur dit — qu'ils comprennent ou non pourquoi —, être *sages* en présence de leurs parents et retenir toutes leurs impulsions jusqu'après leur départ, alors, il sera extrêmement difficile pour le meilleur des enseignants d'encourager la curiosité, la motivation personnelle et l'autodiscipline. Il sera déjà trop tard.

Comment alors, à titre de parents, exercer un leadership démocratique avec sa petite fille de un an? Évidemment pas en organisant des réunions d'orientation quotidiennes. Laissez-la explorer, faire des expériences, tant que sa sécurité et que la sécurité de vos objets précieux ne sont pas menacées. Ne criez pas: «Non! Non!», ne la frappez pas chaque fois qu'elle fait une bêtise. Enlevez de sa portée les objets qu'elle pourrait casser, et efforcez-vous de ne lui inculquer qu'une ou deux interdictions à la fois. Laissez-la jouer avec des cuillers, des fouets à pâtisserie, des boîtes de carton; laissez-la monter sur les coussins ou sur les fauteuils; laissez-la prendre quelques décisions elle-même.

Lorsqu'elle a atteint deux ou trois ans, appliquez-vous à donner une réponse intelligente à toutes ses questions importantes. (Il arrive qu'un enfant prenne l'habitude obsessionnelle de demander «pourquoi» chaque fois que ses parents ouvrent la bouche, sans même faire attention à la réponse. Il n'y a pas lieu de répondre à ces pourquoi.) Encouragez votre petite fille à prendre l'habitude d'aider les autres, que ce soit en ratissant les feuilles, en dressant la table ou en desservant — de son propre chef. Ne l'en empêchez pas, sous prétexte qu'elle vous gêne plutôt que de vous aider, pour plus tard lui faire exécuter ces tâches comme des obligations.

Quand l'enfant est âgée de quatre, cinq ou six ans, et que les parents projettent une sortie ou des vacances, il n'est pas trop tôt pour lui demander ce qu'elle préfère. Si son choix a du bon sens, l'enfant aura eu voix au chapitre. Si son choix est peu pratique, expliquez-lui gentiment pourquoi. Quand un enfant vous demande de l'aider à comprendre le fonctionnement d'un jouet ou la nature d'un travail scolaire, demandez-lui d'abord ses suggestions, ce qui lui montrera que les enfants trouvent souvent des solutions tout aussi bonnes que celles des adultes. (Les parents ne devraient en aucun cas faire les travaux scolaires de leurs enfants.)

Si vous donnez de l'argent de poche à vos enfants ou si vous rémunérez leurs corvées, laissez-les dépenser cet argent comme ils l'entendent (pourvu que ce ne soit pas pour acheter des friandises sans valeur nutritive ou des objets dangereux), afin qu'ils apprennent à gérer leur argent. Dans les limites de la raison, laissez-les aussi participer au choix de leurs vêtements, même si vous n'avez pas toujours les mêmes goûts qu'eux.

Quand l'enfant crée un jeu ou lance un projet de son propre cru, et qu'il est tout à fait à côté du bon chemin, résistez à l'envie de le critiquer ou de le conseiller, à moins qu'il ne vous demande votre aide. (C'est ce qui a été le plus difficile pour moi, en tant que père. J'avais toujours envie de suggérer un moyen meilleur ou plus compliqué de construire ceci ou cela.)

L'un des aspects précieux du leadership démocratique, avant d'assigner aux enfants des tâches temporaires ou permanentes, c'est de leur demander de participer à l'attribution de ces tâches. On leur demandera par exemple: «Qui, croyez-vous, pourrait le mieux faire telle ou telle chose?» «Qui n'a pas encore de tâches à exécuter au chalet?» «Qui se porte volontaire?» Ainsi, les enfants comprennent que les petites tâches ne sont pas une forme d'oppression venant des parents. En faisant leur part, ils se rendent compte qu'ils ont des obligations envers leur groupe.

• MA POSITION SUR LA DISCIPLINE

Depuis 1968, j'ai été poursuivi et hanté par les accusations de ceux qui avancent que je prône la *permissivité* dans l'éducation des enfants. D'autres prétendent que j'ai fini par renoncer à cette *permissivité* et que je suis devenu *sévère*. Si par *permissivité* on veut dire laisser les enfants avoir, dire ou faire ce qu'ils veulent, alors je n'ai jamais prôné cette attitude. En fait, ce serait plutôt le contraire. Je suis tout à fait contre l'indulgence exagérée envers les enfants difficiles ou qui refusent de coopérer.

Dans les interviews, mes fils déclarent sans ambiguïté que j'ai été un père plutôt sévère. Les gens qui m'arrêtent dans la rue pour me dire: «Merci de m'avoir aidé à élever deux charmants enfants» ajoutent souvent: «Et votre livre n'a certainement pas prôner la permissivité.» Depuis que *Comment soigner et éduquer son enfant* est sorti, il y a quarante-deux ans, personne ne s'en est jamais servi pour me prouver que je prône la permissivité. En réalité, c'est le contraire que je prêche: j'incite vivement les parents à donner à leurs enfants un leadership clair et ferme, et à exiger en retour coopération et politesse.

La première accusation de *permissivité* a été lancée deux semaines après que j'ai été condamné par l'administration de Lyndon Johnson pour mes activités d'opposant à la guerre du Viêt-Nam. Elle a pris la forme d'un sermon prononcé par le révérend Norman Vincent Peale, Jr., dans lequel il déclarait que l'irresponsabilité, le manque de discipline et le manque de patriotisme qu'il condamnait chez les jeunes (il faisait allusion à leur refus de tuer ou de se faire tuer dans une guerre qu'ils anathématisaient parce qu'elle était contraire aux principes et aux intérêts du pays) venaient de ce que j'avais conseillé aux parents de donner à leurs bébés la *gratification immédiate* de tous leurs désirs.

Voilà qui me prouvait que le révérend Peale n'avait pas lu *Comment soigner et éduquer son enfant*, car rien dans ce livre ne laisse entendre qu'il faut satisfaire immédiatement tous les désirs des enfants. Il avait simplement projeté sur moi ses idées parce que, comme les jeunes résistants, j'étais opposé à la guerre.

Son accusation a vite été reprise par les éditorialistes et commentateurs de droite qui soutenaient cette guerre. Ils étaient troublés par l'attitude de la jeunesse et auraient voulu avoir une explication. L'accusation du révérend Peale a surtout été répétée par Spiro Agnew. Vous souvenez-vous de lui? Il a dû démissionner de la vice-présidence des États-Unis, après avoir continué d'exiger des pots-de-vin des constructeurs de routes du Maryland où il avait été gouverneur. Fort heureusement, personne ne peut m'accuser d'avoir élevé Spiro Agnew; il a grandi avant la parution de mon livre.

Puis, il y a une douzaine d'années, on a publié un rapport selon lequel j'avais renié mon ancienne philosophie, rapport qui résultait directement d'un communiqué du magazine *Redbook*. Le rapport attirait l'attention sur une chronique future, où je discutais d'une douzaine de raisons pour lesquelles certains parents hésitaient à se montrer fermes avec leurs enfants. Le communiqué de presse ne s'est attaché qu'à une seule des raisons: les professionnels (moi y compris) qui écrivent des ouvrages de conseils à l'intention des parents donnent à ceux qui sont peu sûrs d'eux-mêmes l'impression que seuls les experts savent comment élever un enfant. Le communiqué s'intitulait: «Pourquoi y a-t-il tant d'enfant gâtés et difficiles? Le docteur Spock blâme les experts.»

Les journalistes de la presse écrite et de la presse parlée qui avaient l'impression que j'étais laxiste ont interprété ce communiqué et pensé que j'avais renié ma philosophie sous prétexte qu'elle produisait des enfants gâtés. Dès lors, des journaux et des magazines du monde entier m'ont demandé des entrevues, voulant savoir pourquoi j'avais changé d'avis. J'ai nié avoir jamais été partisan de la permissivité et avoir changé d'idée. Mais il est impossible de contrer les effets d'un rapport inexact. Presque chaque semaine on me pose encore les mêmes questions. Vous comprendrez donc pourquoi c'est un point sensible pour moi.

Bien sûr, j'ai modifié beaucoup de choses dans *Comment soigner et éduquer son enfant* au cours des quarante-deux années qui ont suivi sa publication. Mais ma philosophie de base sur la discipline et la prise en charge des enfants n'a pas changé, comme je vais vous l'expliquer de plusieurs façons afin d'être le plus clair possible.

Les enfants font beaucoup d'efforts pour grandir, pour mûrir et devenir plus responsables. Depuis leur plus tendre enfance, ils explorent, expérimentent et mettent en pratique certaines techniques. Entre trois et six ans, sans cesse ils observent avec admiration leurs parents et s'exercent à être comme eux.

Ce n'est qu'au XXe siècle, grâce à l'étude du développement de l'enfant, que nous nous sommes rendu compte à quel point les enfants ont de bonnes intentions et sont motivés. Autrefois, en Amérique et en Europe, ils n'étaient généralement pas respectés. On traitait les enfants comme des esclaves ou comme des citoyens de rang inférieur. Les enseignants prenaient la liberté de les frapper, les employeurs les exploitaient, les parents et le clergé présumaient qu'ils étaient nés mauvais et que seuls la vigilance et les châtiments pouvaient les racheter.

Les enfants méritent d'être respectés, je crois, parce qu'ils sont tout aussi idéalistes, honnêtes, originaux, créateurs, aimants et loyaux que les adultes. Les parents manifestent de diverses façons leur respect pour leurs enfants: ils leur parlent poliment, leur fournissent les explications qu'ils demandent, écoutent avec intérêt leurs histoires, satisfont leurs requêtes raisonnables, sympathisent avec eux quand ils ont de la peine, se sentent coupables ou sont en colère, et leur demandent gentiment leur aide.

Je crois également important, dans toute interaction avec leurs enfants, que les parents montrent qu'ils se respectent eux-mêmes et qu'ils exigent le respect de leurs enfants. Je ne dis pas que les parents doivent continuellement prêcher. Non, l'exemple est plus éloquent que la parole. Par exemple, la mère ne devrait pas laisser son bébé maussade de neuf ou dix mois lui tirer les cheveux ou permettre à son bébé qui fait ses dents de lui mordre le bras. Elle ne se mettra pas en colère... ni ne le mordra en retour; elle se dérobera, tout simplement. Sur le petit de un an qui a pris l'habitude de hurler chaque fois qu'il veut quelque chose, la mère se penchera et elle lui dira calmement, mais sérieusement, qu'elle n'aime pas les hurlements. Puis, elle essaiera de distraire avec un autre jouet, afin de lui prouver que hurler ne lui donne pas l'objet qu'il souhaite. Quand l'enfant de quatre ans essaie pour la première fois d'insulter l'un de ses parents ou qu'il lui crie: «Je te déteste!», celui-ci devrait immédiatement montrer qu'il est blessé et dire calmement au petit: «Cela me rend très malheureux.» Quand un enfant un peu plus âgé parle grossièrement à l'un de ses parents ou refuse de coopérer avec lui, le parent pourra lui prendre la main et lui dire gravement: «Je sais que tu es en colère contre moi quelquefois; je sais que tu ne veux pas toujours faire ce que je te demande, mais dans cette famille, chacun doit mettre la main à la pâte, même s'il ne le souhaite pas.»

J'insiste beaucoup sur le ton sérieux et calme de toutes ces interventions, parce qu'il importe que les parents évitent de crier, de réprimander ou de frapper l'enfant, sans quoi ils renoncent à leur rôle de guide moral mûr. Ils se rabaissent au niveau de l'enfant en colère; c'est à qui peut crier le plus fort ou le plus longtemps.

La prise de conscience au XXe siècle que les enfants ont une puissante envie de se développer et de mûrir, et qu'il est possible de les élever en mettant l'accent sur le respect mutuel plutôt que sur les réprimandes et le châtiment, a provoqué trois réactions différentes chez les parents.

Certains parents ont accueilli cette nouvelle philosophie avec joie et ont traité leurs enfants de façon plus amicale, en leur faisant davantage confiance. En même temps, ils ont pu préserver leur propre respect envers eux-mêmes et faire naître le respect chez leurs enfants. On pourrait dire que c'est l'approche du respect mutuel. Elle produit des enfants coopératifs, souples, polis et chaleureux.

D'autres parents sont intimidés par l'évidence des bonnes intentions de leurs enfants. Ils sont si conscients de leur propre manque de connaissances, si troublés par les abus subis par les enfants dans le passé, qu'ils se sentent coupables et qu'ils placent leurs enfants beaucoup plus haut qu'eux sur le plan moral. Ces parents ont tendance à accepter la grossièreté et le manque de coopération de leurs enfants; ils leur donnent plus de biens matériels et de privilèges qu'il n'est raisonnable. Voilà ce que je qualifierais de super-permissivité. Elle produit des enfants discutailleurs et difficiles, chez qui la politesse et l'esprit de coopération sont absents. (C'est cette attitude qui a fait une mauvaise réputation au concept du respect envers l'enfant.)

Un troisième groupe de parents sont convaincus — peut-être en raison de la façon dont ils ont eux-mêmes été élevés — que les enfants seront paresseux, destructeurs, désobéissants et mauvais s'ils ne sont pas tenus dans le droit chemin par la laisse des avertissements et des châtiments continus. Ces parents sont grandement troublés par les experts et par les autres parents qui misent sur l'amour et sur la compréhension, qui croient en une école moins traditionnelle et plus intéressante et qui ont tendance à la clémence, à la maison comme au tribunal de la jeunesse. Ils croient que le monde va s'effondrer si on traite les enfants avec douceur. Ces attitudes produisent des enfants qui tendent à être timorés ou agressifs, et qui manquent de chaleur et de souplesse.

Nous parlons des extrêmes, bien sûr. La plupart des parents, même s'ils privilégient tel style d'éducation, ont recours à d'autres styles, surtout durant les périodes de doute ou de stress. Personnellement, je crois en la philosophie du respect mutuel.

Toutefois, même si les enfants sont remplis de bonnes intentions, ils entrent dans la vie sans aucune expérience et avec une nature impulsive. Ils ont grandement besoin de supervision et d'orientation. On doit enseigner petit à petit aux bébés la signification du mot *non*. L'enfant de deux ou trois ans doit apprendre à ne pas traverser la rue sans tenir la main de sa mère ou de son père. L'enfant en âge d'école doit prendre l'autobus scolaire à l'heure. Dans le cas des adolescents, les parents prudents préciseront une heure raisonnable pour le retour du soir.

Pour être heureux en tant que membres de la famille, les enfants doivent sentir qu'ils ont des obligations envers elle. On doit attendre d'eux qu'ils soient polis. Ils doivent ranger leurs jouets (avec l'aide des parents, les premières années), aider à préparer les repas et à laver la vaisselle, nettoyer leur chambre, ratisser les feuilles, sortir les poubelles — selon leur âge, leurs capacités et les attentes de leurs parents. Dans tout cela, les parents n'ont pas besoin de se montrer dominateurs, désagréables ou enclins à punir. Si un adulte passe quelque temps dans votre demeure et que vous avez besoin d'aide à l'heure du souper, vous ne crierez pas: «Ferme ce foutu téléviseur et dresse immédiatement la table!» Au bureau ou à l'usine, le superviseur mécontent du travail d'un subalterne ne se jettera pas sur lui pour le gifler. Il lui expliquera plutôt les changements qu'il veut lui voir apporter à sa conduite — plus d'une fois, si nécessaire. Idéalement, il devrait en être de même quand on élève ses enfants. Malheureusement, il nous arrive à tous de nous montrer impatients ou désagréables avec ces derniers, ce qui leur fait sortir leurs griffes et étouffe leur esprit de coopération.

Plusieurs raisons expliquent que nous perdions patience si facilement. L'une d'entre elles, c'est le caractère compliqué et excessivement tendu de notre société, dont nous avons parlé au chapitre premier. Mais la principale raison, à mon avis, c'est que la plupart d'entre nous ont été traités avec impatience durant leur propre enfance. Il arrive que l'on entende des petits de quatre ou cinq ans gronder leurs poupées de la même façon qu'on les gronde eux, et cette tendance persiste souvent à l'âge adulte. Cela ne revient pas à dire que nous sommes tous condamnés à répéter dans le détail l'exemple de nos parents, mais simplement que l'envie de le faire est forte et automatique.

• LE CHÂTIMENT

Quand je suis en tournée de conférences, il arrive parfois que j'y sois interviewé par un jeune journaliste célibataire. Il arrive que celui-ci me demande avec gravité: «Docteur, croyez-vous au châtiment physique?» Quand il voit que je ne donne pas une réponse négative immédiate, mais que je précise qu'en matière de discipline d'autres facteurs me paraissent plus importants, il prend un air légèrement désapprobateur pour me demander: «Vous croyez donc qu'il faut laisser faire aux enfants tout ce qu'ils veulent?» Ah! comme ces situations me frustrent.

Cette façon de voir les choses — c'est-à-dire qu'il faut châtier l'enfant, sous peine d'en faire un enfant gâté — est assez répandue, surtout chez les hommes, et plus particulièrement chez ceux qui n'ont pas d'enfants. (L'expérience force la plupart des parents à abandonner ces théories simplistes.)

Je me souviens d'avoir reçu la fessée une ou deux fois quand j'étais enfant. En fait, ce n'étaient même pas des fessées. Mon père, l'air grave, me les avait administrées, sur la recommandation de ma mère, avec le dos d'une brosse à cheveux, sur la paume de ma main. Je me souviens encore de la peur et du sentiment de culpabilité qui m'ont tenaillé durant l'heure séparant le prononcé de la sentence par ma mère et son exécution lorsque mon père est rentré à la maison.

Tout le reste de mon enfance, toutefois, ce sont les règlements stricts de ma mère et sa désapprobation encore plus sévère qui me faisaient marcher au pas. Elle ne se contentait pas de désapprouver un geste. L'expression de son visage était destinée à me faire comprendre qu'elle me retirait son amour — pour le moment, du moins — et qu'elle y substituait une réprobation teintée de colère. C'est ce que j'appelle un châtiment moral, administré d'une façon inutilement sévère dans ce cas-là, et destiné à culpabiliser l'enfant. La culpabilisation chez l'enfant, c'est simplement l'angoisse de perdre l'amour de ses parents, avec tout ce que cette perte peut représenter à cet âge de dépendance totale. À mesure que l'enfant mûrit, cette peur de perdre l'approbation des parents se transforme en peur d'être blâmé par sa propre conscience ou par la société.

De toute façon, les six enfants de ma mère avaient rarement besoin, sinon jamais, qu'on les punisse ouvertement — fessée, privation d'un privilège ou d'un objet, isolement. Un avertissement ou une réprimande suffisait amplement. En général, nous nous attirions des ennuis non pas en désobéissant — nous n'aurions jamais osé le faire —, mais en faisant une chose qui ne faisait pas encore l'objet d'une règle ou en nous querellant entre nous. (Les querelles constantes peuvent jouer le rôle d'une soupape de sûreté chez les enfants que l'on désapprouve ou que l'on réprimande fréquemment.) Nous avons tous les six grandi avec une conscience plus sévère et un plus grand sentiment de culpabilité qu'il n'était nécessaire ou même simplement sain.

Bien sûr, faire appel à la conscience, modérément, est normal et nécessaire pour discipliner l'enfant et pour former le caractère de l'adulte. C'est l'envers de la médaille dont l'autre face serait pour l'enfant la joie d'être aimé par ses parents et son désir de leur plaire. La conscience fait entendre ses petits rappels quand la tentation de mal se comporter est forte, mais elle ne doit pas peser au point d'engendrer un sentiment de constante oppression.

Le châtiment — physique ou autre — est-il nécessaire? De nombreux parents consciencieux et orientés par la psychologie — j'étais le pédiatre de leurs enfants —, pensaient comme moi qu'il n'est pour ainsi dire jamais nécessaire. Nous étions convaincus que l'enfant apprendrait à se comporter de façon responsable parce que ses parents l'aimaient et le respectaient en tant qu'être humain, parce qu'ils l'éduquaient et raisonnaient avec lui, parce que lui-même les aimait et les admirait, qu'il voulait leur ressembler et leur plaire.

Pourtant, une majorité considérable de parents non seulement donnent la fessée aux enfants dont le comportement leur déplaît, mais aussi la considèrent comme un élément essentiel de l'éducation. Il s'agit surtout des parents qui ont été régulièrement châtiés, souvent physiquement, durant leur propre enfance et qui voient le châtiment comme étant naturel et nécessaire. Certains d'entre eux se sentiraient impuissants et frustrés si quelque psychologue ou enseignant qu'ils respectent leur conseillait de ne plus recourir au châtiment. Les parents doivent élever leurs enfants selon leurs propres convictions. Par ailleurs, la plupart des parents qui ont été élevés sans recevoir de châtiments physiques croient que le châtiment en général n'est qu'une façon arbitraire pour les parents d'imposer leur volonté à leurs enfants, parce qu'ils sont plus grands et plus forts qu'eux.

Il y a bien des années — et dans les premières éditions de *Comment soigner et éduquer son enfant* —, j'évitais de condamner absolument le châtiment physique. Je me contentais de déclarer que je ne le considérais pas comme nécessaire. Tout cela parce que je croyais troublant pour les parents qu'un professionnel laisse entendre qu'il est plus compétent qu'eux. J'ai changé de politique quand j'ai commencé à m'inquiéter des statistiques épouvantables relatives aux meurtres à l'intérieur de la famille, à la violence conjugale et aux mauvais traitements infligés aux enfants, ainsi qu'à l'enthousiasme débridé des gouvernements dans la course aux armements nucléaires. Je ne prétends pas que le châtiment physique est à la source de toutes ces situations navrantes, je dis qu'il joue un rôle dans notre acceptation de la violence. Si nous devons un jour devenir une société bienveillante où chacun se sentira en sécurité, il nous faudra d'abord éprouver une répulsion à l'endroit du châtiment physique. J'ai d'autres raisons d'être contre le châtiment physique: il enseigne que la force prime le droit, il encourage certains enfants à brutaliser leurs camarades et, fondamentalement, le bon comportement qui en résulte se fonde sur la crainte de la douleur. Je crois dur comme fer que les meilleures raisons de bien se comporter, c'est qu'on aime les gens, qu'on veut s'entendre avec eux et qu'on souhaite être aimé d'eux.

Puisque je crois que l'on doit, avec les enfants, s'en remettre le plus possible à l'amour et au raisonnement, je ne me préoccupe pas de savoir quel châtiment non physique est plus efficace que tel autre. Mais il est facile d'énoncer certaines généralités: L'enfant doit savoir d'avance quelles sont les règles et quelles sont les sanctions résultant de ses infractions. Le châtiment doit être approprié au mauvais comportement. Par exemple, on peut priver l'enfant de son jouet préféré pendant un jour ou deux, réduire le montant de son argent de poche ou l'envoyer dans sa chambre.

Je crois important d'ajouter que le châtiment n'aura d'effet permanent et positif que si l'enfant, dans son cœur, comprend et respecte l'équité de ses parents (il est rare que les enfants reconnaissent ouvertement le bien-fondé du châtiment) et apprend grâce à chaque incident à être un peu plus responsable.

Les menaces ont une certaine valeur si elles sont raisonnables et si de façon générale elles se concrétisent. (Peut-être devrais-je plutôt parler d'*avertissements* dans ce cas-ci, le mot *menace* ayant une connotation agressive.) Certains parents profèrent des menaces toute la journée, y donnent rarement suite et ont rarement l'intention de le faire. Ces parents s'attendent à ce que les enfants se conduisent mal tout le temps et se croient — inconsciemment, du moins — incapables de les tenir en main (sans doute en raison de leurs propres expériences d'enfants). Ainsi, leurs menaces vaines et incessantes n'ont d'autre but que de soulager leurs propres frustrations. Les enfants apprennent à ignorer ces menaces et perdent confiance en la sincérité de leurs parents.

À mon avis, les menaces sont un pis-aller et se révèlent beaucoup moins efficaces que si les parents expliquent à l'enfant, en des termes qui expriment leur respect à son égard et qui suscitent son respect pour eux, ce qu'il y a de répréhensible à avoir fait (ou à n'avoir pas fait) telle ou telle chose. Les parents peuvent demander d'un ton confiant la coopération de l'enfant. Les menaces doivent être réservées aux moments où ce respect mutuel n'a plus cours.

Un autre inconvénient des menaces, c'est qu'elles apparaissent comme des défis, surtout pour l'enfant de moins de trois ans. Pour celui-ci, dont le respect pour l'autorité n'est pas encore fondé sur la confiance en la sagesse de ses parents et en leurs bonnes intentions, la menace laisse entendre qu'il peut décider de désobéir s'il est disposé à en subir les conséquences. En d'autres mots, la menace laisse le choix à l'enfant: être faible et obéir ou être indépendant et désobéir. Et comme l'impulsivité et le désir d'indépendance sont forts à cet âge-là, les parents risquent d'être déçus. Mieux vaut donc donner à l'enfant le sentiment qu'il n'y a vraiment qu'une façon de bien faire les choses.

On ne répétera jamais assez que la constance est un facteur essentiel à une bonne discipline. Par exemple, s'il arrive parfois que la mère corrige son enfant parce qu'il interrompt la conversation des adultes et que d'autres fois elle semble ne pas le remarquer, celui-ci continuera ses interruptions. Si le père refuse d'acheter une boisson gazeuse à sa fille au cours de quatre sorties, mais qu'il cède au cours de la cinquième, elle apprendra que cela vaut la peine d'essayer demandes, exigences et plaintes à chaque occasion.

Il n'est pas nécessaire que la constance soit absolue, mais la tâche des parents sera simplifiée si ce sont eux qui proposent l'exception à la règle ou s'ils acceptent la demande de l'enfant immédiatement et sans discuter. Ce que je veux bien souligner, c'est qu'il faut éviter à tout prix de céder à l'enfant par fatigue, sous prétexte que celui-ci ne cessera pas de vous harceler.

Certains parents tiennent pour acquis que père et mère doivent avoir les mêmes idées au sujet des règles et des normes s'ils désirent les voir respecter. Je ne crois pas que ce degré de constance soit nécessaire. Les enfants sont sensibles et souples quand il s'agit de s'adapter aux normes quelque peu divergentes du père et de la mère, pour ce qui est, par exemple, de l'ordre, de la docilité et de la serviabilité. Ils peuvent également s'adapter aux exigences particulières de l'école, qui diffèrent beaucoup de celles du foyer. Cependant, la discipline des parents et les relations familiales sont mises en danger si les parents qui sont en désaccord profond ou en conflit laissent l'enfant en tirer parti. Voilà qui compliquerait la tâche des parents et, plus grave encore, amènerait l'enfant à devenir un adulte qui manipule et empoisonne les relations des autres.

Pour résumer, je dirais que les questions du châtiment, des menaces et de la constance, qui préoccupent tant les parents, sont d'importance secondaire. Elles se régleront d'elles-mêmes, pourvu que parents et enfants s'aiment et se respectent mutuellement.

• ÊTES-VOUS SÉRIEUX?

À part l'amour, ce qui assiéra sans doute le plus votre autorité aux yeux de vos enfants, c'est votre sérieux et votre détermination dans ce que vous leur dites.

Les parents, bien sûr, sont sérieux quand ils demandent à leur enfant de faire ceci ou de ne pas faire cela. C'est vrai pour la majorité des parents, dans la plupart des cas. Vous êtes sérieux quand vous dites à votre enfant de ne *jamais* plus traverser la rue sans vous tenir la main, ou de ne *jamais* plus jouer avec des allumettes. Mais les études des centres de psychopédagogie et l'observation de parents à l'œuvre nous apprennent que, pour la plupart des parents, il existe un ou deux domaines où leur contrôle n'est pas adéquat, parce qu'ils ne sont pas vraiment sérieux dans ce qu'ils disent. Par ailleurs, un certain nombre de parents ne le sont presque jamais.

On pourrait formuler tout cela autrement et déclarer ceci: les parents peuvent obtenir n'importe quel comportement de la part de leur enfant à condition de le souhaiter vraiment. Il y a deux manières pour les parents de ne pas être sérieux dans ce qu'ils disent. La première, c'est quand ils ne sont pas certains d'avoir raison; c'est courant de nos jours chez les parents consciencieux. La seconde, c'est quand les parents, consciemment, veulent que leur enfant se comporte de telle façon, mais que leur volonté est émoussée par les modèles enracinés en eux qui ont servi à leur propre éducation.

Voici un exemple simple de contrôle inadéquat: Le parent dit: «Il est l'heure de te coucher; va prendre ton bain.» L'enfant ne fait pas un mouvement. Le parent ne semble rien voir. Une demi-heure plus tard ce dernier déclare: «L'heure de te coucher est déjà passée; va prendre ton bain.» Encore une fois, l'enfant fait semblant de n'avoir rien entendu, et le parent semble laisser tomber l'affaire. Et le petit jeu continue. Un autre exemple courant: Le parent dit: «Assez de télévision pour ce soir», mais n'insiste pas pour que l'enfant éteigne l'appareil.

Vous penserez peut-être que le refus de l'enfant de se conformer est sans importance. Vous auriez tort de le croire. Un enfant qui regimbe tout le temps et des parents qui souffrent d'épuisement nerveux, voilà ce que donne ce type de situations. Les parents doivent veiller à ce que leurs demandes soient satisfaites dans un délai raisonnable, surtout quand l'expérience leur a appris que leur enfant a tendance à faire traîner les choses.

Ces petits exemples illustrent certaines raisons qui sont à la source des difficultés des parents. Peut-être hésitent-ils à envoyer l'enfant au lit parce qu'ils se souviennent qu'enfants ils détestaient aller se coucher et discutaient chaque soir pour retarder le plus possible ce moment. Ils ne veulent pas revivre ces discussions tous les soirs, pendant des années, avec leurs propres enfants. En outre, ils redoutent que leurs enfants leur en veuillent comme eux se rappellent en avoir voulu à leurs parents. Dans un sens, ils se sentent coupables d'avance d'une hostilité possible qu'ils pourraient susciter chez leurs enfants.

J'irai jusqu'à dire que *tous* les enfants en veulent à leurs parents à un moment donné, qu'il s'agisse de bons parents ou de parents médiocres. Il est donc vain d'essayer d'éviter cette situation. Bien sûr, l'enfant en voudra le plus au parent qui se montrera injuste, méchant ou indifférent. Il en voudra aussi à celui qui sera laxiste un jour ou une heure, pour se montrer sévère tout de suite après, selon son humeur. (Les adultes se sentent mal à l'aise au travail quand leur patron change les règles fréquemment, et ils se méfient de lui.) De plus, les parents qui se soumettent au harcèlement constant de leur enfant et à ses exigences déraisonnables devront tôt ou tard y mettre le holà. En fin de compte, ils devront de toute façon faire face à la situation désagréable qu'ils tentaient d'éluder.

Les enfants apprécient les parents sûrs d'eux-mêmes et constants à propos de ce qui est permis, et qui sont capables de refuser avec promptitude et bonne humeur les demandes déraisonnables. Quand les enfants sentent la conviction de leurs parents à propos de telle ou telle question, ils ne discutent pas et ne nourrissent aucun ressentiment.

Les parents à qui, dans leur enfance, on a fait sentir qu'ils étaient incompétents ou mauvais douteront peut-être d'être capables de prendre des décisions sages, dans les affaires importantes ou insignifiantes.

Les parents qui établissent des normes élevées pour leurs enfants auront des difficultés à déterminer comment et jusqu'à quel point limiter l'écoute de la télévision. D'une façon générale, ils croient que toute violence et toute vulgarité sont mauvaises. L'idée de voir leurs enfants rester passivement pendant des heures devant le téléviseur, plutôt que d'inventer leurs propres jeux, de préférence à l'extérieur, leur répugne. (Je partage leur opinion et leur répugnance à ce sujet.) Mais, comme la télévision exerce un attrait considérable sur les jeunes, et que la plupart des autres enfants ont la permission de regarder la télévision tout leur soûl, les parents ne savent pas trop où tracer les limites. Le jour où ils sont sûrs d'eux-mêmes, ils se montrent sévères; le lendemain, quand ils sont moins convaincus et qu'ils se sentent coupables, ils se montrent indulgents. Les hésitations, le sentiment de culpabilité et les fréquents changements d'idée sont immédiatement perçus par les enfants, et les encouragent à discutailler et à insister auprès de leurs parents.

Si nous, parents, sommes beaucoup plus riches que nos parents ne l'étaient ou si les circonstances sont différentes de quelque autre façon, alors, nous ne pouvons plus compter sur leur exemple; nous devons nous en remettre à notre bon sens, ou à ce que nous avons lu ou entendu.

Il arrive que l'hésitation des parents ait pour cause leur sentiment de culpabilité conscient ou inconscient par rapport à tel de leurs enfants. Même s'ils croient approprié de se montrer fermes dans l'une ou l'autre question de discipline, leur sentiment de culpabilité finit toujours par les faire céder. Il se peut, par exemple, que la mère voie en son fils le frère qui lui a souvent empoisonné la vie et que sa colère intérieure engendre un sentiment de culpabilité. Ou encore, le fils pourrait rappeler au père un jeune frère de ce dernier qui l'irritait parce qu'il semblait être le favori de leurs parents.

La mère divorcée se sent souvent coupable de façon chronique envers un enfant, parce qu'elle est allée travailler alors qu'il était encore très jeune, avant d'avoir réglé en elle-même — seule ou avec l'aide d'un conseiller professionnel — ses sentiments contradictoires. (Dans une famille intacte qui comprend un jeune enfant, quand la mère décide de rentrer sur le marché du travail, c'est généralement elle qui ressent le conflit et, s'il n'est pas clarifié et réglé, qui se culpabilise. Voilà qui est injuste. Le père devrait se sentir aussi responsable qu'elle envers son enfant et devrait au moins *envisager* de modifier ses heures de travail, pour être aux côtés de l'enfant durant une partie des heures d'absence de sa femme.)

Vous avez sans doute été témoin assez souvent, dans la rue ou au supermarché, de cet autre exemple extrême de manque d'autorité sur les enfants: À plusieurs reprises, le parent crie avec irritation à son enfant de cesser de faire ceci ou cela et profère les pires menaces sans donner le moindre signe qu'il les exécutera ou qu'il est déterminé et sérieux dans ce qu'il dit. Il s'agit là d'un exutoire; le parent laisse sortir son irritation qui pourrait provenir de conflits conjugaux ou d'autres problèmes. En tout cas, ce parent ne s'attend pas à ce que l'enfant obéisse. Il doute même que ce dernier ait quelques bonnes intentions, quelles qu'elles soient. L'enfant, toujours contrarié, prend sa revanche au moyen d'éternelles provocations qu'il dose de sorte à ne pas s'attirer de punition sérieuse. C'est un peu comme les combats d'entraînement des boxeurs, au cours desquels ils échangent des coups répétés, en évitant délibérément de frapper trop fort.

Il est certain qu'un parent qui éprouve ces difficultés a été lui aussi constamment admonesté durant son enfance. Il a appris à présumer que les parents n'iront jamais jusqu'au bout et que leur autorité n'est guère efficace, et aussi que l'enfant n'a pas la motivation nécessaire pour coopérer, sur laquelle le parent devrait pouvoir compter.

Les parents qui éprouvent beaucoup de difficulté à obtenir de leur enfant qu'il se comporte bien auront généralement avantage à recourir régulièrement à un conseiller, dans un organisme de consultation familiale public ou privé.

Un autre type d'hésitation des parents se manifeste dans la famille des enfants dont le comportement est délinquant (terme générique qui englobe tous les comportements relevant de la compétence du tribunal). Ces parents veulent ostensiblement que leur enfant se comporte *bien*, mais ont eux-mêmes de fortes impulsions, généralement refoulées dans leur inconscient, de commettre des actes illégaux ou répréhensibles, et ils peuvent en profiter par procuration quand leur enfant les commet. À cette fin, d'une façon subtile quelconque, ils laissent entendre à l'enfant qu'ils ne séviront pas trop.

Le père amène son fils de dix ans à un centre psychopédagogique, las des fugues répétées du petit. Celui-ci est extrêmement hardi et ingénieux pour son âge: il lui arrive de couvrir des centaines de kilomètres — quelquefois des milliers — durant ses fugues, en mendiant et en inventant des histoires pour attendrir les gens. Ce qui est le plus gênant dans tout cela, c'est que le père rayonne de fierté en décrivant le comportement prétendument répréhensible de son fils, en la présence de ce dernier.

On amène une fillette au même centre parce qu'elle vole à l'étalage. Une entrevue bien conduite révèle que la première question de la mère à sa fille, après que celle-ci eut volé quelques crayons, avait été: «Quelqu'un t'a vue?» Sans le vouloir, la mère laissait entendre à sa fille que voler n'était pas un acte mauvais tant qu'elle ne se faisait pas prendre.

Un facteur puissant qui joue contre l'assurance des parents, c'est l'absence de consensus sur la manière d'élever les enfants. Doit-on les traiter avec indulgence? avec sévérité? Gaver l'enfant de biens matériels le gâtera-t-il? Ou est-ce un bon moyen pour qu'il se sente égal à ses amis? La formation religieuse est-elle essentielle ou l'enfant devrait-il avoir la liberté de choix? Doit-on lui donner des responsabilités domestiques? Quand il se plaint de ses enseignants, les parents doivent-ils sympathiser avec lui ou adopter la position selon laquelle les enseignants ont toujours raison? Doit-on mettre l'accent sur l'altruisme ou sur l'individualisme? Doit-on permettre ou interdire à l'enfant de se disputer avec les autres? Le châtiment est-il nécessaire ou néfaste? Les parents des pays occidentaux se posent couramment toutes ces questions. Dans certaines autres régions du monde, ces alternatives n'existent pas; les traditions y sont séculaires.

L'absence de consensus est souvent due en grande partie au fait que certaines nations sont composées de descendants d'immigrants dont les traditions diffèrent selon leur pays d'origine et qui, en plus, veulent se débarrasser de certaines. Elle est également due à une mobilité excessive qui empêche les jeunes couples d'absorber à leur rythme les croyances et les méthodes de leurs propres parents, mais aussi à la disparité de vue des professionnels de l'enfance qui, malgré leurs bonnes intentions, inondent les parents de conseils qui semblent varier d'un spécialiste à l'autre et d'une époque à l'autre. (Chaque année, on publie un grand nombre d'ouvrages sur l'éducation des enfants et de nouveaux magazines paraissent.) Les parents se retrouvent donc devant de nombreux choix, et n'ont jamais la certitude de faire ceux qui conviendront le mieux à leur famille. Nous tenons cette liberté de choix comme acquise et la considérons comme un avantage. Elle l'est, oui, mais à certains égards elle constitue aussi un handicap.

Chaque fois que l'on parle du sérieux de vos intentions quand vous traitez avec votre enfant, il s'agit du degré de constance que vous devez atteindre. Un petit nombre de parents particulièrement consciencieux s'inquiètent beaucoup d'être justes dans l'établissement des règles, et s'inquiètent tout autant d'être parfaitement constants dans l'application de celles-ci. La constance n'a pas à être absolue pourvu que vous soyez déterminé, sans être de mauvaise humeur, quand vous accordez une exemption ou quand vous refusez de céder à un plaidoyer.

Je dis *de bonne humeur* parce que ce n'est pas seulement l'hésitation des parents qui fait que l'enfant discute et rechigne, c'est aussi le ton du père ou de la mère. Ce ton laisse entendre ceci: «Je suis irrité que tu me demandes ces choses, car tu me mets dans l'embarras et, la moitié du temps, je cède, alors que je ne le voudrais pas.» Le ton irrité des parents contrarie l'enfant (comme il contrarierait un adulte) et lui donne une nouvelle raison de poursuivre ses assauts, en plus de l'espoir de voir exaucer sa demande. Par contre, la bonne humeur des parents lui laisse entendre ceci: «J'aimerais bien te faire plaisir, mais je ne le peux pas. Il n'y a aucun doute dans mon esprit à ce sujet.»

• DISCUSSIONS AVEC LES ENFANTS

Quand le parent a dû refuser de donner à sa fille ce qu'elle demande — non, pas de nouvelle bicyclette (ou manteau) parce que c'est cher et que l'ancienne est encore en bon état; non, pas de bonbons ou de boissons gazeuses, parce que ce sont des aliments sans valeur nutritive qui abîment les dents; non, pas de nuit passée chez telle ou telle amie, parce que ton devoir scolaire n'a pas encore été fait comme promis ou que tu as négligé telle corvée domestique —, il est naturel pour l'enfant de protester et de manifester son ressentiment. Et il est bon que le parent réponde — s'il peut le faire avec sympathie, sans sarcasme — qu'il est conscient de la colère de la fillette et qu'il regrette de devoir repousser sa requête.

Si l'enfant persiste à discuter ou à demander «pourquoi» (elle connaît bien sûr les motifs du refus), le parent peut expliquer ses motifs encore une fois, d'un ton calme, comme s'ils étaient évidents. (Quand, à ce moment, les parents se fâchent, c'est le signe qu'ils ne sont pas certains d'avoir eu raison de refuser ou qu'ils se sentent coupables de l'avoir fait, ou encore qu'ils sont incapables de maintenir une décision sans se mettre dans tous leurs états.) Si l'enfant veut continuer de discuter, cela n'aboutira qu'à des redites et les esprits s'échaufferont. Les parents feraient bien de le mentionner, et de passer à autre chose.

Toutefois, quand l'enfant revient à la charge plus tard, armé de ce qu'il considère comme étant de nouveaux faits, je crois que les parents doivent l'écouter de nouveau, même si la réponse risque de rester négative. Autrement dit, les parents doivent toujours rester disposés à écouter la voix de la raison et à rouvrir la discussion, surtout après que les esprits se sont refroidis. Mais ils doivent refuser de s'engager dans des discussions répétitives, insensées et incessantes.

Non seulement les parents peuvent admettre avoir eu tort, mais il est souhaitable qu'ils le fassent. Cela n'émousse pas le respect de l'enfant pour ses parents, bien au contraire.

Si l'enfant est assez fâché pour crier: «Je te déteste!», j'aurais personnellement envie de lui répondre: «Je sais pourquoi tu es fâché contre moi. Mais je n'accepte quand même pas que tu me parles ainsi. C'est méchant et cela me rend malheureux.»

Les parents doivent refuser de se laisser insulter comme s'ils le méritaient. Ils doivent protester — pour leur propre bien comme pour celui de l'enfant —, même si leurs protestations sont vaines sur le moment et que l'enfant répète l'insulte. La deuxième fois, les parents s'éloigneront, comme s'ils n'avaient plus rien à prouver. Il est sage pour les parents de ne pas se mettre au même niveau que l'enfant et de ne pas commencer à l'injurier, car ils y perdraient beaucoup en tant que leaders et modèles.

Un autre type de discussion insensée se produit dans les familles où les parents sont extrêmement consciencieux et craignent d'exercer leur leadership. Les parents disent: «J'aimerais que tu portes ton pantalon d'hiver pour aller à la maternelle aujourd'hui.» L'enfant demande pourquoi, même s'il le sait parfaitement. Les parents répondent: «Parce qu'il fait très froid.» L'enfant redemande pourquoi il doit le faire. Les parents répondent: «Tu ne voudrais pas geler en allant de l'école?» L'enfant dit qu'il le voudrait. Les parents rétorquent: «Tu risques d'attraper un rhume.» Le petit répond: «Non, pas du tout» ou: «Ça ne me fait rien.»

Cette discussion pourrait durer des heures. Elle use les parents et n'aide en rien l'enfant à prendre ses propres décisions; elle ne fait qu'ennuyer tout le monde. Elle ne lui enseigne pas à respecter le bon sens de ses parents, elle lui révèle seulement qu'ils sont incapables d'être fermes. L'enfant prend l'habitude de discuter à tout propos, même s'il ne croit pas vraiment en ce qu'il dit. Autrement dit, ce type de discussion ennuie également l'enfant, et tous les amis et voisins de la famille aussi. Tout le monde, quoi.

Nul besoin pour les parents de dire: «Nous sommes plus âgés que toi et détenons l'autorité dans cette maison.» Qu'il leur suffise de dire: «Tu discutes pour discuter.»

Le seul objet de ces discussions avec l'enfant, c'est de clarifier les raisons qui sous-tendent les demandes des parents — ou de l'enfant — et de lui faire sentir qu'on apprécie son bon sens et son esprit de coopération, et qu'on prendra ses demandes en considération.

Toutefois, cette prise en considération ne signifie pas que les enfants, après avoir écouté les explications des parents, pourront passer outre s'ils le souhaitent, du moins pas avant qu'ils aient atteint leur majorité. L'expérience et la responsabilité des parents doivent compter pour quelque chose. Ces derniers ne doivent pas craindre d'opposer leur veto, une fois exprimé le dernier argument de l'enfant.

En fait, si on écoute l'enfant — au sujet de ses demandes et des responsabilités qui lui sont assignées —, si on lui accorde ce qu'il souhaite dans les limites du bon sens, et s'il a des motifs de croire en l'équité de ses parents, il ne discutera pas interminablement ni ne menacera carrément de se rebeller.

L'un des pires obstacles à la conversation réussie dans les familles, c'est que la plupart des bons parents se sentent obligés d'être à l'affût du comportement interdit chez l'enfant et se montrent prompts à la critique. Si le fils rapporte à son père que son institutrice a été méchante avec lui, le père demandera peut-être immédiatement: «Qu'as-*tu* donc fait pour la mettre en colère?» La mère reprochera peut-être à sa fille d'avoir perdu ses gants avant même d'avoir entendu ce que la petite a à dire, ou d'avoir eu des notes plus faibles que d'habitude, ou de lui donner mal à la tête («trop de discussions»), ou encore d'avoir attrapé un rhume («tu n'as pas mis tes bottes hier»). Par conséquent, quand le parent demande: «Qu'as-tu fait à l'école aujourd'hui?», il n'est pas étonnant que la première réaction de l'enfant soit de se refermer comme une huître, présumant que le parent trouvera à redire parmi tout ce qu'il relatera.

Pourtant, si une amie adulte de la mère lui racontait que quelqu'un a été méchant avec elle, qu'elle a perdu ses gants ou attrapé un rhume, la mère ne lui répondrait pas par des accusations. Nous accordons automatiquement à nos amis le bénéfice du doute et sympathisons d'emblée avec eux. C'est ça l'amitié. Pourquoi ne pas adopter la même attitude amicale avec nos enfants, du moins de prime abord? Nous pourrions dire au garçon qui pensait avoir été traité méchamment: «Cela a dû te mettre en colère — ou te rendre triste.» C'est quand une faute de sa part sera devenue évidente que nous pourrons gentiment la porter à son attention. Il est souvent inutile d'adresser des reproches à un enfant qui manifeste déjà son regret. Les parents peuvent même aider l'enfant à chercher tel objet perdu, pour lui montrer leur intérêt.

Pourquoi critiquons-nous si vite nos enfants? Ce n'est pas que nous ne les aimions pas. Ce n'est pas que nous ne voulions pas être amis avec eux en plus d'être leurs parents. Nous pourrions répondre, très justement, qu'il nous incombe, à titre de parents, de les former en leur inculquant des principes moraux et de bonnes habitudes. Mais, généralement, c'est que nous n'avons pas essayé d'autres méthodes susceptibles d'être plus efficaces que la critique. À mon avis, la vraie raison, c'est que la plupart d'entre nous ont été constamment surveillés et réprimandés durant leur enfance; cela nous a donné l'envie irrésistible d'agir de même une fois devenus parents.

Nous fermons la bouche à nos enfants non seulement parce que nous sommes trop critiques pour laisser naître le dialogue, mais aussi parce qu'il nous arrive souvent de ne pas les écouter quand ils ont envie de nous dire quelque chose. Peut-être émettons-nous un grognement ici ou là pour montrer que nous écoutons, mais nos enfants ne sont pas dupes: il est évident que nous sommes distraits ou que nous ne réagissons pas aux péripéties de l'histoire. Les enfants rendent la pareille à leurs parents en faisant la sourde oreille à leurs paroles ou à leurs appels.

Voici une suggestion: Plutôt que de présumer que les conversations familiales portent inévitablement sur les affaires de la famille, agréables ou non, pourquoi ne pas ouvrir nos horizons et, aux repas ou aux réunions familiales, ne pas consacrer au moins la moitié du temps à des sujets autres — nouvelles (du monde et du voisinage), potinage, émissions de télévision, événements dans le monde musical ou cinématographique, lectures, histoires et plaisanteries.

Les parents, par l'exemple, peuvent enseigner à leurs enfants plus âgés à faire preuve de tolérance quant à la contribution des plus jeunes, y compris ce qu'ils considèrent comme des plaisanteries.

• SORTIES AVEC LES ENFANTS

Amener les enfants au musée, à une exposition, au zoo, à la foire, à une manifestation sportive, au cirque, au parc d'amusement ou à la plage peut être bien amusant, pour l'enfant comme pour ses parents. La curiosité du petit et son désir de faire de nouvelles expériences sont intenses. Il en parle et les reproduit dans ses jeux pendant des jours et des semaines. C'est ainsi qu'il apprend et qu'il mûrit.

Les nouvelles expériences des enfants stimulent les parents aussi, parce qu'ils partagent les délices de ceux-ci et revivent les meilleurs jours de leur propre enfance. Les enfants permettent aux parents de garder leur jeunesse et leur vivacité. Quand les sorties se déroulent bien, l'amour et la camaraderie entre parents et enfant sont intensifiées.

Mais des frictions peuvent venir gâcher les sorties. Les nouvelles expériences sont plus fatigantes que celles qui sont habituelles, surtout pour les jeunes enfants. Les parents ont de la difficulté à le comprendre.

La plupart des adultes, lorsqu'ils visitent un musée ou un zoo, voudraient tout voir, au moins rapidement, pour être sûrs de n'avoir rien manqué de particulièrement intéressant. Ils s'en assurent en rejetant promptement ce qui ne les intéresse pas. Les jeunes enfants savent moins faire des choix. Au zoo, tous les animaux les intéressent vivement. Par conséquent, les parents feraient bien de ne visiter qu'une partie d'un endroit quelconque quand ils sont accompagnés d'enfants d'âge préscolaire.

De même, il est sage, bien que difficile, de laisser aller les enfants à leur propre rythme. Scène typique au zoo: Les adultes, fatigués des éléphants, continuent d'avancer et crient à l'enfant qui traîne derrière: «Allons, pressons! Nous voulons voir les girafes.» Mais l'enfant, lui, n'est pas délivré du sortilège et il s'émerveille encore devant la trompe de l'éléphant, ses gros repas et ses énormes excréments. Les parents doivent donc s'adapter au rythme de l'enfant plutôt que de le bousculer.

Les parents ont aussi tendance à dire à l'enfant ce qui les impressionne, plutôt que de le laisser découvrir ses propres intérêts et de l'interroger par la suite.

Quand je sortais avec mes fils, les kiosques d'aliments et de souvenirs donnaient toujours lieu à des problèmes. Les enfants qui mangent deux fois rien à la maison deviennent soudainement des ogres à la vue des hot-dogs, de la crème glacée, des friandises ou des boissons gazeuses. Après le match de base-ball, en quittant la tribune, quand l'enfant sait qu'il arrivera à la maison dans moins de quinze minutes et qu'il pourra faire une descente dans le réfrigérateur, il insiste quand même: la boisson gazeuse et le sac de pop-corn l'empêcheront de mourir de soif ou de faim, ce que le réfrigérateur contient ne fait pas l'affaire. Les *souvenirs*, qui me répugnent au plus haut degré parce qu'ils ne sont que pacotille de mauvais goût, suscitent la convoitise des enfants.

Ma solution? J'ai décidé de donner à mes fils au départ une somme fixe, pour tous les souvenirs, manèges et aliments, et de les laisser équilibrer eux-mêmes leurs propres désirs. Cela valait mieux que de discuter sans fin chacune de leurs demandes. Cette solution a été fort efficace; en fait, dans ce genre de situation, beaucoup d'enfants dépensiers deviennent de véritables avares.

Pour ce qui est des aliments sans valeur nutritive, je suis si inquiet de la médiocrité du régime alimentaire de mes compatriotes et si convaincu par les preuves de ses effets néfastes sur la santé, que je les interdirais tout bonnement et avec grande joie, à la maison et partout ailleurs. Quand vous sortez avec les enfants, emportez un sac de fruits et un contenant de jus. Les enfants feront d'abord la petite bouche, mais en consommeront quand ils auront vraiment faim ou soif. Même si ces provisions restent intactes, elles protégeront les parents contre les accusations de cruauté que leurs enfants pourraient leur lancer chaque fois qu'ils verront un débit de ceci ou de cela.

Emmener les enfants voir des événements sportifs est un investissement douteux, du moins jusqu'à ce que la preuve soit faite qu'ils les comprennent et les apprécient. Ils ont tendance à se désintéresser très vite du jeu et à concentrer leur attention sur les autres spectateurs ou sur ce que les commanditaires ont à vendre. Il vous faut prendre conscience de ce fait et laisser les enfants à la maison plutôt que de gâcher votre plaisir. Ou bien ne les emmenez voir que des événements sportifs bon marché.

Une journée de pêche avec les enfants peut se révéler une grande source de frustration si vous vous attendiez à ce qu'ils pêchent. Un petit nombre d'entre eux, à partir d'un âge relativement jeune, possèdent la concentration tranquille nécessaire à la pêche. Mais la plupart des enfants veulent rester actifs et créatifs. Ils ne tardent pas à lancer des cailloux dans la rivière, à faire flotter un semblant de bateau ou à bâtir un petit barrage sur le ruisseau. Ces activités sont parfaitement défendables si elles ne vous dérangent pas.

C'est une bonne idée d'emmener des petits amis avec vos enfants d'âge scolaire ainsi que des amis adultes. Ainsi, les diverses générations peuvent changer d'activités de temps à autre, plutôt que de se tomber sur les nerfs.

Avant d'emmener les enfants d'âge scolaire à une exposition spéciale ou en excursion, il convient d'organiser d'abord avec eux une certaine recherche en bibliothèque. On peut demander à chaque enfant assez grand de faire une lecture sur tel aspect du sujet (ou sur l'aspect de son choix) et de faire rapport à la famille de ce qu'il a appris et de ce qu'il veut voir. Il est important que les parents participent à la recherche et aux rapports, pour montrer aux enfants qu'il s'agit d'une activité de grands et non d'une corvée. Cette étude préalable, même si elle est peu profonde et sans forme rigide, décuplera généralement l'intérêt pour le projet et chacun en tirera un plus grand bénéfice.

Avant de parler du comportement au restaurant, je suppose qu'il faudrait d'abord se demander s'il est sensé d'emmener des tout-petits au restaurant quand ce n'est pas obligatoire. Les bébés frappent leur cuiller sur la chaise haute et font des dégâts terribles, ce qui peut ennuyer les parents ou le personnel. Les petits enfants veulent jouer avec ces étranges glaçons qu'ils voient flotter dans leur verre d'eau, ce qui les amène généralement à le renverser. Ils se fatiguent de rester assis et veulent se promener dans le restaurant. Les parents doivent donc courir après cux de crainte qu'ils ne dérangent les autres clients ou les serveurs.

Les facteurs à considérer sont multiples. L'enfant bouge-t-il tout le temps ou est-il un observateur tranquille? S'il bouge tout le temps, cela gâche-t-il le plaisir des parents ou ceux-ci sont-ils de ceux qui ne s'en font pas si leurs enfants mettent le restaurant à sac et ennuient tous les autres clients? Les parents ont-ils appris à leurs enfants à obéir de façon générale et à être respectueux envers les autres, ou les ont-ils toujours laissés faire leur quatre volontés? (C'est un choix des parents.)

Personnellement, je pense que l'on doit apprendre aux enfants, à partir d'environ dix-huit mois, à rester à table au restaurant, sans tout mettre sens dessus dessous. Il est important, si on sort avec des bébés ou des petits enfants, d'emporter avec soi des craquelins ou d'autres aliments que le petit mangera avant d'être servi, et un petit jouet qui l'amusera, quand son appétit aura été rassasié.

Le problème pour lequel je n'ai jamais trouvé de solution surgissait au moment de passer la commande de mes enfants ou petits-enfants. Souvent, ils insistaient pour obtenir un des mets les plus chers, malgré nos efforts pour leur faire faire un choix plus raisonnable; je n'ai jamais eu le cran de leur dire non en public. La dépense ne m'aurait pas tellement ennuyé s'ils avaient mangé les aliments commandés. Mais, pendant les trente minutes d'attente, ils dévoraient *toujours* les petits pains, avec de grandes rasades d'eau glacée. Plus d'appétit quand arrivait enfin le steak, le homard ou le plat de crevettes. Ils se contentaient de regarder, impassibles. Toutefois, arrivé le moment de choisir le dessert, l'appétit leur revenait comme par miracle.

La fois suivante, j'essayais de leur faire tirer profit de l'expérience précédente. Je leur rappelais l'assiette intacte et les pressais de commander le repas pour enfant, le hamburger ou le poulet. Mais ils refusaient tout net. Je les incitais à ne pas toucher aux petits pains, mais ils se lamentaient en *se tordant de faim;* je cédais en maugréant. J'avais tort de ne pas me montrer plus ferme. Les enfants acceptent ce sur quoi leurs parents insistent.

Quand j'étais enfant, j'étais beaucoup plus docile, et les règles étaient strictes. Nous ne mangions jamais au restaurant. Pour notre déménagement annuel du Maine au Connecticut, nous allions de New Haven à Boston par train, puis nous prenions une calèche et, par les rues à pavés ronds, nous allions aux quais de la Eastern Steamship pour le voyage de nuit jusqu'à Portland, Rockland ou Bath. Nous, les enfants, aurions aimé souper dans la salle à manger aux murs recouverts de panneaux blancs. Mais ma mère apportait toujours des sandwiches que nous mangions dans nos cabines. (Aux pique-niques communautaires, les sandwiches des autres me paraissaient toujours plus délicieux que les nôtres.)

Un beau jour de printemps, mon père m'a emmené avec lui sur un bateau à vapeur, pour aller voir un cottage qu'il avait l'intention de louer l'été suivant. J'étais ravi d'apprendre que nous souperions dans la salle à manger avec les autres passagers. Toutefois, mon père a obéi aux directives de ma mère, qui croyait que des aliments inhabituels pouvaient déranger l'estomac des enfants, et m'a commandé un toast au lait, un vrai repas de convalescent: les morceaux d'un toast beurré et salé, flottant dans un bol de lait chaud. Le garçon m'a souri avec condescendance et a dit: «C'est ce que nous appelons le ragoût du cimetière», faisant sans doute allusion à la forme des morceaux de toast, mais peut-être aussi au fait que cet aliment bizarre aurait mieux convenu à quelque vieillard édenté.

Je me souviens d'une seule occasion durant mon enfance où j'ai, si l'on peut dire, échappé aux normes de nutrition de mes parents. Des parents m'avaient invité à patiner avec eux au lac Whitney, près duquel nous habitions, par un dimanche glacial. À la fin de l'après-midi, j'étais engourdi de froid, et des amis m'ont demandé de me joindre à eux pour manger des hot-dogs — les premiers que j'aie jamais vus —, qui sortaient tout bouillants de la grande marmite du vendeur et que l'on recouvrait de choucroute et de moutarde. Je savais que je violerais toutes les règles de mes parents si j'en mangeais un, mais je n'ai pas pu résister. De ma vie, je n'avais jamais rien mangé de si bon.

Les sorties chez des amis ou des parents, en compagnie des enfants, suscitent des appréhensions particulières, en raison des attentes et des sentiments de ces gens et de votre désir de ne pas vous les aliéner.

Je reçois pas mal de lettres de grands-parents qui se plaignent amèrement du fait que leurs petits-enfants mettent leur maison à l'envers chaque fois qu'ils viennent en visite, et que les parents des petits ne semblent pas s'en apercevoir ou s'en inquiéter. Dans certains cas, je soupçonne que les parents savent — du moins inconsciemment — à quel point les grands-parents sont dérangés par le brouhaha et qu'ils prennent un malin plaisir à laisser leurs enfants faire ce qu'eux n'ont jamais pu faire.

À l'autre extrême se trouvent les hôtes qui aiment laisser les enfants en liberté et qui s'irritent quand les parents consciencieux lancent des avertissements et mettent constamment un frein à l'exubérance des petits, sans que ce soit vraiment nécessaire.

Je recommande donc aux parents de rester sensibles aux désirs de leurs hôtes et de régler leurs attitudes en conséquence.

SEPTIÈME CHAPITRE

Le développement de l'enfant

• LE SEVRAGE ET LES CONSOLATEURS

Il y a un certain nombre d'années, j'ai écrit un article dans Redbook *sur deux sujets reliés entre eux. Le premier: la résistance de bien des bébés nourris au biberon, entre six mois et un an, à passer à la tasse, comparativement à l'apparente bonne disposition à cet égard des bébés du même âge nourris au sein. Le deuxième: la relation entre cette différence et mes théories sur le sens des consolateurs, tels les couvertures sécurisantes, les animaux en peluche ou simplement le pouce. J'expliquais alors que le biberon était devenu un consolateur précieux durant la seconde moitié de la première année et que c'était pour cela que de nombreux bébés refusaient de l'abandonner.*

Mon hypothèse selon laquelle bon nombre de bébés allaités au sein seraient prêts à y renoncer m'a valu de recevoir plus d'une lettre de mères indignées. À leur avis, les bébés auraient droit au sein jusqu'à deux ans accomplis, et il serait néfaste pour eux de les priver de ce droit. C'est pourquoi j'ai plus tard écrit un autre article pour répondre à ces mères et expliquer mon point de vue.

Je crois que nos deux positions — en ce qui a trait non seulement à l'âge à recommander pour le sevrage, mais aussi à d'autres aspects du développement affectif — sont encore aujourd'hui vivement débattues et méritent d'être discutées. Voici le premier article.

Quel est le meilleur âge pour faire passer le bébé du sein ou du biberon à la tasse? On n'a pas encore réussi à s'entendre là-dessus.

Durant la première moitié du siècle, dans beaucoup de familles, on tentait par tous les moyens d'accélérer les choses. On éliminait la tétée de 2 h du matin au bout de deux semaines, que le bébé soit prêt à s'en passer ou non. On commençait l'alimentation solide à un mois. À un an, le bébé passait du sein à la tasse, même s'il fallait livrer une dure bataille. Aussitôt que l'enfant prenait l'habitude de sucer son pouce, on la lui faisait perdre. Certains parents essayaient même d'entraîner leur enfant de six mois à être propre.

Cette «hâte» anxieuse des parents a persisté dans certaines familles jusque dans les années 80; mais aujourd'hui elle porte surtout sur l'apprentissage de la lecture, de l'écriture et du calcul chez les enfants d'âge préscolaire et, plus tard, sur la multiplication de leurs activités parascolaires ou sur la formation athlétique, culturelle ou éducative durant leurs vacances d'été.

Simultanément, on a été témoin d'un mouvement dans la direction opposée, surtout pour ce qui est du sevrage. Je connais des parents qui sont satisfaits et plutôt fiers que leur enfant se nourrisse encore au sein ou au biberon après leur deuxième anniversaire.

Jusqu'à un certain point, ce mouvement traduit une philosophie de retour à la nature, laquelle apparaît aussi dans la souplesse des parents en ce qui a trait à l'apprentissage de la propreté, aux manières à table et aux heures de coucher. Les tenants de cette philosophie font remarquer que, dans beaucoup des régions non industrialisées du monde, les enfants sont nourris au sein jusqu'à l'âge de deux ou trois ans, quelquefois plus longtemps.

De façon générale, je suis en faveur de ce qui semble le plus naturel. Toutefois, je ne suis pas sûr que l'allaitement au sein jusqu'à deux ans ou plus soit naturel, car ce n'est pas ce que la plupart des nourrissons voudraient. Les anthropologues signalent que, dans bien des sociétés simples où un tel allaitement est prolongé, les parents croient que c'est là le meilleur moyen — en fait, le seul à leur disposition — de contraception (bien qu'en vérité ce ne soit pas du tout un moyen fiable). C'est pourquoi ils prolongent le plus longtemps possible l'allaitement au sein.

Une autre raison qui, à mon avis, explique la faveur à l'égard d'un allaitement prolongé et aussi à l'égard d'autres attitudes tolérantes envers l'enfant, c'est la tendance de certains jeunes couples à faire le contraire de ce qu'ont fait leurs propres parents — que ce soit en matière de soins aux enfants, de décoration intérieure, de préférences artistiques ou de coutumes sociales —, s'ils peuvent y trouver une quelconque justification raisonnable. Cette attitude découle de la rivalité naturelle qui règne entre les générations. Un tel esprit de compétition est, dans une certaine mesure, la cause du va-et-vient dans toutes les modes mais aussi d'une grande partie des progrès que connaissent science, technologie, musique, peinture et autres arts, progrès souvent réalisés par des personnes qui se situent au seuil de l'âge adulte.

Quand j'étais enfant, au début du siècle, c'étaient les jeunes parents progressistes qui, de concert avec les pédiatres, se faisaient les avocats des horaires stricts de tétée, de l'apprentissage précoce de la propreté, des vigoureuses doses d'air frais, de l'élimination des complaisances honteuses comme les sucettes, et du conditionnement énergique des jeunes enfants pour en faire ce que les parents voulaient qu'ils soient: musiciens, athlètes, savants...

Au début de ma pratique en pédiatrie, dans les années 30, je m'intéressais tout particulièrement au domaine psychologique, ce qui m'avait conduit à acquérir une formation en psychiatrie et en psychanalyse. J'ai été témoin de bien des cas de conflits créés par la trop grande hâte des parents de faire passer leur bébé du biberon à la tasse avant l'âge de un an (comme si, autrement, le bébé risquait d'être attardé du point de vue intellectuel ou affectif) et par la résistance au sevrage des bébés de cet âge. À cette époque, bien peu de bébés étaient nourris au sein; malgré leur petit nombre, j'étais impressionné par leur peu de résistance au passage à la tasse.

Je recommande vivement que l'on donne au bébé des gorgées de lait à la tasse dès qu'il a atteint quatre ou cinq mois. Je crois que cela contribue à éviter qu'il ne résiste plus tard au sevrage, parce que, à cet âge, tous les bébés acceptent cette innovation. Par contre de nombreux bébés m'ont déjoué — et ont déjoué leurs parents — en refusant fermement de boire à la tasse plus tard, à sept, huit ou neuf mois et en continuant de résister jusqu'à quinze mois, certains jusqu'à deux ans. J'ai présumé que la plupart des enfants nourris au biberon avaient besoin de téter jusqu'à un an ou plus. Mais je ne pouvais m'expliquer pourquoi les bébés nourris au sein semblaient assez disposés à passer du sein à la tasse *avant* l'âge de un an.

Après m'être cassé la tête pendant des années, je me suis finalement rendu compte que les bébés à qui, passé l'âge de six mois, on permettait de tenir en main leur biberon et de boire au lit (plutôt que dans les bras de la mère) finissaient par s'attacher intensément à leur biberon, attachement qui leur faisait rejeter l'alimentation à la tasse. Ces bébés considéraient la tasse comme une dangereuse menace à l'usage continu du précieux biberon. J'ai donc conseillé aux parents qui voulaient sevrer leur enfant de continuer à lui donner le biberon sur leurs genoux, même si, avant six mois, il était devenu parfaitement capable de tenir lui-même le biberon et qu'il aimait le faire.

Il m'a fallu plusieurs années de plus avant de pouvoir emboîter les autres morceaux du puzzle. J'en suis arrivé à plus d'une conclusion en ce qui concerne la couverture sécurisante ou le jouet de peluche préféré (j'appelle «consolateurs» tous les objets de ce genre). Certains enfants ont besoin d'un consolateur à caresser quand ils sucent leur pouce au lit ou quand ils sont bouleversés. Le consolateur leur rappelle la sécurité et la béatitude ressenties durant les cinq premiers mois, dans les bras de leur mère, lorsqu'ils tétaient sein ou biberon et, simultanément, palpaient le doux tissu de leur couverture ou des vêtements de la mère, ou encore la peau de celle-ci.

Ensuite, à cinq ou six mois, ils commencent à avoir envie de faire des choses eux-mêmes: s'asseoir, se mettre debout, tenir le biberon ou d'autres objets. Ce sens naissant de leur autonomie ou de leur indépendance par rapport à leurs parents est opiniâtre, exaltant, précieux. Mais il y a un hic. Quand les bébés sont fatigués ou malheureux, ils souhaitent retrouver sécurité et béatitude en tétant ou en caressant. Pourtant, ils ne peuvent se résoudre à abandonner leur embryon d'indépendance. Je crois que, par conséquent, caresser leur consolateur ou sucer leur pouce leur semble un heureux compromis. Ils se sentent en sécurité sans devoir être enveloppés dans les bras de leur mère, sans être submergés par sa personnalité comme ils l'étaient durant les premiers mois de leur vie. Ils profitent du réconfort prodigué par leur mère, sans pour autant devoir s'abandonner à elle.

J'ai poursuivi mon raisonnement ainsi: le biberon que prend au lit l'enfant âgé de plus de six mois devient également un substitut de la mère, désormais doté de cette nouvelle signification affective. C'est pourquoi le bébé devient *plus* dépendant du biberon. Mais le sein — ou le biberon que le bébé continue de téter dans les bras de sa mère après six mois — ne peut devenir un substitut de la mère puisque celle-ci est présente et que cette présence lui apporte la sécurité. Le bébé n'a donc pas besoin d'un substitut. Ce qui en lui aspire à l'indépendance l'encourage à renoncer au sein ou au biberon pour passer à la tasse.

Quand j'ai pu considérer la première impulsion du bébé vers l'autosevrage comme une étape du développement qui commence vers la fin de la première année plutôt que dans la seconde, j'ai commencé à observer chez beaucoup de bébés allaités une diminution de la dépendance du sein dès l'âge de cinq ou six mois. Avant cet âge, le bébé tète intensément jusqu'à plus soif. Il lui arrive de pleurer et de crier de frustration si on l'interrompt. À cinq ou six mois, il tète quelques minutes, puis relâche le mamelon pour sourire à sa mère et gazouiller, ou pour jouer avec ses vêtements à elle ou avec les siens. Il se peut même que la mère doive l'inciter à reprendre la tétée. Certains bébés de sept, huit ou neuf mois refusent de le faire.

J'avais l'habitude de dire que les bébés qui interrompent leur tétée pour «avoir une conversation» avec la mère manifestent par là les premiers signes d'ennui vis-à-vis du sein. Mais les mères désapprouvaient vivement l'emploi du terme «ennui», estimant qu'il était insultant et qu'il minimisait la dévotion prolongée du bébé pour leur sein. Le mot était mal choisi. J'essayais simplement d'expliquer de façon imagée la diminution de l'avidité du bébé pour le sein. Faire comprendre cette idée est essentiel à ma théorie selon laquelle de nombreux bébés sont de plus en plus prêts à accepter le sevrage vers la fin de la première année et qu'il n'est dès lors pas nécessaire d'entamer la deuxième en leur donnant le sein ou le biberon.

Pourquoi croyais-je important d'avoir découvert cette disposition précoce à être sevré du sein? Je voulais que le programme d'allaitement maternel ne semble pas trop long, pas trop difficile et pas trop contraignant aux yeux de la mère. Naguère, le petit nombre de femmes qui envisageaient l'allaitement demandaient avec appréhension: «Combien de temps devrais-je allaiter mon enfant? Trois mois suffiront-ils?» Je me disais que si elles étaient prêtes à consacrer trois mois à l'allaitement, six mois ne leur paraîtraient pas beaucoup plus longs.

Bien sûr, je pouvais dire (et je l'ai dit) qu'un allaitement de quelque durée que ce soit — même d'un mois — comportait des avantages physiques pour l'enfant, et des avantages émotionnels pour l'enfant et la mère. Mais j'essayais d'encourager les mères qui avaient un tant soit peu envie d'allaiter de le faire pendant six ou sept mois, puis de faire passer le bébé directement à la tasse, sans détour par le biberon.

Si la mère n'a pas d'idée toute faite à ce sujet et me demande aujourd'hui combien de temps elle devrait allaiter son enfant, je lui réponds: «Vous aurez procuré à votre bébé tous les bienfaits physiques (digestibilité et pureté du lait, immunité contre de nombreux microbes) et à vous deux tous les bienfaits émotionnels (intimité mutuelle, conviction rapide d'être une bonne mère) de l'allaitement quand vous aurez nourri votre enfant au sein pendant au moins six mois. Après cette période vous pourrez sevrer bébé petit à petit, quand vous serez prête et que vous percevrez des signes révélant que lui aussi est prêt, en laissant aux seins le temps de s'adapter à une moindre demande de lait et en évitant de brusquer le bébé par tout changement abrupt dans cette relation intime privilégiée. Il vous suffira alors de lui offrir une préparation maternisée ou du lait dans une tasse, à chaque repas, et d'éliminer les tétées, une à la fois, à intervalle d'une semaine, par exemple. Vous pourrez éliminer en dernier lieu la tétée de 18 h, car c'est généralement celle qu'il préfère, du fait qu'il est alors fatigué et qu'il se sent tout petit (régression).»

Certains parents demandent: «Pourquoi ne pas faire passer le bébé du sein au biberon plutôt qu'à la tasse?» Si vous cessez d'allaiter le bébé avant qu'il atteigne cinq ou six mois, je crois que vous devez passer du sein au biberon, parce que la plupart des bébés ont besoin de téter jusqu'à cet âge. Mais pourquoi passer au biberon quand vous le sevrez durant la seconde moitié de sa première année, si, comme je le crois, les bébés n'ont plus besoin de téter pour l'amour de téter après cet âge?

Je crois que la sucette et le pouce — pas seulement le biberon —, que certains bébés affectionnent après six, huit ou dix mois, ne servent qu'à leur donner un sentiment de sécurité quand ils sont fatigués ou frustrés, et non à satisfaire un besoin de téter.

Pourquoi ne pas continuer d'allaiter l'enfant jusqu'au début de sa deuxième année ou plus tard? Je pense qu'il est préférable de le sevrer avant la fin de sa première année, pour plusieurs raisons que je vous donnerai plus loin. Certains parents et médecins ne sont pas du tout d'accord avec moi là-dessus. Ce sujet est des plus controversés. C'est pourquoi je ne discuterais jamais avec la femme qui souhaite allaiter son bébé jusqu'à dix-huit mois, deux ans ou même plus tard.

À mon avis, il est sain du point de vue psychologique d'encourager les enfants à passer d'une étape à la suivante quand ils y semblent prêts. Les laisser traîner dans une dimension particulière de leur développement pourrait, dans certains cas, contribuer à un ralentissement général de la maturation affective. Prenons un exemple dans un autre domaine: le fait que les parents se montrent charmés par le babil de leur petit longtemps après qu'il a passé l'âge des balbutiements peut l'encourager à faire le bébé, à être passif et à dépendre d'eux à d'autres égards.

J'ai souvent eu l'impression dans le cas de certains enfants que la prolongation de l'allaitement au-delà d'un an pouvait accentuer la dépendance vis-à-vis du sein plutôt que de la diminuer, du moins pendant quelques mois. En théorie, cette prolongation peut ralentir les progrès de l'enfant vers son indépendance par rapport à la mère. Certaines de ces raisons s'appliquent également au passage du sein au biberon.

Plusieurs mères qui ont allaité m'ont avoué être, sur le plan émotionnel, plus dépendantes de l'allaitement que leur bébé ne l'était. Plus exactement, elles m'ont dit: «Mon bébé a renoncé au sein sans regret. Moi, j'ai ressenti une grande perte. Je me suis sentie rejetée.» Je crois cette réaction normale et fort courante, et il me semble que les mères doivent en tenir compte quand elles décident de sevrer leur enfant.

En général, les enfants manifestent constamment de nouveaux besoins durant leur passage d'une étape à l'autre de leur développement et ces besoins doivent être satisfaits au bon moment pour que le profit soit maximal pour le bébé. Dans le cas de l'allaitement, l'hésitation de la mère devant le sevrage pourrait s'éterniser; par conséquent, mieux vaut que son désappointement coïncide avec le moment idéal pour le bébé.

Les dentistes ont récemment avancé une autre raison de ne pas retarder indûment le sevrage ou, en tout cas, de ne pas laisser les enfants de plus d'un an se coucher — la nuit ou durant leur sieste — avec du lait dans la bouche. Il s'agit surtout des cas où on laisse le bébé finir son biberon au lit. Chez certains enfants, cela mène à la carie rapide des dents, carie due à l'acide lactique formé par les bactéries qui prolifèrent à cause du sucre et des amidons qui restent dans la bouche durant de longues heures. Cette vulnérabilité à la carie varie largement d'un enfant à l'autre, selon l'hérédité, l'alimentation de la mère durant la grossesse, la teneur en fluorure des dents et bien d'autres facteurs.

Je le répète encore une fois, les raisons que j'ai données de sevrer l'enfant avant l'âge de un an ne *prouvent* pas que c'est ce qu'il y a de mieux à faire, elles expliquent simplement mes conclusions.

• CRITIQUE ET DÉFENSE DE MES IDÉES SUR LE SEVRAGE

Voici mon second article sur le sevrage du sein et sur d'autres étapes du développement, rédigé après réception d'un certain nombre de lettres critiquant le premier.

Je voudrais ici revenir sur la question de l'âge idéal pour le sevrage. Je veux également parler d'autres questions plus vastes concernant la satisfaction des besoins élémentaires des bébés. Ces dernières ont été soulevées par les lecteurs de mon premier article que dérange l'idée du sevrage avant la deuxième année.

Une mère m'a écrit: «Pour ce qui est du besoin de sevrage du biberon ou du sein à un si jeune âge, je ne suis pas du tout d'accord avec vous. Vous minez la confiance fondamentale de l'enfant. La théorie de Erik Erikson sur l'opposition entre la confiance fondamentale et la méfiance est généralement acceptée par les parents orientés vers la psychologie, et c'est très sage. La confiance fondamentale de l'enfant est renforcée quand la mère l'allaite et que, aussi souvent que possible, elle satisfait ses besoins personnels au cours de ses premières années. Il existe suffisamment de tabous pour le petit enfant sans que les parents imposent des règles arbitraires pour éviter de le «gâter». À mon avis, la théorie selon laquelle il est probablement bénéfique pour le développement de l'enfant de le forcer à faire tel ou tel progrès «quand il est prêt» est une présomption grossière. On n'aide pas quelqu'un à monter à une échelle en enlevant les quelques barreaux qui se trouvent sous lui.»

Une autre mère a protesté de la même façon: «Vous semblez croire que, lorsqu'on incite l'enfant à s'allaiter après l'âge de un an, on prolonge sa dépendance.»

Dans mon article, je disais simplement que l'on aide sans doute les enfants à progresser dans tous les domaines quand on les *encourage* à faire tels progrès particuliers. En disant cela, je ne faisais qu'exprimer une idée générale sur le développement de l'enfant; car des parents m'ont souvent raconté comment leurs jeunes enfants, ayant eu à surmonter tel obstacle dans leur développement, se sont soudainement mis à réaliser des progrès remarquables à d'autres égards. Je ne voulais pas sous-entendre qu'il s'agissait là d'une loi immuable ou qu'un enfant qui reste au biberon ou au sein jusqu'à l'âge de un an et demi ou de deux ans sera nécessairement ralenti à quelque autre égard. Je crains d'avoir établi le rapport entre l'opportunité de ces encouragements et le sevrage de façon trop précise. Si certains parents qui avaient procédé tard au sevrage se sont sentis critiqués, je le déplore. Je ne crois certes pas qu'il faille forcer le bébé à faire quoi que ce soit ou lui imposer quoi que ce soit; et je n'ai certes pas utilisé ces mots.

Une autre mère a soulevé les questions de dépendance et de sécurité en ces termes: «D'autres experts déclarent que l'enfant qui éprouve des problèmes plus tard dans la vie est celui à qui on n'a pas permis d'être dépendant suffisamment longtemps. (Parlez-en à ceux qui travaillent auprès des délinquants juvéniles.) Donnons la parole à d'autres spécialistes qui considèrent les enfants comme des êtres humains dont les besoins sont particulièrement grands: les éducateurs Miles Newton et James Himes, les anthropologues Ashley Montagu et surtout Margaret Mead, qui a étudié les enfants dans d'autres sociétés, où ils ne sont pas sevrés prématurément, ni confiés à des étrangers, et où on ne les laisse pas pleurer seuls la nuit.»

Une autre mère acceptait mal que, selon elle, j'aie déclaré dans *Comment soigner et éduquer son enfant* que les parents devraient faire garder leur enfant deux soirs par semaine. «Qu'est-ce qu'il y a de mal pour une mère à rester avec son bébé, à être absorbée par lui? demandait-elle. N'est-ce pas cela bien soigner et bien éduquer son enfant? Il y a tant d'enfants négligés ou maltraités. Les parents ont besoin qu'on leur dise de ne pas être avares d'eux-mêmes, et non pas de préserver à tout prix leurs hobbies, leurs lectures et autres intérêts récréatifs ou culturels. Pourquoi avoir des enfants alors? Nos concitoyens ont besoin qu'on leur dise comment mûrir, et non comment rester jeunes.»

Je suis en grande partie d'accord avec ces mères à propos de l'importance de donner aux enfants l'amour, la chaleur et la sécurité dont ils ont besoin, à chaque étape de leur développement. Les bébés, durant les six premiers mois, ont d'abord besoin de téter, autant que d'absorber des calories, de recevoir des caresses, de jouer et de voir les parents réagir à leurs demandes et à leurs progrès. Au cours des trente premiers mois, ils ont besoin d'un contact constant avec les personnes qui prennent soin d'eux; tout changement dans ce domaine doit se faire graduellement. Ce ne sont là que quelques exemples des multiples besoins des enfants.

En effet, ils ont aussi besoin de progresser, d'acquérir leur indépendance, besoin qui se manifeste de mille façons à chaque étape de leur développement. En même temps, les parents éprouvent le besoin de relâcher leur contrôle quand l'enfant est prêt. Les professionnels à qui certains parents s'adressent en cas de difficultés sont ainsi au fait de bien des problèmes que beaucoup d'autres parents pourraient ignorer.

Quand, dans *Comment soigner et éduquer son enfant,* j'ai suggéré aux nouveaux parents dont le bébé a des coliques ou est agité de sortir deux ou trois soirs par semaine, ensemble ou séparément, ce n'était pas pour encourager l'irresponsabilité, mais pour empêcher les parents de s'épuiser physiquement et affectivement. Un tel épuisement se produit quelquefois (surtout chez la mère) quand le bébé pleure pendant quatre heures d'affilée, tous les soirs pendant trois mois, et que les parents, tendus, affligés, restent là à endurer la crise. Même dans les cas où le bébé n'est pas malade, je pense qu'il est souhaitable que les parents d'un premier enfant prennent quelque distance par rapport à lui et conservent autant que possible leurs amis et leurs hobbies. Sinon, ils deviendront totalement obsédés par le bébé, comme il m'est arrivé de le constater chez certains de mes clients, ce qui aura des effets néfastes sur l'enfant autant que sur les parents, voire sur la famille et les amis. Cette préoccupation excessive s'observe rarement avec le deuxième ou troisième enfant.

J'ai vu des bébés de six ou huit mois dont les parents inexpérimentés avaient toujours satisfait les moindres caprices, à tel point que ces bébés en étaient arrivés petit à petit à rester éveillés jusqu'à 9 h, 10 h ou 11 h du soir, exigeant d'être bercés ou promenés toute la soirée. Ces situations sont épuisantes pour les enfants comme pour les parents. Elles auraient pu être évitées si les parents s'étaient rendu compte — ou si on leur avait fait comprendre — qu'il convient parfaitement de mettre un enfant au lit après le repas de 6 h, même s'il pleure de frustration — ou de fatigue — pendant quelques minutes.

Il existe d'autres problèmes d'indépendance ou de dépendance. Je me souviens d'enfants qui, à environ un an, voulaient tenir eux-mêmes leur cuiller et manger tout seuls, mais dont les parents refusaient de les laisser faire, de crainte des dégâts. Plus tard, à deux ou trois ans, quand leurs parents *voulaient* qu'ils se nourrissent eux-mêmes, ils insistaient pour qu'on leur donne à manger à la cuiller, parce qu'ils avaient dépassé depuis longtemps la période où il leur semblait amusant de se nourrir eux-mêmes; ils exigeaient qu'on leur donne à manger, comme s'il s'agissait d'un droit inaliénable.

Certains enfants parlent encore comme des bébés à cinq ans (je ne parle pas de ceux qui prononcent mal tel ou tel mot), parce que leurs parents trouvaient cela si adorable lorsqu'ils avaient deux ans qu'ils ont continué d'y faire écho, plutôt que de leur parler normalement, comme à des «grands».

Nombre de parents m'ont entretenu d'enfants qui, à deux ans, se sentant inquiets seuls, montaient dans le lit des parents la nuit, et qui le faisaient encore à dix ans. C'est pourquoi j'ai écrit dans *Comment soigner et éduquer son enfant* qu'il est sage de ramener promptement dans leur lit les petits vagabonds de nuit, même si je sais que de nombreux enfants qui veulent dormir dans le lit de leurs parents n'en prendront pas l'habitude plus tard.

Certains enfants de six ans demandent encore à leurs parents, après avoir été à la selle, de venir les essuyer: ces parents ne se sont pas rendu compte que les enfants peuvent le faire tout seuls vers l'âge de trois ans.

Il y a des parents qui continuent de faire presque tous les devoirs de leurs enfants au secondaire, incapables de croire que ces derniers peuvent s'en tirer sans eux.

Ces exemples, même s'ils ne sont pas courants, montrent qu'il ne suffit pas que les parents respectent les besoins de dépendance de leurs enfants et évitent de les pousser prématurément. Les parents *doivent* respecter ces besoins quand ils sont authentiques. Mais les enfants éprouvent toutes sortes d'autres besoins en relation avec l'acquisition d'aptitudes et d'autonomie. Les attitudes des parents jouent un grand rôle dans l'équilibre entre les besoins de dépendance et les besoins d'indépendance des enfants. Les parents peuvent satisfaire les premiers tout en restant à l'affût des signes indiquant que leurs enfants sont prêts à aller de l'avant.

• AUTRES CONSIDÉRATIONS SUR LES CONSOLATEURS

Le degré de l'attachement à la couverture sécurisante ou à d'autres consolateurs varie grandement. Certains enfants en dépendent au point d'être désespérés s'ils les perdent; ils ne peuvent dormir sans eux. À l'autre extrême, il existe des enfants qui n'ont jamais eu de vrai consolateur. Entre ces extrêmes, tous les degrés d'attachement existent. Certains enfants passent d'un consolateur à l'autre. La dépendance diminue généralement à l'âge de trois, quatre ou cinq ans. Mais certains enfants chérissent encore un consolateur secret durant leurs premières années d'école (ils ne veulent pas que les autres élèves le sachent), et j'ai même entendu parler de femmes qui apportent leur nounours à l'hôpital quand vient le temps d'accoucher.

Il est typique de voir les petits enfants sucer leur pouce tout en caressant le jouet de peluche ou la bordure de soie de la couverture. (Certains caressent le lobe de leur oreille, d'autres tortillent une mèche de leurs cheveux.) J'appelle «consolateurs» cette grande variété d'objets.

Certains enfants veulent tenir leur consolateur directement sous leur nez de sorte à pouvoir en sentir l'odeur. Une mère, qui avait coupé en petites pièces une vieille couverture tout effilochée pour en prolonger la vic, a remarqué que son enfant humait chaque pièce avant d'en choisir une, tentant de trouver celle dont l'odeur trahissait le plus grand âge. Généralement, les enfants ne tolèrent pas que l'on lave ou que l'on fasse nettoyer leur consolateur. Ils veulent le conserver gris et crasseux, comme ils sont habitués de le voir.

Quand ils sont fatigués ou qu'ils se sentent frustrés, les jeunes enfants veulent caresser leur consolateur et sucer leur pouce. L'heure du coucher, le soir, ou celle du somme, l'après-midi, sont les moments privilégiés. Ils le font aussi quand ils se sont fait mal, qu'un autre enfant les a malmenés ou après avoir été réprimandés par leurs parents ou privés de quelque chose. Les psychiatres parlent ici de régression; l'enfant ne se sent plus capable de faire face à la vie telle qu'il doit la vivre à son âge et il régresse à un niveau plus infantile. (Il arrive même à l'adulte d'adopter des manières infantiles quand il est malade ou découragé.)

Je crois que, au lit, le pouce et le biberon deviennent des consolateurs, à la fin de la journée et à d'autres moments de régression, passé l'âge de six mois. (Au cours des quatre ou cinq premiers mois de la vie, à mon avis, la succion du pouce n'est pas autre chose que la manifestation d'un besoin de téter qui n'a pas été satisfait par le sein ou le biberon, et elle se produit avant et après la tétée. Après six mois, la succion du pouce se produit surtout dans les moments de régression.)

La plupart des psychiatres et des psychanalystes ont présumé que, durant les premiers mois de la vie, les bébés n'ont aucun moyen de se rendre compte qu'ils sont des êtres distincts. La plupart de leurs heures de veille, ils les passent dans les bras de leur mère, tétant le sein ou le biberon; c'est évidemment là leur satisfaction la plus intense. À mesure qu'ils apprennent à commander à leurs doigts, beaucoup d'entre eux commencent à caresser la couverture qui les enveloppe, la peau de la mère ou ses vêtements. (On pouvait rapprocher ce geste de l'instinct qu'ont les chatons et les chiots qui massent les mamelons de leur mère, ce qui faciliterait la venue du lait.)

Durant leurs premiers mois, les bébés n'ont aucune inquiétude sérieuse. Quand ils ont faim, ils s'éveillent, pleurent automatiquement, se font aussitôt prendre, caresser, chouchouter et nourrir par la mère, être familier et adoré. Puis ils se rendorment. On fait tout pour eux; ils n'ont pas le moindre effort à fournir. C'est l'étape de la vie durant laquelle l'être humain se sent le plus en sécurité et, dans la plupart des familles, c'est de la mère que provient ce sentiment. Même si elle n'est pas toujours visible, un pleur la fera toujours accourir; il est probable que les jeunes bébés ne la considèrent pas comme distincte d'eux.

Cette étape d'étroite union au cours de laquelle le bébé fait pour ainsi dire partie de la mère est souvent qualifiée de *symbiotique*: leurs vies s'entrelacent.

Le charme de la sécurité symbiotique totale commence à se briser vers le milieu de la première année, quand l'instinct du bébé l'incite à s'asseoir, à se servir de ses mains, à se dérober aux caresses excessives. Vous apprécierez toute l'importance de cet atome d'indépendance quand vous le verrez vous résister farouchement, quand vous essaierez de le coucher après qu'il aura appris à s'asseoir. Même s'il doit être poussé mille fois par jour — quand on le lange, le baigne ou lui prodigue d'autres soins — pour qu'il s'allonge, il protestera chaque fois avec vigueur et à pleins poumons, comme si c'était la première fois qu'on lui faisait subir pareil outrage.

Je soupçonne que les enfants acquièrent le sens de leur individualité et leur envie de plus d'autonomie en luttant pour leur indépendance physique. Autrement dit, l'instinct physique vient d'abord, puis l'enfant en devient conscient.

Avec le sentiment d'être un individu distinct — surtout distinct de la mère —, vient un sentiment d'angoisse quand elle est absente. C'est au cours des six derniers mois de sa première année que l'enfant peut commencer à s'agiter et à pleurer chaque fois que sa mère quitte la pièce. Ce sentiment de dépendance et de perte se manifeste aussi chez les bébés de plus de six mois qui ont été séparés de leur mère, par une hospitalisation prolongée, par exemple. Ils sont plongés dans une profonde dépression; ils ne sourient jamais et pleurent la plupart du temps.

Je crois que c'est la légère angoisse qu'éprouvent les bébés face à leur individualité par rapport à la mère qui, durant les périodes de régression, leur donne envie d'un consolateur (ou de deux: couverture et pouce), susceptible de leur rappeler la totale sécurité et la béatitude de leurs premiers mois.

S'il en était autrement, les bébés humains pourraient retourner en arrière pour, de nouveau, ne faire qu'un avec leur mère. Mais il est clair qu'ils refusent de renoncer au peu d'autonomie qu'ils atteignent. Par conséquent, ils préfèrent recourir au consolateur, maternel par association d'idées et par sa capacité de rassurer, mais différent de la mère parce qu'il ne risque pas de les envelopper entièrement et de les «infantiliser». Les bébés et les jeunes enfants sont maîtres de leurs consolateurs, et non l'inverse. Il est étonnant de voir avec quelle brutalité les enfants de un ou deux ans traitent leurs précieux consolateurs, les frappant contre les meubles quand ils sont en colère.

À mon avis, après l'âge de cinq ou six mois, le pouce et le biberon deviennent des substituts de la mère. Nous apprenons avec intérêt de psychologues qui ont observé des enfants institutionnalisés et négligés affectivement depuis leur naissance — qui n'ont donc jamais été maternés — que ceux-ci ne sucent jamais leur pouce. Je crois que les sucettes jouent le rôle de consolateurs après l'âge de cinq ou six mois.

Il existe certaines habitudes rythmiques qu'un assez grand nombre de bébés acquièrent vers la fin de leur première année et utilisent durant les périodes de régression. Ils se balancent, roulent la tête, se cognent l'occiput contre une des parois du lit et se balancent à quatre pattes (ils se mettent sur les mains et sur les genoux pour se renverser rythmiquement vers les talons). Je crois que ces habitudes rythmiques sont en grande partie des espèces de consolateurs grâce auxquels les bébés se rappellent leur prime enfance, l'heureuse époque où ils étaient souvent bercés et portés dans les bras de leur mère.

L'utilisation de la sucette dès la naissance est le meilleur moyen que je connaisse pour prévenir la succion du pouce, surtout dans le cas du bébé qui manifeste depuis le premier jour un besoin de téter que le sein ou le biberon n'arrive pas à satisfaire. Mais pour empêcher que la sucette ne devienne un consolateur exigé pendant de nombreux mois, il est sage de vérifier si le bébé, à trois ou quatre mois, alors que le besoin de téter diminue généralement, ne peut pas se passer de la sucette pour de bon. Dans la plupart des cas, ce passage se fait aisément, sans frustration pour le bébé, et sans qu'il se mette à sucer son pouce.

Deux problèmes courants relèvent de l'utilisation de la sucette. De nombreux nouveaux parents répugnent à cette idée; par conséquent, ils refusent de lui donner une sucette avant qu'il ne soit esclave de son pouce. Il est alors trop tard pour passer du pouce à la sucette. D'autres parents, qui donnent une sucette à leur bébé dès sa naissance ou peu de temps après, deviennent eux-mêmes si dépendants de celle-ci pour garder bébé content dans toutes les circonstances, qu'ils ne sont pas disposés à le laisser y renoncer à deux, trois ou quatre mois, quand la plupart des petits y sont prêts.

Une fois que le bébé est vraiment habitué à sucer son pouce, il le fera généralement jusqu'à trois, quatre ou cinq ans, même plus tard. Je ne connais aucun remède; harceler l'enfant ne fait que prolonger son habitude. Quand il a atteint trois ans ou plus, il est bon que les parents lui disent occasionnellement (une fois par mois, par exemple): «Je sais bien que tu veux cesser de sucer ton pouce. Un jour, tu seras grand et tu y parviendras.» Voilà qui encourage l'enfant sans le diminuer ni l'irriter.

Je ne connais aucun moyen de prévoir si l'enfant s'attachera intensément à un consolateur ou non, aucun moyen non plus d'empêcher qu'il ne le fasse. On ne peut quand même pas priver un bébé de jouets en peluche, de couvertures, de vêtements ou... de lobes d'oreille!

J'ai quelques suggestions qui vous seront utiles si votre enfant de un an ne peut vraiment se passer d'un consolateur. Achetez un double du jouet ou de la couverture, si c'est possible, de façon à avoir un substitut à offrir pendant que l'on nettoie l'autre. Vous pouvez aussi laver et sécher la couverture le soir, mais l'animal en peluche mettra plus de temps à sécher. Attention, ne lui donnez pas un article nettoyé à sec avant que toute l'odeur du nettoyage se soit dissipée.

Des mères que j'ai connues ont empêché que leur enfant ne traîne une couverture toute la journée en insistant dès le départ pour que celle-ci reste dans leur lit, où le petit peut aller la caresser au besoin. Il est probablement impossible de limiter au lit l'usage du consolateur, une fois que l'enfant a pris l'habitude de le traîner partout.

Pour ce qui est des balancements de tête (d'un côté à l'autre), je n'ai aucune solution. Mais ce n'est pas une habitude très gênante; elle ne se manifeste qu'au lit et elle ne fait aucun bruit.

S'il se cogne l'occiput rythmiquement contre une des parois du lit, vous pourriez croire que cela lui fait mal, ou qu'il risque des lésions au cerveau, mais il n'en est rien. Le bruit toutefois désespère les parents et les rend fous. On peut presque entièrement éliminer le bruit des chocs en attachant à la tête du lit un oreiller ou un coussin plat.

Le balancement à quatre pattes dont nous avons parlé fait promener le petit lit à travers la pièce jusqu'à ce qu'il vienne heurter un mur. C'est alors que chaque balancement fait cogner la tête du lit contre le mur, avec un bruit audible d'un bout à l'autre de la maison. Dans un immeuble à appartements, vous risquez que les voisins se plaignent. Pourquoi ne pas maintenir en place le petit lit (loin d'un mur) en le posant sur une carpette fixée au sol et coussinée de mousse de caoutchouc?

Si j'ai donné tant d'explications détaillées sur les consolateurs — que bébé suce, caresse ou rythme —, c'est que la grande frustration des parents, à mon avis, provient de leur incapacité à en comprendre la signification. Une fois que celle-ci devient claire, les consolateurs ne seront pour eux qu'un ennui passager. Pourtant, ils sont de la plus haute importance pour les bébés et pour les jeunes enfants.

• COMMENT TRAITER L'ENFANT DE UN AN

Contrôler l'enfant de moins de un an est relativement aisé, et ce pour plusieurs raisons. Les enfants si jeunes ne marchent pas encore; ils n'explorent pas avec curiosité tout leur environnement. On peut généralement les garder dans leur parc pendant des périodes modérément longues. Résultat: ils ne mettent pas le nez ni les pieds partout comme ce sera le cas plus tard.

Au cours de la deuxième année, la tâche des parents devient plus difficile. Les enfants sentent maintenant qu'ils sont des êtres à part entière. Ils font valoir leurs souhaits et leurs droits à la moindre provocation. Ils refusent de manger des aliments qu'ils adoraient naguère. Quand leurs parents proposent quelque chose, ils disent «non» par principe, même s'ils aimeraient l'activité proposée, comme aller jouer dehors, faire une promenade en auto ou rendre visite à des amis. Ce n'est pas qu'ils rejettent vraiment la proposition, ils refusent simplement de se faire mener par le bout du nez.

Les bambins de un an ne respectent pas encore l'autorité de leurs parents. Même s'ils ont appris quelles sont les choses que les parents désapprouvent, cela ne veut pas dire qu'ils savent obéir. Ils feront ce qu'ils savent interdit; dites: «Non! Non!», tapez-leur même la main, ils recommenceront promptement. Ils ont appris la séquence, c'est sûr — certaines actions sont suivies de désapprobation —, mais ils ignorent encore le vrai sens de l'obéissance.

Entier dans ses opinions, obstiné, déterminé, l'enfant de un an peut déranger profondément certains parents. Ceux-ci craignent, quand l'enfant les a défiés au sujet de telle ou telle peccadille, que ce petit bout de chou ait fait fi de leur autorité, leur ait fait perdre la face et, surtout, leur emprise sur lui.

Je me souviens de la famille K. dont le premier enfant était l'un de mes patients quand je me suis lancé en pédiatrie, en 1933, à Manhattan. La mère était dans tous ses états quand elle m'a téléphoné au sujet de son fils alors âgé de quinze mois. Il la défiait constamment, surtout quand il faisait tourner les boutons de la radio (la télévision n'existait pas encore). Un vrai petit diable, disait-elle; elle me suppliait de leur faire une visite à domicile. J'ai accepté volontiers, même si cette famille habitait Brooklyn; je voulais savoir comment un enfant si jeune pouvait être devenu un tel monstre.

Pendant que la mère, au bord des larmes, me racontait son histoire, le petit diable est entré dans la pièce en trottinant. Il s'est arrêté net et m'a regardé de la façon dont les enfants de un an regardent les étrangers. Sa mère a fait un signe du doigt et a dit, fâchée: «Non! Ne touche pas à la radio.» Le petit n'avait même pas regardé dans cette direction. Il s'est tenu là, sans faire un geste, la fixant des yeux, pendant ce qui m'a semblé être une longue minute. Alors, il a commencé à marcher de côté, très lentement, en direction de la radio. «Vous voyez ce que je veux dire», a pleurniché la mère.

Mme K. croyait que les parents doivent toujours avoir la main haute sur leur enfant. Elle considérait comme un danger la moindre désobéissance, le moindre signe d'indépendance.

Cet autoritarisme est fort répandu — chez les patrons comme chez les parents —, même si tout le monde ne panique pas comme Mme K. Cette attitude est un résidu de leur propre enfance. *Leurs* parents agissaient de la sorte avec eux, ce qui les a convaincus que les enfants, naturellement, ne connaîtront plus de frein à moins d'être menés par une poigne de fer. Autrement dit, ces parents ont appris durant leur enfance à ne pas avoir confiance en leur propre capacité de se comporter raisonnablement s'ils ne sont pas sévèrement dominés. Ils présument donc, une fois adultes, que leurs propres enfants ne sont pas dignes de confiance non plus.

Le cas de Mme K. est un exemple extrême, du fait que son angoisse lui faisait voir des crises avant qu'elles n'existent et que sa panique les lui faisait provoquer. Vous conclurez peut-être que cet exemple est trop extrême pour qu'on en tire une leçon. Moi, je trouve ce cas particulièrement éclairant. Il nous montre comment l'anxiété causée par la «mauvaise nature» de l'enfant et par l'incertitude de pouvoir le garder en main pousse les parents déjà autoritaires à devenir tyranniques.

Bien sûr, une certaine hostilité latente encourage ces gens à se montrer agressifs. Mais c'est l'anxiété qui, chaque fois, fait déborder le vase. Cette hostilité est née en eux durant leur enfance, parce qu'ils ont été dominés de façon frustrante par leurs parents. À cette époque, ils n'osaient l'exprimer parce qu'ils avaient trop peur d'eux. Mais elle se manifeste plus tard, quand eux-mêmes deviennent parents.

Contrairement à ceux-ci, la plupart des gens ont été élevés par des parents qui croyaient suffisamment en leur propre capacité de diriger et au caractère raisonnable de leurs enfants pour savoir comment faire appel à leur coopération. (Quand ces gens deviennent patrons, ils présument de la même façon que leurs subalternes sont bien intentionnés, qu'il suffit de les traiter avec gentillesse et de bien leur expliquer leur travail pour que leur rendement soit satisfaisant.)

Toutefois, les enfants de un an font partie d'une catégorie à part, en raison de leur manque d'expérience en matière de coopération et de leur nouvelle détermination à décider et à agir à leur guise.

En d'autres mots, je dirais que la clé qui permet d'ouvrir toutes les portes avec ces petits, c'est le tact. En tant qu'adulte responsable, il vous revient bien sûr de garder une certaine maîtrise de la situation, pour la sécurité de votre enfant, au nom d'une bonne éducation et pour votre propre bien-être. Toutefois, nul besoin de vous montrer tyrannique ou désagréable. Vous êtes beaucoup plus astucieux que votre enfant; vous trouverez bien le moyen d'arriver à vos fins tout en le laissant non seulement se sentir indépendant, mais en lui permettant également d'exercer son indépendance. Voyons quelques exemples.

Quand vous emmenez votre petite fille faire une promenade, il se peut fort bien qu'elle veuille s'approcher de la porte de chacune des maisons qui longent votre chemin. Et s'il y a des marches devant ces portes, elle pourrait vouloir les monter toutes, plusieurs fois. Les escaliers exercent un attrait irrésistible sur les jeunes enfants.

Si vous répétez sans cesse: «Allons, viens», il est probable qu'elle ne réagira pas positivement. Sa curiosité et son envie d'indépendance se ligueront contre vous.

Une alternative s'offre à vous. Vous pouvez, d'une part, la laisser faire et mettre une bonne demi-heure à parcourir un petit bout de rue. Même là, vous devez continuer d'avancer lentement — sans la harceler — si vous voulez vous rendre quelque part. Quand elle sentira que vous vous éloignez trop d'elle, elle vous suivra. Les enfants de cet âge gardent leurs parents à l'œil la plupart du temps; ils ne veulent pas les perdre de vue. C'est le même instinct qui pousse les canetons et les agneaux à suivre leur mère. Par ailleurs, si vous devez vous rendre quelque part et que vous êtes pressé, emmenez votre enfant dans une poussette ou en voiture. À l'épicerie, mettez-le dans le chariot, sans oublier de le surveiller, bien sûr.

Si vous voulez que votre enfant de un an rentre dans la maison ou vienne dans la cuisine à l'heure du lunch, vous pouvez lui prendre la main et le guider, tout naturellement, ou le prendre dans vos bras et l'emmener, en lui parlant de choses agréables. Ne lui demandez en aucun cas s'il veut entrer prendre son lunch. Il est fort possible que son instinct d'indépendance lui fasse dire non. Habillez-le ou déshabillez-le, ou enfilez-lui ses vêtements de jeu en conversant avec lui pour le distraire.

Quand votre enfant atteint l'âge de un an, le moment est venu de mettre hors de sa portée la plupart des objets fragiles ou dangereux. On pourra cacher pendant un bout de temps les cigarettes, allumettes, porcelaines, lampes fragiles sur le dessus des étagères ou dans le grenier. Les débouche-drains, détergents nettoyeurs, chasse-insectes, térébenthines et autres substances qui ne sont pas absolument inoffensives *doivent* être mis hors de la portée des enfants. Les insecticides et la mort-aux-rats seront mis au rebut ou gardés sous clé. On ne doit jamais laisser les médicaments là où les enfants peuvent les atteindre en grimpant. Toutes les pilules, toutes les capsules et tous les comprimés doivent être conservés dans des contenants à l'épreuve des enfants, y compris les aspirines, cause la plus fréquente d'intoxications chez les petits. Bouchez les prises de courant non utilisées avec des cache-prises.

Certains parents s'inquiètent: s'ils mettent tout hors de la portée de leurs enfants, ceux-ci n'apprendront pas qu'il y a des interdictions. Mais il est presque impossible de tout mettre hors de leur portée. Certaines nappes et lampes doivent rester en place; on enseignera petit à petit aux enfants à ne pas tirer dessus. Certains cordons électriques aussi doivent rester; on empêchera les enfants de les mâchouiller.

Comment faire obéir l'enfant de un an? Le simple «non, non» ne suffit pas au début; il n'est pas suffisamment contraignant. Il vous faut, en plus de dire «non», enlever prestement l'objet à l'enfant. Si l'objet ne peut être enlevé, vous emmènerez vite l'enfant hors de la pièce. Si l'enfant s'obstine à y retourner, mettez-le dans son parc ou fermez la porte de la pièce. (Les barrières que l'on installe dans certaines embrasures ou aux extrémités des escaliers, en plus d'être une précaution essentielle, se révèlent souvent fort commodes.) Rappelez-vous ceci: vous pouvez dire «non, non» aussi souvent que nécessaire, mais vous auriez tort de vous fâcher. L'enfant acceptera mieux la leçon si vous ne vous irritez pas. Je ne crois pas que le châtiment physique soit nécessaire ou particulièrement efficace. La meilleure méthode, c'est d'enlever promptement et fermement l'objet. Après un certain temps, l'enfant saura que vous êtes déterminé, et un simple «non» suffira alors.

Il n'est possible d'empêcher un enfant de toucher à certaines choses que s'il a suffisamment d'autres objets avec lesquels jouer. Mettez de vieilles revues à sa portée, pour qu'il les regarde et les déchire. Les petits enfants adorent déchirer du papier. Par ailleurs, rangez très serrés les livres des tablettes inférieures de votre bibliothèque pour qu'il lui soit impossible de les tirer à lui. Mettez les casseroles et leurs couvercles, les passoires, les batteurs et les cuillers de bois dans une armoire où ils lui seront accessibles. Laissez quelques boîtes de carton sur les dalles de la cuisine pour qu'il y mette ustensiles et jouets. Le fait de mettre un objet dans un contenant, de l'en sortir et de l'y remettre ne cesse de fasciner l'enfant de cet âge.

Il aime aussi pousser les boîtes et les petites charrettes. En fait, les boîtes se poussent mieux que les charrettes, parce qu'on peut les déplacer latéralement face aux obstacles, alors que les charrettes ne roulent qu'en ligne droite, ce que les petits trouvent bien frustrant.

Entre un an et deux ans, les enfants commencent à s'intéresser aux voitures, camions et avions miniatures, de modèle simple, en bois ou en plastique résistant. Tous ces jouets doivent être indestructibles, parce que les petits doigts des enfants de un an peuvent tout réduire en morceaux.

Rien de mieux que de distraire l'enfant pour lui faire oublier telle chose ou tel geste défendu. Gardez toujours à portée de la main des objets intéressants, comme un trousseau de clés, un bout de chaîne, une clochette.

Quand mon premier fils avait un an, je me souviens d'avoir essayé de déterminer pendant combien de temps je pouvais le distraire avec le même objet. Je me suis servi de deux boutons de manchette métalliques avec chaînettes. Je lui en ai donné un qu'il a examiné minutieusement et manipulé. Pendant qu'il était occupé par ce bouton, je lui ai remis l'autre. Il a laissé tomber le premier pour examiner le second. J'ai ramassé le premier et le lui ai remis. Il a alors laissé tomber le second. Au bout de quinze à vingt minutes, ce petit test m'a ennuyé. Lui, pas. Son intérêt ne s'était pas émoussé.

Vous ne devez pas craindre d'être incapable de diriger votre enfant de un an parce que vous manquez d'expérience ou parce que les enfants de cet âge sont déterminés et ne savent pas faire attention. Rappelez-vous que l'esprit d'indépendance et l'envie de faire valoir ses idées ne sont pas des défauts. Vous *souhaitez* que votre enfant ait ces qualités; autrement il deviendrait un zombi. Votre gentillesse rendra votre enfant désireux de coopérer avec vous dans la plupart des cas; votre tact et votre astuce feront le reste.

• SÉVÉRITÉ DE LA CONSCIENCE

Dans la famille sévère où j'ai grandi, on ne tenait aucun compte des facteurs humains ou psychologiques susceptibles d'expliquer des comportements vilains ou pas très sages. D'une certaine façon, tout était affaire de moralité et de santé. Manger n'avait rien à voir avec le plaisir; aux yeux de nos parents, nous mangions pour rester en bonne santé. Tout ce qui avait quelque rapport que ce soit avec le sexe était péché, sauf si c'était sanctifié par le mariage ou par le désir d'avoir des enfants. La manipulation des organes génitaux constituait un crime majeur à l'égard duquel ma mère était particulièrement vigilante. Les pièces de théâtre, films, romans et revues «sans valeur» étaient suspects.

Je me souviens, adolescent, que la grande amie de ma mère, lui avait suggéré d'emmener ses grands fils voir le film *Dr Jekyll et M. Hyde,* mettant en vedette Lionel Barrymore. Dans une scène du film, Barrymore pose lascivement un baiser sur l'épaule nue d'une femme vêtue d'une robe à décolleté bateau. Ma mère a bondi de son siège et s'est exclamée: «Viens Benny, nous rentrons!» Pour être sûre de mon accord, elle m'a pris par les cheveux pour me faire lever et elle m'a presque traîné jusque dans le foyer. Les spectateurs assis près de nous nous ont dévisagés d'un regard incrédule. J'avais honte de toute cette scène.

Les amitiés n'étaient permises qu'avec des gens ayant les mêmes normes éthiques élevées que nous. Autrement, nous devions leur battre froid.

Même les questions de santé comme le grand air, le sommeil, la propreté de la maison — toutes choses essentielles pour ma mère — avaient une connotation morale. Y faire attention était bien; les négliger était légèrement contre nature.

Les six Spock de ma génération étaient persuadés que notre mère pouvait détecter toute culpabilité immédiatement et infailliblement. Il ne semblait donc y avoir aucun avantage à mentir. Si nous mentions, nous allions être punis pour avoir menti, en plus d'être punis pour le «crime» initial.

Bien sûr, ma mère n'avait aucun pouvoir magique pour détecter les petits délits; je m'en suis rendu compte quand j'ai eu mes propres enfants. Elle nous avait donné à chacun un tel sentiment de culpabilité que nous trahissions nos moindres péchés par un air de chien battu, avant même qu'elle nous questionne. Ainsi, elle savait immédiatement que nous étions mal à l'aise. Il lui suffisait de nous dévisager de son regard perçant et d'exiger une confession pour que nous vidions notre sac.

Résultat: mon frère, mes sœurs et moi avons tous une conscience sévère qui nous a toujours harcelés et souvent handicapés dans la vie. Nous étions toujours prêts à nous considérer coupables jusqu'à preuve du contraire.

Ce n'est qu'une fois adulte, après ma formation en psychiatrie et en psychanalyse et après avoir commencé à aider des parents à élever leurs enfants, que je me suis rendu compte que la méthode moraliste de mes parents n'était ni la seule ni la meilleure façon de diriger un enfant.

En premier lieu, un tel fardeau de conscience est mentalement malsain. Certains des enfants élevés de la sorte deviennent des névrosés compulsifs. Il se peut, par exemple, qu'ils passent la majeure partie de leur vie à se laver les mains constamment ou à additionner mille fois la même colonne de chiffres, pour expier quelque péché réel ou imaginaire.

Un trouble plus généralisé encore se produit chez la personne qui, en raison d'une conscience par trop exigeante, devient trop prudente, trop rigide ou trop enrégimentée. Elle a peur de dévier un tant soit peu de ses habitudes quotidiennes, ou de se laisser aller à ses émotions, ou de penser d'une nouvelle façon, de crainte de quitter le droit chemin et de se créer des ennuis quelconques. C'est lamentable.

La trop grande sévérité de la conscience peut avoir d'autres effets troublants. Il se peut que l'individu ne puisse jamais rétablir sa relation avec son conjoint ou avec ses collègues de travail quand elle se détériore. C'est qu'il ne parvient pas à voir la difficulté comme une question de sentiments blessés, que ce soient les siens ou ceux des autres. Pour lui, tout se réduit à ceci: est-il innocent et les autres coupables, ou vice versa? Inutile de dire qu'il refuse de reconnaître sa culpabilité et qu'il essaie de rejeter toute la faute sur les autres. Ceux-ci réagissent à de telles accusations en proclamant leur innocence et en essayant eux aussi de rejeter la faute sur lui. Tous ces gens ne font aucun progrès dans la résolution de la dispute. Ils n'en arrivent pas à mieux se comprendre les uns les autres, ni à mieux se comprendre eux-mêmes.

La personne qui ressent moins de culpabilité et qui est plus mûre est mieux à même d'expliquer, à la suite d'un malentendu ou d'une dispute, ce qui l'a blessée ou ce qui a causé le malentendu. Quand son interlocuteur lui précise ce qu'il a voulu dire ou lui explique les motifs de son geste, non seulement elle est apaisée, mais elle peut généralement voir plus clairement comment ses propres points faibles ou sa trop grande susceptibilité peuvent être à l'origine des difficultés. Elle devient consciente de telle ou telle excentricité dans la personnalité de son interlocuteur, de sorte qu'il est peu probable qu'elle commettra une autre fois la même erreur.

Une meilleure compréhension de l'autre mène généralement à avoir confiance en lui, à l'aimer et à le respecter un peu plus. Cet autre se trouvera lui aussi incité à mieux se comprendre lui-même et à mieux comprendre ses semblables.

Comment élever un enfant sans lui inculquer un sentiment de culpabilité? De façon générale, durant la prime enfance, il faut faire en sorte qu'il ne commette pas de faute, plutôt que de le laisser agir pour lui faire honte par la suite. Je pense à l'illustration de Dorothea Fox dans l'édition originale de *Comment soigner et éduquer son enfant.* On y voit un petit de un an jouant avec le cordon d'une lampe et sa mère, à l'autre bout de la pièce, qui lui dit: «Non, non.» À un an, on a très peu de respect pour l'autorité et on a une forte envie de manifester son indépendance. Le petit a donc tendance à défier sa mère.

Mieux vaut encore, dans les premiers mois durant lesquels on enseigne les interdictions, éliminer toutes les tentations possibles, pour qu'il n'y ait pas trop d'interdictions à la fois. Pour ce qui est des tentations qu'on ne peut faire disparaître, comme les cordons de lampe et les cuisinières allumées, prenez la situation en main, en gardant votre bonne humeur. Approchez-vous de l'enfant avec un jouet qui le distraira. Ne le quittez pas avant que la tentation ne soit sortie de son esprit et que son envie de manifester son indépendance ne se soit évanouie.

Certains parents s'inquiètent de ce que les distractions et les précautions exercées durant la deuxième année de l'enfant l'empêcheront d'apprendre que certaines choses sont défendues. Bien sûr, enlever des objets de la portée de l'enfant ne lui apprend rien. Toutefois, vous remettrez ceux-ci en place un à la fois, à mesure que l'enfant sera capable de réagir à un «non» et à un raisonnement; c'est alors qu'il prendra conscience des interdictions.

Distraire l'enfant, cependant, lui enseigne quelque chose. Si, par rapport à une certaine tentation, on distrait toujours l'enfant, on le contrarie ou on fait disparaître l'objet, il apprendra — par réflexe conditionné — qu'il s'agit d'une interdiction.

Il importe de rester de bonne humeur, ou du moins de ne pas se fâcher, quand vous contrariez ou distrayez l'enfant. Vous montrer irrité susciterait son hostilité et jouerait contre vous.

Pourquoi avons-nous, parents, tendance à prendre un ton accusateur, à nous mettre de mauvaise humeur ou à faire honte à l'enfant quand nous l'avertissons ou le corrigeons? En partie parce que c'est ce que faisaient nos parents quand ils nous admonestaient. Sans que nous nous en rendions compte, l'antagonisme que nous éprouvions à leur endroit quand ils nous réprimandaient nous revient à l'esprit. Nous présumons inconsciemment que nos enfants nous en veulent aussi à ces moments-là et qu'ils aimeraient désobéir. Nous pensons à toutes les fois où nous n'avons pas été efficaces avec eux et nous craignons une répétition de la situation. Notre ton signale aux enfants notre antagonisme et notre manque d'assurance, lesquels les incitent à nous résister.

Les parents très consciencieux, sentant qu'ils sont aptes à donner dans l'antagonisme et voulant contrer cette tendance, pourraient se fendre en quatre pour être accommodants. Ce faisant, il arrive qu'ils soient trop gentils et trop hésitants quand ils font connaître leurs souhaits à leur enfant. Ou que leur faiblesse encourage l'enfant à faire des siennes. Je ne crois pas que l'attitude purement accommodante des parents fermes puisse inciter l'enfant à regimber; mais si cette attitude ne sert qu'à masquer une hésitation empreinte de culpabilité, l'enfant — même à un an — le sentira immédiatement et en tirera parti. C'est le côté le plus difficile de l'éducation des enfants pour les parents trop consciencieux.

À mesure que votre enfant grandit, vous pouvez recourir à d'autres tactiques. La plus simple est celle de la suggestion positive. Au lieu de dire: «C'est mal de traverser la rue» ou: «Tu vas te faire écraser par une voiture» ou encore: «Je vais te donner une fessée si tu traverses», dites plutôt: «Tiens toujours la main de maman pour traverser et attends toujours le feu vert» ou: «Nous nous lavons les mains après le lunch pour ne pas salir le sofa» ou encore: «Nous nous brossons les dents après les repas pour qu'elles soient propres et belles.»

Pour enseigner aux enfants à être attentionnés les uns envers les autres et à être polis avec les adultes, il est préférable de ne pas user de l'approche négative de ma mère qui nous accusait d'être mauvais quand nous nous montrions grossiers, égoïstes ou méchants, et qui déclarait fréquemment que personne ne nous aimerait si nous continuions de l'être. Elle a été si convaincante que nous avons tous grandi sûrs d'avoir une personnalité méchante et laide.

Dans votre rôle de parents, vous pouvez transformer ces inquiétudes en approches positives. Quand le petit de deux ans frappe impulsivement — mais tout naturellement aussi — votre dernier-né, vous pouvez immobiliser sa main promptement et la guider dans un mouvement de caresse, en disant: «Caresse le bébé. Il t'aime. Il aime que tu le caresses.» Si vous croyez que cette approche ne fait que lui enseigner à ne pas être sincère, vous faites preuve de pessimisme. Tout enfant ressent de l'amour pour un nouveau petit frère ou une nouvelle petite sœur, même si ce sentiment est obscurci par beaucoup de jalousie. Et la bonté des adultes est faite d'une combinaison d'amour et d'antagonisme sublimés.

Vous pouvez aider l'enfant de trois ans ou plus à prendre plaisir à jouer avec les autres (c'*est* plus amusant que de jouer seul) et à partager. S'il a été impliqué dans une dispute, plutôt que de le condamner automatiquement en pensant qu'il a sûrement une part de responsabilité, vous pouvez sympathiser avec lui en ce qu'il se sent outragé. Puis, après avoir découvert ou du moins deviné sa part de responsabilité, vous pouvez lui expliquer comment il a mis son petit camarade en colère ou comment il l'a offensé, et comment ce type de situation peut être évité à l'avenir ou même transformé en un événement positif.

Dans les malentendus et les querelles entre enfants et parents (ou autres adultes), je suis convaincu que les adultes ne doivent pas craindre de perdre la face s'ils reconnaissent avoir sauté à des conclusions trop hâtives, s'être trompés ou s'être mis en colère. Leur autorité morale n'en souffrira aucunement.

Ce qui est important, c'est qu'ils éduqueront les enfants par la force de l'exemple, beaucoup plus efficace que les sermons. Leurs enfants sauront que tout le monde est humain, qu'il y a toujours deux côtés à la médaille dans les querelles et les malentendus, que la question n'est pas de savoir qui a tort et qui a raison, que personne ne devrait être gêné de perdre la face, que la chose raisonnable à faire c'est essayer de comprendre et que seule une discussion honnête mène à la réconciliation.

Ces paroles sont trop théoriques pour avoir un sens quelconque aux yeux de l'enfant, mais celui-ci comprendra facilement le message grâce à l'exemple des parents.

Je ne veux pas vous faire croire qu'il est souhaitable ou possible d'empêcher les enfants d'acquérir une conscience et un sentiment de culpabilité. (Les deux se recoupent en grande partie.) La société ne peut fonctionner si ses membres ne possèdent pas ces deux traits jusqu'à un certain degré. En outre, chez les gens qui s'instruisent le plus et qui deviennent des professionnels ou des dirigeants d'entreprise, ces traits doivent être plus marqués que chez les autres.

Tout ce que je dis, c'est qu'il est souhaitable d'éviter une conscience trop sévère et un sentiment de culpabilité excessif qui ne rendent aucunement les individus plus précieux pour la société. Au contraire, il serait difficile de vivre et de travailler avec ce type d'individus, parce qu'ils essaient d'ignorer les réalités humaines chez les autres et en eux-mêmes, et parce qu'ils jugent tout arbitrairement et d'un point de vue moral.

Il est très facile, vu la façon dont la plupart d'entre nous ont été élevés, de glisser dans une désapprobation teintée de moralisme et de s'en servir comme outil principal pour contrôler les enfants. Mais en fait, c'est là un moyen inefficace et difficile, avec lequel *on n'est pas à l'aise.*

• JOUETS: IMAGINATION OU RÉALISME?

J'ai toujours acheté trop de cadeaux et des cadeaux trop chers à mes enfants et à mes petits-enfants quand ils étaient jeunes. C'est une erreur fréquente dans la société nord-américaine. Heureusement, du fait de mon travail dans les écoles maternelles, je savais qu'il fallait surtout acheter des jouets qui font appel à l'imagination plutôt que des jouets élaborés et à fonction unique.

Les enfants aiment surtout inventer leurs propres façons de jouer avec les choses, façons qui expriment leurs goûts, leurs intérêts et leurs problèmes à tel stade particulier de leur développement. Leur façon de jouer peut n'avoir aucune relation avec la façon prévue par le fabricant du jouet. Par exemple, le bébé se servira de sa poupée pour la mordre ou pour en frapper la paroi de son berceau. Je me souviens d'avoir observé une puéricultrice bien intentionnée qui essayait d'enseigner à un enfant de un an à mettre un petit bateau la coque en bas dans la baignoire, alors qu'il ne souhaitait que battre l'eau avec le jouet.

L'enfant de cinq ans se désintéresse vite de la locomotive qu'il faut remonter et laisser circuler interminablement sur ses rails. Il essaiera plutôt de forcer le toit d'un wagon pour y mettre de petits objets qu'il transportera d'un bout à l'autre de la pièce. Au diable les rails et la locomotive!

Nous avons acheté pour notre premier fils, quand il a eu trois ans, une boîte de solides cubes en bois, de dimensions et de formes diverses. Ils coûtaient relativement cher, mais il les a utilisés jusqu'à environ douze ans, pour construire des tours, des gratte-ciel, des maisons, des écuries, des garages, des forts, des routes, des ponts, des labyrinthes, des prisons, enfin tout ce que son imagination et ses intérêts lui dictaient. Ensuite, son jeune frère est venu au monde et a utilisé les cubes pendant encore douze ans. (Il est maintenant architecte.)

Un jeu de billes trouées servira aux fins auxquelles il est destiné parce qu'il offre à l'enfant une variété infinie de couleurs et de combinaisons à expérimenter (il s'en pare ou il les offre en cadeau). De même, un assortiment de crayons et une rame de papier donnent à l'enfant des possibilités infinies de dessin: objets, scènes et événements qui le touchent à un moment particulier, qu'il s'agisse de petits chats, d'une maison paisible dont la cheminée fume dans la campagne ou de féroces dinosaures et d'avions qui lâchent des bombes.

Il y a aussi ces feuilles de toutes les couleurs que l'on appelle papier de construction. Les enfants petits et grands adorent les découper et les coller pour en faire des décorations d'arbre de Noël, des fleurs, des objets ou des scènes diverses. C'est une autre façon de créer des images.

Le meilleur exemple de jouets qui permettent à l'enfant d'exprimer toute une gamme de sentiments, ce sont les poupées, leurs vêtements et leurs meubles. La fillette de trois à six ans, dont l'envie la plus pressante est de grandir pour avoir tous les biens et exécuter toutes les activités de sa mère, vivra toutes ses fantaisies grâce à ses poupées, pendant des heures, jour après jour. Elle prendra soin de son bébé poupée exactement comme sa mère prend soin du vrai bébé, quelquefois aimante et réconfortante, quelquefois désapprobatrice. Les garçons feront la même chose, si on ne les taquine pas, surtout si leur père participe aux soins des enfants. C'est le meilleur moyen dont disposent les enfants pour apprendre à devenir des parents, pour ce qui est et des techniques et des sentiments, et on devrait le privilégier. Jouer avec des meubles d'enfants — cuisinières, réfrigérateurs, aspirateurs, fers et planches à repasser — apporte les mêmes avantages. Des boîtes de carton peuvent tenir lieu de cuisinières et de réfrigérateurs.

Ce n'est pas qu'à des sentiments positifs que s'exerce l'enfant qui joue avec ses poupées et ses maisons. De bien des façons valables, il exprime ses craintes, ses peines, ses ressentiments, ses jalousies et ses haines, que petit à petit il comprend et digère. Le garçon qui a eu peur et dont on s'est moqué quand il a reçu ses vaccins a envie de rejouer la scène jusqu'à ce qu'il ait maîtrisé sa peur; il le fait en vaccinant sa poupée à plusieurs reprises, lui disant qu'elle aura un peu mal, mais pas pour longtemps. La fillette qui n'a pas encore avalé la punition que sa mère lui a infligée punira sa poupée de la même façon, en lui expliquant clairement pourquoi elle la punit; elle en arrive à ne plus se sentir outragée en jouant le rôle de sa mère et elle apprend, par cet exercice même, comment elle fera face à des situations analogues avec ses propres enfants.

Je ne veux pas donner l'impression que l'avantage principal du jeu réside dans la psychothérapie. Je dis simplement que la pulsion principale qui anime le jeu de l'enfant, c'est l'expression de sentiments de toutes sortes; c'est là une des raisons qui font que tel jouet perd vite son attrait alors que d'autres continuent de fasciner.

Il y a des jouets dont l'efficacité a été prouvée, les tricycles et les bicyclettes étant les plus souhaitables. Ils servent constamment durant l'enfance; en imagination, ils deviennent des taxis, des voitures de police, des chevaux d'Indiens, des autos de course. Le reste du temps, ils ne sont qu'un moyen de transport. Les petits enfants s'amusent beaucoup dans les cages à poules. Une balançoire haute et bien bâtie et un carré de sable attirent les enfants de tous les âges, comme je l'ai constaté dans mon propre jardin quand j'étais enfant. (C'était une des stratégies de ma mère pour garder l'œil sur ses enfants et leurs amis.) L'équipement d'athlétisme — panier et ballon de basket, ballon de football, batte et gant de base-ball — sera apprécié à coup sûr par les enfants d'âge scolaire, tout comme les toboggans, les skis et les bottes de ski dans les régions enneigées.

Les enfants se serviront avec enthousiasme des outils de menuisier dès l'âge de quatre ans, si un parent complaisant est disposé à les surveiller. N'achetez pas les ensembles d'outils pour enfants; ils sont composés de scies qui ne scient pas, de marteaux trop légers pour servir et de tournevis qui se cassent. Achetez des outils d'adultes, les plus petits que vous trouverez. Commencez par une scie, un marteau et des clous assez gros pour ne pas plier facilement. Procurez-vous une longue planche large de quinze centimètres et une autre, de cinq centimètres. Plus tard, ajoutez au coffre des pinces, une vrille, une équerre. Plus tard encore, achetez un vilebrequin, des vis, un tournevis, puis un rabot et du papier émeri. Mais il vous faut d'abord avoir un établi équipé d'un étau de bois ou d'acier qui tiendra le bois pendant qu'on le scie, qu'on le perce ou qu'on le cloue. L'établi doit être lourd et solide. Vous pouvez l'assembler vous-même.

Les jeux de construction composés de roues et de chevilles de bois ou de blocs de plastique qui s'imbriquent (pour les tout-petits et les enfants d'âge moyen), et ceux qui sont faits de poutrelles et de plaques d'acier, de roues et de poulies de laiton (pour les enfants plus âgés) sont fort appréciés parce qu'il n'y a pas de limite aux structures que les enfants peuvent imaginer.

Je m'oppose à ce que l'on donne aux enfants des jouets guerriers, que ce soient de simples pistolets ou des chars d'assaut et des engins spatiaux compliqués qui émettent des rayons mortels. Ces jeux sont certes populaires auprès des garçons qui s'en amuseront longtemps avec exaltation. Mais nous avons des preuves scientifiques qu'ils enseignent aux enfants à considérer la brutalité comme une façon naturelle de vivre et à devenir graduellement plus violents dans leur comportement. Je ne veux pas dire que ces enfants, élevés dans une famille dont les membres sont sensibles, deviendront nécessairement des criminels; mais chacun d'eux risquera de devenir insensible et brutal.

Je voudrais maintenant donner quelques exemples de jouets à fonction unique, qui ne suscitent aucun sentiment chez l'enfant, aucune créativité, et qui l'ennuient vite. J'ai vu une longue échelle, sur laquelle montait et descendait un petit pompier métallique mû par une pile. Ingénieux, mais sans intérêt pour l'enfant qui doit se contenter de l'allumer ou de l'éteindre. Rien dans ce jouet ne stimule sa créativité ni ne développe son habileté.

Parmi ces jouets élaborés et chers qui perdent vite leur attrait, on compte les nécessaires de chimie (ils comprennent cinq ou dix expériences *obligatoires*, mais une fois que l'enfant les a faites, il n'en a aucune autre à tenter seul; mélanger les produits chimiques sans recette ne produit absolument rien) et les ensembles d'électronique (en suivant les instructions à la lettre, un adolescent intelligent et motivé peut assembler un circuit ou deux qui fonctionnent, mais c'est tout). J'ai vu des jeux de hasard ou d'habileté compliqués et chers, certains équipés de gadgets électriques et de lampes, que les enfants abandonnent rapidement parce que ces jeux n'ont qu'une seule fonction. Par ailleurs, il se peut que ces jeux intéressent un enfant plus âgé et à l'esprit de compétition développé, surtout s'il peut persuader ses parents de jouer souvent avec lui. D'autres jeux de compétition simples et bon marché, comme le Parcheesi et le Monopoly, ont fait leurs preuves auprès des enfants depuis des générations. Encore une fois, les parents peuvent s'attendre à ce qu'on les harcèle pour jouer.

On doit tenir compte de deux facteurs importants dans le choix des jouets, mis à part la polyvalence et la créativité. Premièrement, il ne faut pas acheter de jouets qui s'adressent à un enfant plus âgé; votre enfant serait frustré, l'utiliserait mal ou le malmènerait. Deuxièmement, le jouet doit être acheté pour l'enfant et non pour le parent. Ce dernier doit éviter de contrôler le jeu, car l'enfant n'y prendrait aucun plaisir et son intérêt s'évanouirait vite. Ces deux fautes, je les ai commises en achetant à mes fils des petits trains électriques. Quand j'étais jeune, j'en avais toujours voulu, mais on ne m'en avait jamais offert. Je devais me contenter de jouer occasionnellement avec ceux de mon ami Mansfield. Je pouvais à peine attendre — en fait, je n'ai pas attendu — que mon fils ait l'âge. Quand il a eu quatre ans, je lui ai acheté un ensemble de trains qui auraient mieux convenu, de par leur caractère compliqué, à un adolescent de quatorze ans. Mon fils, incapable de monter les roues sur les rails ou d'accoupler les wagons, s'amusait donc à faire rouler un wagon sur la moquette. «Non! Non! ai-je crié, tu dois mettre les roues sur les rails!» À plusieurs reprises, j'ai tenté de lui montrer comment faire. Frustré de se faire mener par le bout du nez et de constater son manque d'habileté, il a vite fait de me laisser jouer seul avec les trains. Deux ans plus tard, il a été tenté une autre fois de jouer avec ces trains et s'est intéressé particulièrement à l'aménagement des voies. Mes idées étant bien plus complexes et intéressantes — à mes yeux — que les siennes, en peu de temps je dominais la planification des voies. Avant longtemps, mon fils a perdu tout intérêt pour ce jeu, pour de bon cette fois-là. Dix ans plus tard j'ai commis les mêmes erreurs avec mon second fils. Vingt-cinq ans plus tard, à l'occasion de mon second mariage, ma femme m'a acheté un train de passagers encore plus petit; moi je lui ai offert un train de marchandises. Pendant des mois, j'ai travaillé avec grand bonheur à planifier la voie. Mais cela m'a dérangé de voir les amis adolescents de ma belle-fille faire rouler les trains si vite qu'ils quittaient les rails dans les courbes, dans un bruit de ferraille et de rires aigus. Cette fois-là, j'avais le droit de mener le jeu, puisqu'il m'appartenait.

Quand vous êtes au rayon des jouets ou dans un magasin de jouets, vous ne devez pas oublier que ce sont les parents (du moins, des adultes) qui achètent la plupart des jouets que reçoivent les enfants, et que les fabricants s'intéressent davantage à ce qui attirera les adultes qu'à ce qui satisfera les enfants. Ainsi, vous serez sur vos gardes et vous refuserez d'acheter les jeux élaborés et à fonction unique qui sont si impressionnants au premier coup d'œil.

Rappelez-vous également que les enfants aussi sont victimes des modes, de l'emballage astucieux et des bons vendeurs. Servez-vous de votre bon sens pour déterminer si l'attrait exercé par le jouet sur l'enfant durera. Il y a quelques années, toutes les petites filles voulaient une de ces poupées P'tits Bouts de Choux, peut-être en raison de quelque attrait mystérieux, mais surtout parce qu'elles faisaient fureur. J'ai lu dans le journal qu'un père était allé en acheter une en Angleterre parce qu'il ne pouvait en trouver en Amérique du Nord. Au moins ces poupées exercent-elles l'attrait durable de toutes les poupées. Par contre, j'en veux aux fabricants et aux génies du marketing qui ont popularisé la bicyclette «banane» à longue selle. Ses petites roues et son rapport d'engrenage faible font qu'elle est lente et fatigante. Exactement le contraire de ce que tout cycliste d'expérience recherche. Mais on en a vendu des millions, parce qu'elle symbolisait un nouveau style pour les jeunes cyclistes. J'aurais refusé d'en acheter une à mes enfants, parce qu'elle est d'une conception médiocre qui exploite l'ignorance des enfants.

• LES PARENTS SELON LES ENFANTS

J'ai récemment visité une petite école privée dans Greenwich Village, à New York, avec l'intention de demander aux enfants des petites classes quels conseils aux parents ils aimeraient que j'incorpore dans la révision prochaine de *Comment soigner et éduquer son enfant.* Je n'ai pas obtenu ce que je cherchais, mais ils m'ont quand même rappelé certaines vérités fondamentales qui sont bien plus importantes encore.

La première classe était composée d'enfants de cinq à sept ans. J'ai vite compris que je ne valais rien comme leader de discussion dans un groupe de cet âge. À chaque question directe que je posais, l'un des enfants les plus réservés commençait à s'exprimer. Mais ses paroles étaient immédiatement noyées par plusieurs autres garçons qui criaient des réponses fantasques et hilarantes. J'ai demandé: «Combien d'argent de poche les parents devraient-ils donner aux enfants?» Réponses des garçons: «Cent dollars»; «Non, disons deux cents dollars»; «Un million de dollars par jour»!

L'institutrice a bien essayé de les calmer, mais en vain. Cela m'a rappelé un de mes échecs d'il y a trente-cinq ans, quand un de mes fils, alors âgé de huit ans, s'était joint à une troupe de louveteaux. Toute la troupe se réunissait une fois par mois, à l'église, sous le leadership de chefs de troupe expérimentés. Mais les réunions hebdomadaires des sous-groupes étaient assignées aux parents qui jouaient, chacun son tour, les hôtes et leaders d'un sous-groupe de huit garçons, sur une période de trois semaines, pour un projet particulier.

Je m'attendais à ce que tout baigne dans l'huile, sûr d'en savoir long sur les enfants en général et, en particulier, sur les jeunes garçons et sur ce qui les intéresse. J'ai acheté des modèles d'avions à monter, en bois solide, d'un dessin simple. J'ai aussi acheté du papier émeri, des pots de peinture bleue et des tubes de colle à séchage rapide.

À la réunion, je les ai fait asseoir dans la chambre de mon fils et j'ai distribué les kits, en lisant à voix forte et claire les deux premières étapes des instructions: sabler toutes les pièces en bois jusqu'à obtenir un fini doux; puis appuyer l'aile contre le fuselage pour déterminer quelle est l'arête avant et quelle est l'arête arrière. Avant même d'avoir prononcé le dernier mot de ces phrases, je me suis rendu compte que j'avais complètement perdu la maîtrise de la situation. Sept des huit garçons avaient pris leur tube de colle et, sans faire de trou d'aiguille dans le bout, l'avaient serré jusqu'à ce qu'il éclate. Ils avaient barbouillé de colle n'importe quel côté de l'aile et l'avaient fourré contre le fuselage. Le seul garçon qui avait fait attention était mon fils.

Les trois seules choses que cette expérience m'a enseignées, c'était à quel point mon fils était un bon artisan, quelle habileté il fallait pour contrôler un groupe d'enfants — même réduit à huit — et quel piètre chef de groupe je faisais. Aux deux séances suivantes, j'ai eu un peu plus de succès, mais rien qui me rende fier de moi.

Depuis ce fiasco d'il y a trente-cinq ans, j'observe attentivement les enseignants en action chaque fois que j'en ai l'occasion. Je me suis rendu compte que, dans les premières classes, l'institutrice (disons qu'il s'agit d'une femme) doit posséder le pouvoir magnétique de l'hypnotiseur pour conserver l'attention de son groupe heure après heure. Son regard doit englober chaque élève à tout instant. Sa voix doit être insistante, même si elle est calme, pour pénétrer dans chaque tête récalcitrante. Aussitôt qu'un garçon commence à distraire les autres, elle doit fixer son regard sur lui, diriger sa voix vers lui, comme si elle l'attrapait dans quelque filet invisible et qu'elle l'immo-bilisait.

J'ai beaucoup d'admiration pour les qualités de leadership des enseignants du primaire. Enseigner dans une faculté de médecine, comme je l'ai fait, est beaucoup plus facile, parce que les étudiants sont résolus à apprendre la matière quand ils la croient importante.

Le photographe-rédacteur qui m'a accompagné à l'école de Greenwich Village utilisait un petit magnétophone. J'ai trouvé intéressant qu'un des enfants tapageurs dise doucement en aparté: «Cette machine nous casse les pieds?» Il était évident que son esprit vif travaillait sur plusieurs plans à la fois.

Je me suis retiré dans une classe plus avancée, où les enfants avaient de sept à neuf ans. Quelle différence étonnante pour ce qui est de l'autodiscipline et du calme par rapport à la classe précédente! (Je me suis souvenu que Ilg et Ames avaient écrit, dans *The Child from Five to Ten,* que rien dans l'enfance n'était plus explosif que la fête d'anniversaire d'un enfant de six ans.)

Les enfants de cette classe sont restés assis paisiblement, jusqu'à ce que je pose une question à l'un d'eux et que tous m'offrent leur réponse. La moitié de ces réponses étaient sérieuses, presque adultes. Les autres enfants étaient plutôt rebelles, quelquefois légèrement sardoniques. J'ai pris conscience de voir deux côtés tout à fait opposés de l'enfance: l'enfant qui, sur le moment, s'identifie avec ses parents, qui essaie de se montrer adulte et responsable, et l'autre enfant qui, sur le moment aussi, se sent opprimé par ses parents, son école, ses frères et ses sœurs, les règlements, les obligations et les pénalités. Il rêvasse: il se voit jeter son bonnet par-dessus les moulins ou du moins il éprouve une grande satisfaction à lancer ses critiques subtiles.

Quand j'ai mentionné que j'allais réviser *Comment soigner et éduquer son enfant,* un des garçons a dit, d'un ton découragé, que ses «parents avaient lu le livre, mais qu'ils ne faisaient pas ce qu'il y était dit».

Quand j'ai demandé des suggestions, une fillette a dit doucement: «Ils pourraient se montrer plus patients.» J'ai voulu qu'on vote là-dessus: la moitié de la classe a levé la main pour exprimer son accord avec cette critique.

«J'aimerais qu'ils soient plus attentifs», a dit une autre fillette. Presque tous les autres élèves se sont dit d'accord avec elle.

Une autre enfant a lancé avec beaucoup de ferveur: «Quand ma petite sœur court partout dans la maison et laisse traîner mes jouets, ce ne devrait pas être à moi de les ranger.» La classe s'est montrée unanimement et vigoureusement solidaire de cette fillette dans les reproches qu'elle adressait à ses parents.

Un garçon s'est plaint de ce qu'une de ses sœurs n'avait aucun respect pour les jouets qui lui appartenaient à lui; je lui ai demandé s'il s'agissait d'une sœur cadette. «Bien sûr!» a-t-il répondu, comme si cela allait de soi. Un ricanement de sympathie a balayé la classe.

La plus vive réaction de la journée a été suscitée par la question suivante: «Ne peut-on dire que les enfants qui ont des frères ou des soeurs plus jeunes qu'eux sont vraiment chanceux, malgré quelques agaceries bien connues?» Tous les élèves ont répondu avec véhémence: «Non!»

Quelques plaintes ont été formulées au sujet des sœurs et des frères aînés qui bousculent les plus jeunes ou les mènent par le bout du nez. Mais celles-ci étaient relativement bénignes. Même si je suis bien au fait du ressentiment éprouvé à l'endroit des frères et des sœurs, pour en avoir déjà discuté avec des enfants, j'ai été surpris de la vigueur avec laquelle il est concentré sur les enfants plus jeunes.

J'ai demandé aux élèves s'ils croyaient qu'on devrait leur permettre de choisir leur heure pour se coucher. Comme on pourrait s'y attendre, l'idée de veiller aussi tard que l'on veut plaisait à certains. Mais j'ai été surpris de voir le nombre d'entre eux qui étaient satisfaits de laisser leurs parents les protéger de la fatigue. Une fillette a avancé que peut-être les enfants ne trouveraient pas si intéressant de veiller tard s'ils avaient l'occasion de le faire. La majorité en sont venus à un compromis: veiller tard le samedi.

Je leur ai dit que, à une réunion du Mouvement de libération de l'enfant, on avait proposé de donner aux enfants le droit de quitter la maison quand ils étaient fâchés, et je leur ai demandé s'ils étaient d'accord. «Non!» a été leur réponse unanime et retentissante.

Un petit garçon rieur a raconté une histoire longue et compliquée de larcin. Il avait demandé à sa mère de lui donner tel montant d'argent pour quelque raison plausible, puis avait extorqué la même somme à son père, sans lui dire qu'il l'avait déjà obtenue de sa mère. Il a fini par se faire attraper. Mais il ne manifestait aucun remords en racontant son histoire. Ses camarades de classe étaient plus amusés que choqués, bien que l'on n'ait pas mis cette question au vote.

Après réflexion, la classe était unanime pour dire que les parents ne devraient jamais frapper leurs enfants. Un des élèves a ajouté que si l'enfant pleure et continue de pleurer quand ses parents lui disent de cesser, et que ces derniers le frappent, celui-ci ne fera que pleurer davantage.

Quand je préparais ma visite à cette école, j'avais pensé que les enfants seraient bien contents d'avoir l'occasion de formuler des critiques sur leurs parents de cette manière indirecte et relativement anonyme. J'avais cru que les votes seraient majoritairement opposés à la domination des parents, et en faveur de la liberté, sinon de l'anarchie.

J'ai donc été étonné par le ton raisonnable des critiques et par les limites à leur liberté que les enfants sont disposés à accepter.

Je crois utile de répéter que les enfants, en grandissant, non seulement ressentent des émotions d'enfants, agissent comme des enfants et, souvent, se conduisent mal comme des enfants, mais aussi s'identifient aux parents. Ils observent les choses apparemment excitantes que font les parents: conduire une voiture, retirer de l'argent de la banque, aller à des soirées. Mais ils sont aussi conscients des choses moins intéressantes que ceux-ci doivent faire: réprimander les enfants qui font des dégâts, qui cassent des choses, qui ne portent pas leurs gants ou leurs bottes, qui se querellent si bruyamment que la mère en a mal à la tête. On voit parfaitement bien que cette identification se fait clairement quand on observe les enfants qui semoncent leurs poupées, les grondent, les punissent.

Fait moins connu, mais aussi important, les parents s'identifient également à leurs enfants. C'est pourquoi ils adoptent leur babil pour s'adresser à eux, en mettant l'accent sur un mot ou deux afin d'être mieux compris. C'est pourquoi ils achètent les jouets très simples qui, à leur avis, intéresseront l'enfant durant les premiers mois de son développement. C'est pourquoi ils se tiennent près du petit quand ils craignent de le voir se mettre en mauvaise posture.

Vous croyez peut-être que ces gestes des parents sont tellement évidents et universels qu'il n'est pas besoin d'en parler? Les observations ont révélé que certains parents ne sont aucunement en contact avec la situation ou les sentiments de leur bébé. Par exemple, ils tiennent le biberon d'une façon qui ne permet pas au lait d'arriver à la tétine, ils étreignent bébé quand celui-ci essaie de se libérer, ils le font sautiller ou lui baragouinent des bêtises quand il tombe de sommeil ou qu'il pleure de fatigue.

Ayant eu cinq sœurs et frères cadets, je me souviens clairement de l'expression bizarre de ma mère quand elle nourrissait le plus jeune, à qui elle s'identifiait. (Elle *adorait* les bébés.) En avançant la cuiller remplie vers le bébé, elle ouvrait la bouche et faisait ressortir sa lèvre inférieure, comme si c'était elle qui allait recevoir la céréale et qu'elle essayait de l'empêcher de dégouliner sur son menton.

Les bons parents ne cessent d'anticiper les joies et les peines de leur enfant, et de sympathiser avec lui. Ils sentent que le petit s'émerveillera devant la pelle mécanique ou les éléphants. Ils lui expliquent le fonctionnement du batteur à œufs, le comment et le pourquoi des orages. Ils le rassurent en lui disant que ses douleurs et ses blessures ne vont pas durer, que ses cauchemars ne sont que des cauchemars.

L'identification éclairée des parents à leur enfant — ou son absence — est déterminante. C'est ce qui fait la différence entre les enfants éveillés et les enfants mornes, entre les enfants moutonniers et les enfants créatifs, entre les enfants timides et les enfants sociables. L'aptitude des parents à s'identifier à leur enfant est aussi essentielle au développement de l'enfant que l'aptitude de ce dernier à s'identifier à ses parents.

HUITIÈME CHAPITRE

Relations difficiles

- L'ENFANT QUI VOUS IRRITE
- LES VOISINS DIFFICILES
- L'ENTENTE AVEC LE PÉDIATRE
- LA COMPÉTENCE DE L'ENSEIGNANT DE L'ENFANT

• L'ENFANT QUI VOUS IRRITE

«Je ne sais comment agir avec mon mari, m'écrit une correspondante. Jacques est un père merveilleux. Il ferait n'importe quoi pour nos deux fils, j'en suis sûre. Ce qui m'inquiète, c'est qu'il passe beaucoup de temps avec Carl, mais semble éviter André. Comment dire? Jacques n'est ni froid ni méchant avec lui. On dirait qu'il l'*aime* moins, et je ne comprends pas. André en est blessé, je le sens. Lui et son père ne se sont pas bien entendus ces derniers temps.»

De nombreux parents — des mères comme des pères — m'écrivent pour me confier le même problème: un de leurs enfants les intéresse moins que les autres. Ils présument que cela signifie qu'ils aiment moins cet enfant-là. Mais ce n'est pas si simple. Bien sûr, ils réagissent différemment aux qualités particulières de chacun de leurs enfants. Un parent, par exemple, peut apprécier les aptitudes en athlétisme; un autre, les aptitudes intellectuelles. Certains parents accordent beaucoup d'importance à la sociabilité; d'autres, à l'introspection et à la sensibilité. De la même façon, un parent peut s'irriter de la tendance à tout remettre au lendemain; un autre, de l'hyperactivité.

Cependant, tous les bons parents aiment leurs enfants également, dans le sens qu'ils se consacrent également à chacun. Ils leur achètent vêtements et jouets, les éduquent au mieux de leurs connaissances, essaient de satisfaire leurs besoins affectifs et les soutiennent quand ils ont des ennuis. C'est cet attachement profond qui donne aux enfants un sentiment d'appartenance. C'est de loin l'aspect le plus important de l'amour.

Pour voir la même question sous un autre angle, rappelons-nous que nous pouvons aimer profondément notre meilleur ami ou notre conjoint, tout en étant, à l'occasion, contrariés par un de ses traits ou une de ses habitudes qui n'énerveraient pas nécessairement quelqu'un d'autre.

Nous sommes tous humains. Que nous le manifestions ou non, nous sommes généralement désappointés par l'enfant qui n'a pas la qualité à laquelle nous attachons une grande importance. Pour certains parents, toutefois, le problème est plus douloureux: un de leurs enfants les irrite, non pas occasionnellement, mais la plupart du temps et, peut-être, sans raison qui semble suffisante.

La cause la plus fréquente de ce type d'incompatibilité, c'est le sentiment d'antagonisme qui accable les parents depuis l'enfance, sentiment qui à l'origine était dirigé contre une sœur, un frère, la mère ou le père. Je pense, par exemple, à la mère d'un petit garçon de cinq ans. Enfant, elle en avait beaucoup voulu à son frère aîné, une espèce de brute qui lui arrachait ses jouets et dérangeait ses jeux tranquilles. À ses yeux à elle, il était également le favori des parents, celui qui recevait le plus d'attention et à qui on accordait le plus de privilèges. Une fois adulte, cette femme a reporté ses sentiments négatifs sur son fils qui, d'une certaine façon, lui rappelait son frère.

Une autre cause fréquente d'incompatibilité parent/enfant se trouve dans le fait que certains traits de l'enfant rappellent au parent des traits qu'il n'aime pas en lui-même, ou pour lesquels il a été critiqué, ou encore dont il a eu honte durant son enfance. Un père que je connais avait souvent été harcelé par d'autres garçonnets à cause de sa timidité. En raison de ces expériences humiliantes, il est aujourd'hui plutôt intolérant avec son fils qui, par coïncidence, est doux et peu assuré. Il se peut que les parents ne se rendent pas compte que les problèmes causés par les défauts qu'ils avaient, enfants — comme la tendance à tout remettre au lendemain, le manque de cœur, la trop grande susceptibilité — les rendent particulièrement critiques à l'égard de traits semblables chez leur enfant.

Si c'est votre aîné qui vous tombe sur les nerfs (c'est souvent le cas), il se peut que ce soit parce que, comme la plupart des parents, vous êtes engagé plus intensément avec le premier-né. Vous voulez que cet enfant ait toutes vos qualités et aucun de vos défauts. Au moment où vos autres enfants arrivent, vous êtes sans doute suffisamment détendu pour les considérer comme des individus distincts de vous dont vous admettez les idiosyncrasies.

Les parents honnêtes avec eux-mêmes acceptent de réagir différemment selon l'enfant. Mais certains autres ne peuvent s'empêcher de se sentir coupables.

Les enfants perçoivent toujours les sentiments de culpabilité de leurs parents. Leur réaction habituelle est de punir le parent coupable, par exemple, en refusant toute coopération, en se montrant impolis, exigeants ou passifs. Cette attitude de leur part contrarie davantage le parent qui se sent alors plus coupable qu'auparavant. C'est un cercle vicieux que les parents ne peuvent généralement briser qu'en surmontant leur culpabilité et en prenant des mesures constructives pour améliorer la situation.

La première mesure à adopter est la fermeté avec l'enfant qui vous harcèle de ses demandes excessives («Pourquoi ne puis-je avoir une poupée aussi grosse que celle de Suzie?»), de ses critiques («Cette nourriture est infecte!») ou de ses insultes («Tu es une mauvaise mère!»). Si, au fond de vous-même, vous croyez mériter d'être puni, vous essayerez peut-être d'endurer en silence ces comportements, mais tôt ou tard vous exploserez. Une meilleure réaction (plus difficile aussi) serait de prendre la situation en main, sans colère, mais avec fermeté. Dites simplement: «Si tu ne veux pas jouer avec ta poupée, amuse-toi avec un autre jouet» ou: «Ne sois pas insolent, cela me fait de la peine.» Si l'enfant continue de vous harceler, dites: «Je n'ai plus envie de discuter avec toi», et cessez de discuter.

Si une petite fille se plaint à sa mère ainsi: «Tu aimes Danny plus que moi», cette dernière répondra tendrement, sans se mettre sur la défensive ni faire d'histoires, en enlaçant son enfant: «Je vois pourquoi tu pourrais penser cela. Il est difficile de rester fâché avec Danny, parce qu'il est si drôle. J'aime son sens de l'humour. Et je t'aime, toi, pour bien des raisons. Parce que tu travailles fort et que tu réussis bien à l'école. Parce que tu aimes aider les autres et que tu es gentille. Quand tu grandiras, je suis sûre que tu viendras me rendre visite, aussi loin que tu habites.» Cette mère ne critique pas son fils pour consoler sa fille. Elle déplace l'objet de la conversation pour vanter les mérites de sa fille.

Si mère et fille ne s'entendent vraiment pas, la franchise est importante dans ce cas-là aussi, car elle pourrait bien dissiper les malentendus. «Je suis souvent de mauvaise humeur avec toi, pourra dire la mère, et cela me chagrine. Je sais que tu te mets en colère contre moi aussi. Peut-être est-ce parce que nous sommes trop semblables. Nous connaissons trop bien nos défauts mutuels. La prochaine fois que je te mettrai de mauvaise humeur, dis-le-moi, je t'en prie. Nous pourrons alors parler de ce que tu ressens.» Ainsi, la fillette saura que sa mère accepte sa colère, qu'elle souhaite mieux s'entendre avec elle et qu'elle l'aime profondément.

La deuxième mesure à prendre par le parent, c'est de complimenter occasionnellement son enfant au sujet d'une de ses qualités ou d'un travail bien fait. Si vous vous contentez d'éviter l'enfant, vous risquez que votre relation ne change jamais, voire qu'elle empire. Par exemple, le mari de la femme qui m'a écrit la lettre dont j'ai fait mention plus haut pourrait dire à son fils que, malgré leurs différences, il l'aime beaucoup. Cela plaira au garçon qui se montrera de meilleure composition pendant un certain temps. Dès lors, le père trouvera plus facile de complimenter son fils et de passer un peu de temps avec lui. Leurs activités doivent être choisies avec soin, cependant, pour qu'elles ne jouent pas contre eux. Si le père est mécontent parce que son fils est maladroit et peu porté vers les sports, il n'est pas question de jouer au basket avec lui. L'enfant pourrait bien ne jamais se plaindre mais, au fond de lui, il ne se sent pas en sécurité. Sa façon d'affronter cette situation — être de mauvaise humeur, refuser de coopérer, se montrer agressif ou pleurnicher — pourrait l'aggraver. Les parents doivent tout faire pour empêcher cette réaction en chaîne de sentiments négatifs. S'ils sont disposés à manifester leur amour, ils constateront que l'enfant l'est aussi.

Si la relation ne s'améliore pas, un psychologue pourra venir en aide au parent et, peut-être, à l'enfant.

• LES VOISINS DIFFICILES

La plupart du temps, il est agréable d'avoir des voisins — adultes et enfants. Mais dans presque tous les quartiers, il y a des gens exécrables qui rendent la vie difficile à vos enfants et à vous-même, et qui constituent un problème.

Je mentionnerai d'abord les adultes désobligeants toujours à l'affût des intrus et qui descendent comme des oiseaux de proie sur les pauvres enfants qui ont eu le malheur de poser un pied sur leur gazon. Les enfants aguerris ne sont pas dérangés par les voisins grognons; ils aiment les taquiner en courant sur leur pelouse ou en y jetant des déchets. Mais le jeune enfant sensible est souvent troublé par les histoires exagérées qu'il entend au sujet des voisins malveillants. Il se peut qu'il ait fait un cauchemar à leur sujet et pourrait bien avoir peur de passer devant leur maison.

Les parents peuvent être efficaces dans ces cas-là en infirmant les histoires fantaisistes et en expliquant à l'enfant qu'il y a beaucoup de gens grognons dans le monde, toujours prêts à se fâcher, et qu'il faut simplement éviter de les provoquer.

Les enfants apprennent de leurs parents leur façon de voir les comportements et les gens étranges. Si les parents sont offensés ou alarmés, les enfants seront encore plus troublés. Si les parents voient les excentriques comme une exception faisant partie de la vie, les enfants apprendront à faire de même. Je me souviens clairement jusqu'à quel point ma mère, qu'effrayaient peu d'hommes ou de bêtes, se raidissait quand nous croisions un homme ivre dans la rue; toute mon enfance, j'ai présumé que les hommes ivres étaient de dangereux monstres.

Le plus ennuyeux des voisins enfants, c'est le petit dur qui s'amuse à s'en prendre aux plus jeunes que lui, qui les taquine, leur fait mal ou les effraie par des menaces. Il s'agit en général d'un garçon. Il n'y a pas de solution simple à ce problème. Si les parents voient la petite brute comme un monstre cruel, leur enfant aura encore plus peur de lui et le manifestera indirectement quand il le rencontrera, ce qui attisera le sadisme de la petite peste.

Enfant, j'avais peur de tous les petits durs et de tous les chiens. À bien y penser, je me rends compte maintenant que ces craintes devaient transparaître dans mon comportement, ce qui n'était sûrement pas sans susciter quelque taquinerie de la part de tout chenapan rencontré dans la rue. Je me souviens que, à huit ans, en me rendant au centre-ville de New Haven pour assister à mon cours de gymnastique du samedi matin, j'avais vu venir un groupe de petits durs de l'autre côté de la rue. Je m'étais dépêché en me gardant bien de regarder dans leur direction. Mais ils ont remarqué ma peur et ont traversé la rue comme un essaim, pour m'accoster. L'air farouche, l'un d'eux m'a lancé: «Tu veux te battre?», tout en enlevant son manteau. Alors que ses bras étaient encore pris dans les manches de son manteau, j'ai fait un tour sur moi-même et j'ai couru, plus vite que je ne l'avais jamais fait auparavant et que je ne l'ai jamais fait depuis, trop vite pour que quiconque puisse me rattraper. Sans me retourner ni m'arrêter pendant un kilomètre.

Si les parents se lancent à la poursuite de l'enfant qui a malmené le leur ou s'ils téléphonent à ses parents, la victime en viendra à croire qu'elle ne peut se protéger en l'absence de ses parents. Aussi, je crois préférable que les parents adoptent une attitude philosophique: les enfants doivent livrer leurs propres batailles. Cependant, si l'un d'eux est constamment malmené par un enfant plus grand, ils décideront alors s'ils doivent parler au petit dur ou téléphoner à ses parents. De préférence, il faut éviter que l'enfant souffre-douleur soit au courant de cette intervention.

Pour empêcher que vos enfants grandissent dans la crainte des autres enfants, je crois qu'il est important de les habituer à jouer régulièrement avec eux, dès qu'ils marchent. À cet âge, ils sont moins vulnérables et il est moins probable que la peur des autres enfants naisse en eux. S'ils peuvent apprendre à bien réagir aux coups et aux petits vols de jouets occasionnels, cela les protégera des petits durs jusqu'à un certain point, parce que ces derniers aiment surtout s'en prendre aux enfants qui ont peur.

Il y a ensuite l'enfant du voisin qui, même si on l'a souvent réprimandé, persiste à vouloir engager dans des jeux sexuels des enfants de son âge ou plus jeunes. Je ne pense pas ici aux enfants de trois, quatre ou cinq ans qui glissent facilement et naturellement dans des jeux sexuels avec les enfants de leur âge, en jouant au médecin, en se regardant ou en se touchant mutuellement. La plupart des enfants de cet âge cesseront de le faire (du moins temporairement) à la demande des parents.

L'enfant auquel je pense est généralement âgé de sept à douze ans et a la réputation d'être désobéissant et fauteur de troubles. C'est souvent un enfant négligé par ses parents et qui hante les foyers d'autres enfants, généralement plus jeunes que lui, parce qu'il s'entend mal avec ceux de son âge. Ce n'est ni un enfant charmant ni un compagnon de jeu souhaitable. Les jeux sexuels amorcés par un enfant plus grand peuvent troubler plus profondément le jeune enfant, parce qu'il lui est plus difficile d'y résister ou de comprendre.

Que doivent faire les parents dans ces situations? Parlons d'abord de l'attitude à prendre quand votre enfant vous dit qu'on lui a proposé des jeux sexuels. Je dirais à mon fils ou à ma fille que je ne crois pas que les jeux sexuels soient indiqués durant l'enfance, que le sexe est réservé aux adultes. Je lui expliquerais que je ne veux pas qu'il s'y prête et qu'il doit le dire à l'autre enfant. (D'autres parents ont sûrement d'autres idées à ce sujet.) À mon avis, il n'est pas nécessaire, ni sage, de culpabiliser un enfant au sujet du sexe ou de lui donner l'impression qu'on lui a fait du mal ou qu'il a été corrompu par les gestes d'un autre enfant. Mieux vaut ne pas dramatiser la situation.

Quelle attitude adopter avec l'enfant qui a amorcé les jeux sexuels? Je pense qu'il convient, surtout s'il persiste dans ses tentatives, de lui dire carrément mais calmement, la prochaine fois que vous le verrez, que vous ne voulez pas qu'il se comporte ainsi avec votre enfant. Si votre demande reste sans effet, vous demanderez à votre enfant de ne plus jouer avec lui du tout ou vous envisagerez de parler aux parents.

Le problème le plus courant pour ce qui est d'approcher les parents de l'autre enfant — parce qu'il a amorcé des jeux sexuels avec le vôtre, qu'il l'a malmené ou qu'il lui a dérobé des jouets —, c'est que dans la famille où ces choses se produisent, les parents sont souvent irresponsables et risquent de se mettre en colère contre quiconque critique leur progéniture.

Si c'est votre enfant que l'on accuse de s'en prendre aux petits, de les voler ou de les entraîner dans des jeux sexuels, il est sage, je pense, que vous écoutiez courtoisement les doléances des parents, même si votre première réaction est de croire qu'il y a erreur. C'est le meilleur moyen de calmer l'indignation du voisin qui se plaint. Plus important encore, c'est le moyen le plus rapide de refaire, dans le voisinage, la bonne réputation de votre enfant et de votre famille en général. Inversement, le fait de vous fâcher et de refuser d'entendre le voisin l'indignera encore davantage. Votre attitude coopérative et attentive rassurera le voisin: vous veillerez à empêcher toute récidive.

Supposons que le problème soit le suivant: vous venez d'emménager dans un nouveau quartier et les enfants du voisinage refusent d'inclure le vôtre dans leurs jeux. C'est assez courant, les enfants créant souvent des groupes très fermés, surtout entre six et douze ans.

Vous pourrez acheter un peu de popularité pour votre enfant pendant un certain temps en traitant particulièrement bien les enfants du voisinage. Servez-leur des jus, des fruits, des craquelins ou des biscuits au milieu de la matinée et de l'après-midi. Invitez les enfants à manger, de préférence un à la fois, sinon le petit groupe pourrait ignorer votre enfant de façon subtile. Servez les mets que tous les enfants préfèrent: des hamburgers ou des hot-dogs. Emmenez l'enfant d'un voisin quand vous allez au zoo, au musée, au stade, ou quand vous allez pique-niquer. (Ces suggestions sont particulièrement efficaces pour les parents qui vivent dans un appartement et qui n'ont pas de jardin où rassembler et faire jouer les enfants.)

Si votre enfant n'attire vraiment pas les autres, vous ne pouvez acheter son acceptation par le groupe. S'il est particulièrement charmant, vous n'aurez même pas besoin d'essayer. Ce que je dis, c'est que les petites faveurs incitent les enfants à laisser tomber les barrières plus rapidement, afin que le nouveau venu ait l'occasion de montrer ses qualités.

Disposer d'un jardin constitue un avantage de taille. Si vous avez de jeunes enfants, vous devriez pouvoir les surveiller, ainsi que les enfants de vos voisins, la majeure partie du temps, si vous faites de votre jardin un endroit populaire auprès des jeunes. Cela vous aidera à maîtriser les comportements difficiles des autres enfants et des vôtres.

Ma mère, qui aimait bien avoir la main haute sur tout, recourait avec succès à cette méthode. Dans notre jardin, il y avait un grand carré que l'on remplissait de beau sable blanc chaque printemps. Il y avait aussi une balançoire d'un modèle inhabituel. Le siège mesurait plus d'un mètre de largeur et il était retenu par quatre câbles verticaux. Trois enfants assis pouvaient se balancer à la fois. Six pouvaient se balancer debout, trois face à trois. Il y avait aussi un jeu de bascule et un autre appareil que je n'ai jamais vu ailleurs: une large planche longue de trois ou quatre mètres, soutenue à chaque extrémité par un chevalet fixé au sol.

Pendant quelques années, nous avions même un petit manège. Il ressemblait à un jeu de bascule, mais au lieu de se déplacer sur un plan vertical, il tournait à l'horizontale. Trois cerisiers invitaient les enfants à grimper à leurs branches. Notre jardin était toujours grouillant d'enfants, notamment de jeunes Spock. Nous n'avions pas bâti de maison dans un arbre. Mais ces maisons ont toujours la faveur des enfants, même montées sur pilotis.

Jusqu'à quel point, à titre de parents, peut-on diriger les enfants du voisinage? Je dirais: autant qu'il le faut quand ces enfants sont chez vous. Cependant, comme quand il s'agit de diriger vos propres enfants, je crois qu'il est important d'essayer de ne pas toujours les gronder. Essayez de devenir un leader bienveillant, mais ferme. Vous pouvez surveiller les enfants sans vous ingérer dans leurs affaires.

Si la situation devient intenable — je ne parle pas des petites querelles ou des petits coups assenés çà et là —, nul besoin de vous lancer au milieu du jardin, criant vos reproches, pour qu'un des enfants se sente le vilain et l'autre, le martyr. Sortez de la maison comme si vous aviez envie de prendre l'air. Les hostilités cesseront généralement sur-le-champ. Les enfants les plus querelleurs sauront ainsi que vous n'êtes jamais bien loin.

Bien sûr, il y aura des occasions où vous devrez expliquer à de jeunes enfants comment partager et comment discuter sans arracher le jouet des mains de l'autre et sans se frapper mutuellement. Vous devrez peut-être aller encore plus loin, de temps à autre, et vous montrer très ferme avec un enfant difficile. Mais, dans tous les cas, même dans celui-là, il est plus efficace à long terme de ne pas apparaître comme l'ennemi, puisque le comportement répréhensible de l'enfant provient sans doute de ce qu'il ne se sent pas aimé. Passez affectueusement le bras autour de l'enfant quand vous vous expliquez. Invitez-le à une excursion ou à un repas.

• L'ENTENTE AVEC LE PÉDIATRE

Nul besoin, sans doute, de vous rappeler que les médecins sont des êtres humains comme les autres — comme les parents — et que chacun est unique. Qu'on ne s'étonne donc pas s'il arrive que les parents aient de la difficulté à en trouver un qui leur convienne, à eux et à leur enfant. N'oubliez jamais que la relation entre parents, enfants et médecin de famille ou pédiatre est intime et fort importante. Que cette relation soit satisfaisante ou frustrante dépend en partie de vous.

La première chose à faire pour obtenir ce que vous voulez, c'est d'effectuer le choix du médecin avec le plus grand soin. Certains parents aiment que le médecin leur donne beaucoup de détails et qu'il soit particulièrement précis; d'autres recherchent plutôt un médecin qui soit très détendu et dont l'attitude soit amicale. Il y a des parents qui préfèrent un médecin plus âgé, bien établi dans sa pratique; d'autres, un médecin dont l'âge soit proche du leur. Certains veulent comme médecin un homme, d'autres une femme. Quand vous demandez l'avis d'amis ou de médecins d'autres disciplines (comme l'obstétrique), exprimez vos préférences.

Deuxièmement, prenez rendez-vous avec un ou plusieurs médecins pour une visite d'exploration et une entrevue. Cette première rencontre est l'occasion de découvrir qui est le médecin et s'il vous convient.

Si j'étais un parent qui attend son premier enfant, je dirais à mon médecin que je suis du type anxieux (même s'il n'en est rien) et que j'envisage de poser beaucoup de questions — peut-être des questions sottes — durant les premières semaines de mon bébé. J'observerais alors sa réaction. Se raidit-il à la pensée de centaines de questions futiles qui lui feront perdre du temps? Ou rit-il de façon rassurante, en précisant qu'il s'attend toujours à une foule de questions au cours des premières semaines? Parlons des questions «sottes», parce qu'elles constituent un problème pour de nombreux parents durant les deux ou trois premiers mois du bébé. Je n'exagère pas quand je dis que la moitié des questions que vous voudrez jamais poser au médecin vous viendront durant cette période. Vous avez droit à une réponse. Si on vous a persuadé que vous allez devenir un enquiquineur, vous passerez la plus grande partie de votre temps à bouillir à l'intérieur, avide d'être informé ou rassuré, mais craignant d'irriter le médecin. Il ne devrait pas en être ainsi.

Je vous conseille de tâter le terrain à ce sujet avec le médecin que vous envisagez de choisir. S'il montre des signes d'impatience, laissez-le tomber. Si vous êtes déjà engagé, essayez de changer son attitude. Osez lui dire que vous avez l'impression que vos nombreuses questions l'ennuient. S'il est relativement bon médecin, il s'excusera et vous encouragera à lui poser vos questions. Par ailleurs, s'il laisse entendre que vous posez trop de questions, moi, à votre place, je le laisserais tomber et je m'en trouverais un autre.

Les parents, bien sûr, ne sont pas les seuls à qui le médecin devrait plaire. Le patient, c'est l'enfant, et le médecin devrait lui plaire, autant que le peut une personne qui brandit une seringue. Certains médecins se donnent la peine de se lier d'amitié avec l'enfant et de lui parler directement lorsque cela convient. Si l'enfant a peur et qu'il commence à pleurer, le médecin ne doit pas être brusque. Il devrait donner au parent présent le temps de réconforter l'enfant. (Je sais que ce parent sera généralement la mère, mais je profite de l'occasion pour encourager le père à assumer sa part de responsabilité dans les soins à l'enfant.) Si votre médecin ignore votre enfant et vous parle comme si celui-ci n'était même pas là, c'est à vous qu'il incombe de l'inclure dans la conversation. Si le médecin ne perçoit pas vos allusions, vous devriez sans doute en chercher un dont les priorités sont plus proches des vôtres.

Autre source de frustration pour les parents: la consultation au téléphone. La plupart des pédiatres réservent une heure, en général tôt le matin, pour que les parents les appellent, quand il n'y a pas d'urgence ni d'évolution dans telle maladie. Mais la tonalité d'occupation qui dure une heure ne manque pas d'irriter bon nombre de parents.

Vous en voudrez moins au médecin si vous prenez conscience que cet encombrement des lignes est souvent causé par les parents qui n'ont pas compris le but de la consultation téléphonique. Dans les premières années de ma pratique, une mère m'avait réveillé à 7 h du matin, un dimanche, pour me dire qu'elle avait une liste de problèmes dont elle voulait discuter avec moi. Si j'avais eu plus d'expérience, je lui aurais dit d'un ton amical qu'une visite à mon cabinet était plus indiquée pour les longues conversations. Pendant la consultation téléphonique, le médecin répondra brièvement aux questions qui angoissent les parents durant les quelques semaines qui suivent la naissance, et les parents lui feront part d'une éventuelle nouvelle maladie (une consultation en cabinet est-elle souhaitable?), en plus de l'informer de l'évo-lution d'une autre maladie ayant déjà fait l'objet d'une discussion.

Certains parents se plaignent de ce que leurs visites au cabinet du pédiatre ne sont pas assez longues. Quand la mère a apporté une liste de questions, il se peut qu'elle en ait posé la moitié seulement au moment où le médecin se lève, comme pour prendre congé d'elle. Ou il se peut qu'il essaie de la réconforter de façon paternelle, sans prendre ses inquiétudes au sérieux. Votre médecin pourrait ne pas se rendre compte de l'impression qu'il donne. Tôt dans ma pratique, j'ai vécu une expérience qui m'a appris quelque chose de précieux. Une mère à la langue bien pendue m'a demandé, abruptement: «Combien de temps exactement ces consultations sont-elles censées durer?» Remis de ma surprise, je lui ai répondu qu'il s'agissait de consultations d'une demi-heure. «Ravie de l'entendre, a-t-elle rétorqué, parce que chaque fois que je viens ici, j'ai l'impression qu'on me bouscule.»

Voilà que j'étais encore plus surpris. J'avais toujours cru prendre mon temps avec mes clients, mais j'ai pris conscience de ce que cette mère avait perçu. J'étais frustré, à cette époque, de ne pouvoir encore faire vivre ma famille. Nous étions à New York, en 1933, dans le creux de la Crise; quand je me suis lancé en pédiatrie, j'avais très peu de clients. Je faisais aussi un travail de pionnier en essayant d'établir un rapport entre les théories de la psychanalyse et les problèmes quotidiens au sujet desquels les mères me demandaient des conseils, comme la succion du pouce et la résistance au sevrage. La tâche était difficile parce que, à ce moment-là, personne n'avait encore étudié ces faits ou publié d'articles à ce sujet. (La réponse habituelle avait toujours été: «Sucer son pouce est une mauvaise habitude que vous éliminerez en mettant une substance au mauvais goût sur le pouce de l'enfant, en lui mettant des moufles d'aluminium ou en lui attachant les bras aux barreaux du berceau.») Toutes ces tensions me rendaient la vie dure et, sans m'en rendre compte, je les transmettais à mes clients. Dès lors, je me suis efforcé d'adopter une attitude détendue et attentive, trait le plus précieux et le plus apprécié chez le médecin.

La plupart des médecins subissent toutes sortes de tensions. Si le vôtre semble vous bousculer, votre premier recours est de lui parler franchement. Pour être franc, nul besoin de lui lancer des accusations avec agressivité. Celles-ci tendent à mettre les gens — les médecins aussi — sur la défensive. Le parent plein de tact dira plutôt: «Il se peut que ce soit dû en partie à une trop grande sensibilité de ma part, mais je crois que nous avons tel ou tel problème.» Le fait que le parent soit prêt à assumer sa part de la responsabilité du malentendu invite le médecin à se montrer lui aussi humble et généreux.

Si vous faites part franchement à votre médecin de ce que vous voulez, vous le corrigerez peut-être pour le bien de ses autres patients et pour son propre bien. Mais s'il ne peut ou ne veut changer, vous restez toujours le maître. Changer de médecin demeure le privilège des parents. C'est simple, il vous suffit de ne plus retourner à son cabinet. Nul besoin de l'appeler et de justifier votre position. Demandez conseil à des amis ou à l'hôpital de votre localité, et essayez un autre médecin. C'est aussi simple que cela; à moins que vous ne viviez dans une petite ville où il n'y a qu'un seul médecin.

• LA COMPÉTENCE DE L'ENSEIGNANT DE L'ENFANT

À propos de l'enseignant, je dirais que le critère de loin le plus important, c'est le fait que votre enfant l'aime ou ne l'aime pas.

Vous demanderez peut-être: «Et si l'enfant préférait celui qui n'est pas un enseignant efficace mais qui recherche la popularité en se montrant agréable et en rendant les cours trop faciles?» Cette crainte est bien logique, mais sans aucun fondement, si j'en juge par mon expérience. Au contraire, les enfants critiquent hardiment les enseignants peu exigeants. Je les ai entendus dire: «Untel est bien gentil, mais il ne nous apprend pas grand-chose.»

Les enfants apprennent le mieux quand ils s'identifient à un adulte qu'ils aiment et admirent, et qui les aime. Dans les nombreuses régions du monde où les écoles n'existent pas, les enfants apprennent la pêche, la chasse, l'agriculture, le tissage, la cuisine ou les soins à prodiguer aux bébés en s'identifiant avec enthousiasme au parent du même sexe, qu'ils aiment et admirent, et à l'image duquel ils veulent grandir. À l'autre bout de l'échelle, on peut voir dans les centres hospitaliers universitaires que les jeunes internes apprennent à devenir médecins en prenant comme modèles les vieux médecins qu'ils admirent et qui les respectent. (Aucun élève, quel que soit son âge, ne veut prendre pour modèle un enseignant qui ne l'aime pas.) Quand les enfants aiment un enseignant, c'est que ce dernier les aime et essaie de comprendre leurs problèmes individuels. Cette attitude est déterminante pour la qualité de l'enseignement.

En général, on a tort de croire que les matières étudiées par les enfants à l'école sont difficiles à apprendre et que, par conséquent, elles requièrent des connaissances techniques particulières de la part des enseignants ou un dur travail des élèves. Les matières enseignées à chaque niveau sont relativement faciles pour la plupart des élèves, *pourvu* qu'ils ne prennent pas peur ou qu'ils n'aient pas de blocage à un moment donné. Les blocages se produisent quand l'élève a peur de l'enseignant ou qu'il craint de ne pas comprendre ou de ne pas être capable de comprendre. La bienveillance de l'enseignant et sa patience dans la recherche de la cause du blocage, ainsi que son désir d'aider l'élève à s'en sortir, sont des facteurs essentiels de l'efficacité de l'enseignant.

Une autre raison, bien sûr, peut expliquer pourquoi certains enfants n'arrivent pas à apprendre: leur capacité d'apprentissage pourrait ne pas correspondre à la matière présentée en classe, parce qu'ils sont moins intelligents que la moyenne ou encore parce que les attentes de l'enseignant ne sont pas réalistes. À huit ans, je faisais partie d'une petite classe de six élèves où l'enseignant mal formé m'a précipité sans préparation dans les longues divisions. Elles me semblaient si compliquées, si impossibles à faire que j'en pleurais chaque jour. Le problème, c'est que peu d'enfants de cet âge sont capables de faire ces longues divisions.

Par «capacité d'apprentissage» on ne signifie pas seulement intelligence. Dix pour cent des garçons d'intelligence moyenne éprouvent de la difficulté à se rappeler la position et la forme des lettres. Ils confondent les lettres *b* et *d,* par exemple. Voilà qui, d'abord, les ralentit dans l'apprentissage de la lecture. Mais plus grave encore est la diminution de leur confiance en eux-mêmes, et la panique qu'ils ressentent à la pensée qu'ils ne pourront peut-être jamais apprendre à lire. D'autres enfants éprouvent de la difficulté à absorber certains concepts mathématiques. (Les filles sont plus susceptibles que les garçons de souffrir de cette incapacité.) Ces difficultés d'apprentissage seront pressenties par l'enseignant bien formé, diagnostiquées par des tests et traitées par des méthodes spéciales.

Revenons-en à l'évaluation des enseignants. Voici une autre façon de reconnaître un bon enseignant, que ce soit à la maternelle ou au secondaire: s'adresse-t-il toujours à toute la classe ou est-il capable de repérer l'individu qui s'est embourbé et de l'aider à s'en sortir?

L'enseignant médiocre menacera les élèves lents de leur donner de mauvaises notes ou de ne pas les faire passer au niveau suivant. Ces menaces paralyseront ces malheureux au lieu de les stimuler. Le travail de l'enseignant consiste à rendre le travail si compréhensible, si intéressant, si stimulant que les élèves ne peuvent s'empêcher de s'y lancer à fond de train. Il lui faut donc mettre au point des projets, des exercices, des façons d'aborder la matière, des sorties qui rendront cette dernière concrète et intéressante. Il donnera aux élèves particulièrement brillants des devoirs un peu plus difficiles et aux élèves lents, des devoirs adaptés, de sorte qu'ils ne se découragent pas mais aient le sentiment de réussir quelque chose tous les jours. Bien sûr, pour arriver à ces fins, les classes doivent rester peu nombreuses. À mon avis, l'enseignant qui recourt au châtiment physique ou qui envoie l'élève voir le principal pour qu'il le punisse a échoué et a abdiqué. À cet égard, je n'ai cure des lois en vigueur ni des règlements des commissions scolaires.

Le bon enseignant encourage l'esprit d'initiative, le sens des responsabilités et la créativité. Ces qualités sont essentielles à tous les élèves qui souhaitent plus tard trouver un travail intéressant et valorisant. Elles ne s'enseignent ni dans les livres ni par les sermons des enseignants et des parents. Les enfants les acquièrent chaque jour, quand on leur donne l'occasion de s'y exercer. L'enseignant avisé laisse chaque jour ses élèves prendre des initiatives, planifier une partie de leur travail et essayer de résoudre eux-mêmes certains problèmes, même s'ils commettent des erreurs. Il les encourage à faire preuve d'originalité et de créativité dans leur travail d'écriture, d'art et de théâtre. Après avoir laissé les élèves planifier une partie de leurs projets, l'enseignant les laisse les exécuter, avec un minimum de supervision. On n'enseignera à l'enfant à *prendre* ses responsabilités que si on lui en *donne*.

Comment saurez-vous si l'enseignant aide les élèves en difficulté et encourage l'esprit d'initiative, le sens des responsabilités et la créativité? Vous aurez des indices en écoutant ce que dit de l'école votre enfant. Mieux encore, visitez-la. Non pas une demi-heure, mais une demi-journée.

Que faire si votre enfant se plaint de ce qu'un enseignant l'effraie ou de ce qu'il semble incapable de lui faire comprendre la matière? Premièrement, vous devez savoir que ce sont généralement les enfants sensibles et trop consciencieux, à l'automne de la première ou de la deuxième année, qui sont le plus susceptibles d'être effrayés ou intimidés par un enseignant. Cette situation se manifeste non seulement par des plaintes, mais aussi par leur incapacité de déjeuner le matin ou par leurs vomissements sur le chemin de l'école. Cette crainte de l'enfant de six ou sept ans de ne pouvoir satisfaire l'enseignant est l'un des aspects d'une transition importante: l'enfant qui appartenait totalement à ses parents dans les cinq ou six premières années de sa vie commence à devenir une personne qui vit dans le monde extérieur, où il doit coopérer avec les autres, assumer des responsabilités et devenir de plus en plus indépendant.

Je crois utile d'écouter avec sympathie l'enfant qui se plaint d'un enseignant, mais il ne faut pas sauter à la conclusion que ce dernier est méchant ou incompétent. Vous pouvez dire à votre enfant: «Je comprends que cela te bouleverse que le maître te corrige devant toute la classe.» Vous pouvez ensuite proposer de faire une visite à la classe pour voir ce qui s'y passe. Le simple fait que vous y alliez peut donner l'idée à l'enseignant qu'un problème existe et l'inciter à prendre désormais en considération les sentiments de l'enfant.

Vous pouvez également prendre rendez-vous avec lui, non pour vous plaindre, mais pour vous enquérir des progrès de votre enfant. Ce sera le moment de parler du problème qui vous préoccupe, sans blâmer l'enseignant, mais en évoquant la très grande sensibilité de l'enfant: «Il s'inquiète de savoir s'il peut réussir suffisamment bien» ou: «Quand il n'arrive pas à comprendre quelque chose immédiatement, il panique et abandonne.»

L'enfant trop intimidé par un enseignant se remettra généralement au bout de quelques semaines et apprendra que la sévérité de celui-ci n'est après tout pas dangereuse. Si cet aboutissement ne se réalise pas et que l'enfant reste tendu et malheureux, les parents pourront rechercher l'aide du principal. Dans ce cas, il est important aussi que les parents ne rejettent pas toute la faute sur l'enseignant, ce qui acculerait le principal à se porter à sa défense. Ils peuvent parler de la sensibilité de leur enfant ou de sa lenteur. Le principal pourrait bien lire entre les lignes et suggérer spontanément que l'on change l'enfant de classe.

Si cela ne se produit pas et que vous habitez à une distance raisonnable d'une autre école, publique ou privée, envisagez de changer l'enfant d'école. Cette solution a toutefois un inconvénient: votre enfant n'ira pas à la même école que les enfants du voisinage. Les enfants d'âge scolaire veulent à tout prix être «comme les autres».

Le choix de l'école nous amène à parler de deux autres questions. Les parents qui nourrissent de grandes ambitions pour leurs enfants et qui leur imposent des normes élevées essaient quelquefois de persuader la direction de les mettre dans une classe plus élevée que celle-ci ne le juge sage. Cela constitue souvent une grave erreur, parce que l'enfant placé dans une classe trop élevée se sentira incapable de suivre, puis sera humilié quand on le remettra dans la classe où il aurait dû être en premier lieu.

Les parents d'un enfant exceptionnellement doué présument souvent que celui-ci s'ennuiera à coup sûr dans une classe d'élèves moyens. Ce n'est pas nécessairement vrai. Si la classe n'est pas trop nombreuse et si l'enseignant est bien formé et ne manque pas d'imagination, il pourra enrichir les devoirs de l'élève brillant, en lui donnant, par exemple, des lectures complémentaires en classe, à la bibliothèque de l'école ou à la bibliothèque municipale. C'est le même principe que l'on utilise dans les écoles qui ne possède qu'une seule salle de classe, écoles dont on vante tant les mérites, dans laquelle des élèves de quatre ou cinq niveaux différents assis côte à côte exécutent les travaux que l'enseignant leur a assignés individuellement.

NEUVIÈME CHAPITRE

Problèmes de comportements

- LANGAGE GROSSIER
- VOL, MENSONGE ET TRICHERIE
- PLEURNICHERIES
- ANGOISSE DE COMMENCER L'ÉCOLE

• LANGAGE GROSSIER

Cela me gêne un peu de parler de la manière dont les parents devraient réagir au langage grossier — unanimement abhorré dans le passé — de leur enfant, à une époque où beaucoup d'entre eux usent délibérément, presque fièrement, d'un vocabulaire scatologique ou relié au sexe dans leurs conversations courantes. Un grand nombre de ceux qui recourent à ce langage considèrent celui-ci comme une manifestation d'une conviction plus générale selon laquelle il vaut toujours mieux être naturel et honnête. Et lorsque quelqu'un comme moi se montre mal à l'aise face à ce type de langage, ils y voient un relent de préjugés vieillots.

Il n'en demeure pas moins que les normes de comportement n'ont pas été inventées dans un passé lointain par des rabat-joie, des dévots ou par des commissaires de police, ni arbitrairement imposées par la suite à des individus non consentants. Elles ont constitué une expression d'idéaux humains fondamentaux, ou d'idéaux particuliers à telle société, à telle époque.

L'un de ces idéaux, c'est la beauté. C'est ce qui nous fait créer ou apprécier les beaux vêtements, les bijoux, l'architecture et — pour ce qui est du langage — les sons enchanteurs de la poésie ou de la chanson et les envolées éloquentes du discours. Dans ce sens, le désir d'utiliser un beau langage est beaucoup plus fondamental que celui de proférer des paroles qui choquent ou qui insultent, manière d'exprimer sa révolte contre les conventions.

L'homme a besoin de lois et de conventions sociales destinées à museler l'agressivité des autres et la sienne et à lui assurer des relations agréables avec les gens. S'il est vrai qu'elles restreignent d'une certaine façon notre liberté, ces règles nous protègent aussi, et nous réconfortent.

Ayant été, pour la plupart, élevés dans des familles où, à un degré ou à un autre, nous aimions nos parents, respections leur autorité, modelions notre comportement sur le leur et adoptions leurs idéaux, nous avons tendance à respecter leurs traditions et leurs normes.

Ces influences — amour et recherche de la beauté, acceptation des règles, respect des traditions familiales — sont des forces positives qui nous poussent à vouloir nous comporter correctement et avec élégance. C'est quand nous sentons que les normes sont trop rigides ou artificielles que nous avons envie de les bafouer. Par la suite, toutefois, le désir des formes et des normes finit par reprendre le dessus.

Ainsi, je pense que malgré la tendance actuelle à la crudité du langage, le pendule reviendra fatalement vers l'autre côté, que ce soit dans vingt ou dans cent ans. Les parents qui désirent voir leurs enfants apporter une certaine correction à leur langage appuieront leurs efforts sur ma prédiction. Si j'ai tort, leurs enfants finiront tôt ou tard par être emportés par la nouvelle vague langagière.

Les «gros» mots d'ordre scatologique font leur première apparition quand bon nombre d'enfants, vers l'âge de quatre ans, se font délibérément polissons. Un sens de l'humour primitif se développe en eux. Ils aiment jouer avec les mots. Pour eux, les mots scatologiques sont littéralement sales. Les enfants de cet âge sont souvent absorbés par tout ce qui touche à l'évacuation des excréments.

Les farces sales des enfants de quatre ans ne sont pas très sales... ni très drôles. Insulte typique: «Tu n'es qu'un gros caca.» Les enfants se mettent alors à rire aux éclats. L'autre enfant répond: «Et toi, tu es un gros caca qui pue.» L'hilarité des enfants n'a plus de bornes. Comme certains adultes le font, les enfants essaient de tirer d'autres rires d'une variante de la même plaisanterie: «Tu es un pipi qui pue», et ainsi de suite.

Le sexe est moins souvent le sujet des plaisanteries des enfants de quatre ou cinq ans, parce qu'il n'a pas encore été réprimé fortement comme l'habitude de salir leurs langes ou de jouer avec leurs excréments. Pour eux, le sexe n'en demeure pas moins une préoccupation sérieuse et ouverte; ils apprennent la signification des différences génitales, ils veulent épouser le parent du sexe opposé, ils veulent avoir des bébés.

À six ou sept ans, et après, plusieurs facteurs causent une répression graduelle de l'intérêt sexuel. (Voir le dixième chapitre.) À mesure que les choses sexuelles deviennent tabou, durant la période allant de six à douze ans, l'envie de plaisanter sur le sexe et de se servir de ce thème pour choquer s'accentue. C'est à cette époque également que les enfants cessent de considérer leurs parents comme des modèles et essaient d'imiter en tout leurs camarades: mauvaises manières à table, apparence négligée, langage approximatif et ordurier. Il se peut que les enfants ignorent le sens des mots qu'ils utilisent, mais ils savent parfaitement qu'ils sont grivois.

Durant l'adolescence, l'envie d'être comme les amis et de prouver son indépendance par rapport aux parents s'accentue encore. (Souvent, ce ne sont pas les parents qui retiennent l'enfant, mais plutôt l'enfant qui hésite à se détacher.) Crier ou marmonner des mots défendus semble être une manière particulièrement extraordinaire de défier ses parents.

(Pour ce qui est des plaisanteries grivoises des adultes, le plaisir qu'ils en tirent vient de ce que ceux-ci osent utiliser des mots ou aborder des sujets que les conventions sociales interdisent. Mais s'il y a de l'humour dans la plaisanterie — et un mot de la fin inattendu —, le «péché» en sera enrobé et tous les auditeurs riront. Ces derniers participeront donc, à leur façon, au péché en évitant de désapprouver le plaisantin.)

Comment réagiront les parents? J'ai deux principes à ce sujet. Premièrement, je crois qu'au foyer les parents sont en droit d'attendre de leur enfant qu'il se conduise comme eux jugent qu'il doit le faire dans les limites du raisonnable, et cela vaut également pour le langage. Deuxièmement, j'ai toujours été persuadé (même si de nombreux parents sont sceptiques à ce sujet) que les parents peuvent obtenir de leur enfant le comportement qu'ils veulent, *à condition* de le vouloir vraiment. (Vous verrez bien des parents irrités harceler leur enfant, et même le frapper, sans vraiment s'efforcer de modeler son comportement.)

Si vous dites à votre enfant que vous ne voulez plus qu'il use de tels mots, mais que votre visage trahit votre amusement devant sa précocité, l'enfant prêtera davantage attention à votre visage qu'à vos paroles. Si vous feignez d'être horrifié, vous lui donnerez une raison de plus d'utiliser le mot, car les enfants aiment faire un certain effet sur les adultes. Mais si vous désapprouvez sincèrement ce qui a été dit ou si vous en êtes vraiment irrité, je crois que vous avez raison de le montrer. Cependant, je n'agirais pas comme si l'enfant était le diable pour avoir usé d'un tel langage. Après tout, il aura probablement entendu ces mots d'une personne pas méchante, peut-être même d'un des parents; il ne fait qu'expérimenter à sa façon le comportement des grands. Contentez-vous de demander à l'enfant, d'une façon naturelle et raisonnable, de ne plus utiliser tels mots. Ce sont les mots que vous désapprouvez, non le caractère de l'enfant.

Je pense que la meilleure façon pour les parents de traiter ce qui leur semble être un point de morale ou d'éthique trop difficile à expliquer à un jeune enfant, c'est de lui dire quelque chose de ce genre: «La plupart des gens n'aiment pas entendre ces mots grossiers ni moi non plus.»

Quand je dis que le point d'éthique peut être difficile à expliquer à un jeune enfant, je songe, par exemple, aux mots vulgaires d'ordre sexuel ou scatologique. Très peu de parents, je pense, veulent donner à leur enfant l'impression que le sexe ou les fonctions naturelles sont quelque chose de mauvais ou de dégoûtant. Alors, pourquoi le langage cru se rapportant à ces activités offense-t-il tant de gens? À mon avis, c'est surtout parce que les mots vulgaires ont traditionnellement toujours été utilisés dans une intention malveillante, pour insulter les gens ou leur montrer du mépris, sans qu'il y ait, généralement, de rapport réel avec les fonctions génitales ou intestinales. Même quand on fait allusion à des fonctions génitales, comme dans les histoires grivoises, c'est dans un contexte sexuel exempt d'amour et parfois brutal. De même, les jurons évoquant Dieu sont non seulement antireligieux, mais ils témoignent d'une certaine hostilité.

Si un de vos aînés remet en question votre désapprobation du langage cru, vous pouvez tenter une explication du genre de celle que je viens de donner. Dans le cas de l'enfant plus jeune, qu'il suffise de dire: «C'est impoli»; «Les gens n'aiment pas entendre cela» ou: «Cela offense les gens.» Ils comprendront, c'est sûr.

Si vous-même ne croyez pas que le langage grossier soit répréhensible, et si vous y recourez quand vous êtes bouleversé ou que vous avez mal, nul besoin d'en faire une question de morale avec vos enfants. Ce n'est certes pas l'utilisation de mots obscènes qui leur corrompra le caractère. Le caractère des enfants est formé par le caractère de leurs parents.

Devant le langage grossier de leur enfant, les parents peuvent recourir à cette tactique: rester calmes, sourire malicieusement pour montrer qu'eux aussi ont leur petit côté taquin, tout en misant sur leur réaction mitigée pour décourager l'enfant d'user de façon *persistante* d'un langage grossier. Le seul ennui, c'est que l'enfant pourrait alors se sentir libre d'utiliser ce langage chez les gens, ce qui risquerait de lui donner mauvaise réputation. Certains parents pourraient même interdire à leurs enfants de jouer avec le petit mal élevé. Pour ma part, je ne me risquerais pas à essayer cette dernière tactique.

• VOL, MENSONGE ET TRICHERIE

Le vol n'est qu'un problème occasionnel chez les enfants. Mais ils se chamaillent constamment à propos des biens appartenant à chacun et de leur partage.

Dans certaines sociétés primitives, le gros des biens appartienne en commun à la famille étendue ou à la communauté; le vol est rarement l'affaire de l'individu. Si une tribu voisine tente de voler du bétail ou d'autres biens, cependant, c'est l'affaire de toute la collectivité. Les mêmes tendances sont en jeu, mais elles se manifestent collectivement.

Nous vivons dans une société où le droit à la propriété privée est sacré. Nous allons travailler non pas dans un effort coopératif pour le bien de la communauté, comme c'est le cas dans certaines sociétés, mais pour gagner de l'argent pour nous et pour notre famille immédiate. Presque tout ce qui se trouve au foyer, à l'exception des meubles, est considéré comme étant la propriété de tel ou tel membre de la famille.

Aussitôt que le jeune enfant commence à prendre conscience de ces faits — entre un et trois ans —, il apprend qu'il ne doit pas jouer avec les objets fragiles parce qu'ils appartiennent à ses parents. S'il prend un jouet qui appartient à sa sœur aînée, celle-ci le lui arrachera en criant: «C'est à moi!»

Il absorbe le concept de la propriété individuelle non seulement parce qu'on lui rappelle mille fois son importance, mais aussi parce qu'il s'imbrique bien dans son sentiment d'individualité naissant et dans son envie de se faire valoir. Au début de sa seconde année, il prend conscience du fait que son corps *lui appartient*. Il aime participer à des jeux où sa mère lui demande de montrer du doigt *son* nez à lui, *ses* yeux, *ses* oreilles ou *ses* orteils. Il veut manipuler lui-même sa cuiller. Il arrive que l'enfant refuse d'apprendre à être propre parce que ses selles lui appartiennent. Même avant de pouvoir former des phrases, il sait dire «à moi» avec une grande détermination quand un autre enfant essaie de lui prendre un de ses jouets.

La conscience de son propre droit à la propriété lui naît plus vite que celle du droit des autres. À un an ou deux, il ne peut résister, il doit s'emparer des jouets des autres qui l'attirent — il essaiera même de les rapporter chez lui —, alors que lui ne permettrait pas qu'on touche à ses jouets.

Certains parents consciencieux et généreux ont essayé d'enseigner à leur enfant âgé de un à trois ans de partager ses jouets avec les autres. Moi, je vous conseille plutôt d'attendre que cela lui devienne plus naturel. Bien sûr, au cours de cette période, vous pouvez suggérer occasionnellement à l'enfant de partager, et l'encourager, si votre suggestion est écoutée. Mais la plupart des enfants de moins de trois ans éprouvent un besoin trop impérieux de garder ce qui leur appartient et tirent trop peu de joie du partage pour y céder, ne serait-ce que quelques minutes. En fait, j'ai l'impression que si les parents insistent trop pour que l'enfant partage, celui-ci n'en sera que plus égoïste. Il sentira que non seulement les autres enfants mais aussi ses parents essaient de le priver de ses biens personnels.

L'enfant de un an ou deux qui essaie de s'approprier tel jouet appartenant à un petit camarade et de le rapporter à la maison ne vole pas, c'est évident. Je me permets cette évidence pour suggérer aux parents de ne pas essayer de culpabiliser le petit enfant, ni de trop insister sur le caractère sacré de la propriété privée. Dites simplement: «Henri veut son jouet, nous devons donc le lui laisser.»

Quand un petit enfant veut utiliser un objet appartenant à un autre enfant, et que ce dernier s'y oppose, il est préférable de les laisser se l'arracher l'un à l'autre pendant un certain temps. Il est bon que les enfants apprennent à défendre leurs droits. En règle générale, le désir du propriétaire de garder l'objet est plus fort que le désir de l'autre de se l'approprier. Le propriétaire aura donc tendance à tirer plus fort et à gagner. Mais s'il est constamment le perdant ou si on le maltraite, ses parents devront intervenir. Cette intervention se fera en douceur, un des parents s'interposant entre les opposants pour leur arracher l'objet convoité. Nul besoin de lancer des accusations ou de faire de la morale.

En approchant de l'âge de trois ans, la plupart des enfants commencent à éprouver suffisamment d'affection pour les autres et à tirer suffisamment de plaisir du jeu collectif pour se mettre à partager. Toutefois, l'encouragement des parents sera néanmoins déterminant. Vous pourrez dire, par exemple: «D'abord Charles prendra place dans la charrette et Pierre la tirera. Puis ce sera l'inverse: Charles tirera Pierre.»

Ce partage est nouveau et stimulant pour l'enfant de trois ans; sa sociabilité naissante est à la source de cette joie. Avec un peu d'encouragement, l'enfant apprendra que partager, ce n'est pas se priver de telle chose, mais que c'est plutôt une façon d'en tirer du plaisir comme un «grand».

Entre six et douze ans, la possessivité de l'enfant s'intensifie. Il veut sa propre chambre. Il lui arrive d'avoir envie de mettre de l'ordre dans ses biens personnels et de les protéger. Nombre d'enfants veulent faire des collections — timbres, pierres, cartes de base-ball ou même articles sans valeur. Ils imaginent des moyens de gagner de l'argent.

Selon mes propres observations, c'est vers l'âge de sept ans que le vol furtif devient un problème assez courant chez l'enfant. Il dérobera une carte à collectionner dans le casier d'un camarade de classe. Ou il prendra et cachera tel objet décorant le bureau de l'institutrice. Ou il volera de l'argent dans le sac de sa mère, ou encore, un petit pistolet de plastique au dépanneur du coin.

Ce type de vol se fait en solitaire, secrètement, par l'enfant élevé dans une famille raisonnablement sévère pour qui voler est tout à fait inacceptable. (C'est différent, par exemple, du type de vol effectué par une bande de jeunes ayant des parents qui ne sont pas farouchement opposés au vol en général.) Le psychiatre qui travaillera auprès de l'enfant pendant un bout de temps pourra trouver un facteur qui expliquera en partie le vol: sentiment de privation, envie d'avoir un frère ou une sœur ou autres ressentiments et angoisses. Quand je travaillais à temps partiel comme médecin dans une école, les enseignants me consultaient sur toutes sortes de problèmes. J'étais surpris de constater dans chaque cas l'occurrence de deux ou trois éléments. La plupart des enfants avaient autour de sept ans et aucun d'entre eux n'était vraiment populaire selon l'enseignant.

Je vois l'âge de six ou sept ans comme une période où l'enfant, pour des raisons complexes et inconscientes, laisse se rompre le lien solide — admiration et imitation du parent du même sexe, amour romantique du parent du sexe opposé, profonde dépendance des deux parents comme source de sa sécurité — qui l'unissait intimement à ses parents durant la petite enfance. Il cherche alors à atteindre une position de «grand», plus indépendante. Il veut se modeler sur ses pairs, non plus sur ses parents. Il a envie de relations serrées avec les jeunes du même sexe et du même âge.

L'un des facteurs qui l'aident à passer du stade de petit enfant à ses parents à celui de grand garçon ou de grande fille qui regarde vers l'extérieur — vers l'âge de sept ans —, c'est sa facilité à se faire des amis. Ces nouveaux liens serrés l'aident à compenser la perte d'intimité avec ses parents.

Je pense que l'enfant de six, sept ou huit ans qui n'a pas le don de se faire des amis pourrait se retrouver dans un no man's land. Il s'est jusqu'à un certain point détaché de ses parents, mais n'a pas encore établi de relation aussi intime avec les autres. Ce déficit d'amour le rend avide de biens matériels.

La nature des objets que volent les enfants de cet âge va dans le sens de cette théorie. Il se peut que l'institutrice ait dit que l'objet décorant son bureau lui tient beaucoup à cœur parce qu'elle l'a reçu d'un ami cher. Les cartes à collectionner sont un bon moyen de se rapprocher de ses camarades de classe et peuvent faire l'objet de leur admiration et de leur envie. Il arrive que l'enfant qui vole de l'argent s'en serve pour acheter des bonbons qu'il distribuera aux élèves auprès desquels il veut être populaire. À la limite, il leur distribuera directement les pièces de monnaie.

Mon expérience m'a enseigné qu'il y a une autre période où le vol est fréquent. C'est vers l'âge de treize ans, quand l'enfant connaît des changements — dans son corps, dans ses sentiments, dans ses amitiés — qui l'angoissent. À cet âge, certains vols sont encore motivés par l'esseulement, d'autres sont dus au désir de l'adolescent de rester à la hauteur de son groupe ou de l'impressionner. La fille ou le groupe de filles pourra voler à l'étalage des produits de beauté. Le garçon pourra lui aussi commettre des vols à l'étalage, voire de petits cambriolages en compagnie d'amis.

Si les parents découvrent que l'enfant a dérobé quelque chose, il n'est ni utile ni sage qu'ils le condamnent avec sévérité ou se comportent avec lui comme s'il n'allait plus jamais leur être possible de l'aimer. Il est même plus sage encore de ne pas demander: «Michel, as-tu volé ceci?» Cela ne fait qu'acculer l'enfant au mensonge impossible à croire qui ne mène nulle part. La première mesure à prendre montrera à l'enfant que les parents n'acceptent pas le vol: ils planifieront une prompte restitution. L'enfant, seul ou accompagné de ses parents, devra restituer l'objet sur-le-champ — si c'est impossible, le lendemain — au camarade, à l'institutrice, au marchand qui en est propriétaire. Si le parent doit se faire le porte-parole de l'enfant trop honteux, il se contentera de dire que ce dernier regrette son geste qui ne se reproduira plus.

Pour ce qui est de discuter de la situation avec l'enfant et d'en expliquer le pourquoi, les parents pourraient reconnaître que l'enfant n'est pas mauvais et qu'il n'a pas volé par méchanceté; il arrive à tout le monde de convoiter le bien d'autrui, mais nous ne nous en emparons pas, par esprit d'équité. Ajoutant que celui qui prend ce qui ne lui appartient pas est souvent tracassé par quelque chose dont il peut ignorer la nature, les parents demanderont à l'enfant s'il sait ce qui le rend malheureux, parce qu'ils aimeraient le savoir eux aussi pour lui venir en aide.

Bien sûr, les parents ne doivent pas se laisser berner par leur enfant, quand celui-ci leur explique qu'il a *trouvé* tel jeu de cartes, tel canif ou telle somme d'argent. Sa culpabilité transparaîtra généralement.

L'enfant qui vole une fois durant ses premières années d'école s'assagit généralement, quand ses parents l'ont attrapé, forcé à faire restitution, et appris qu'ils ne le laisseraient plus faire. La plupart ne récidivent jamais.

Ceux qui s'entêtent à voler, on doit le présumer, éprouvent des difficultés plus sérieuses, que ce soit dans leurs relations avec les autres enfants ou avec les parents. Il serait sage alors de consulter un spécialiste de l'enfance ou un organisme de service familial, pour prévenir l'aggravation de l'inquiétude et de la désapprobation des parents et l'endurcissement progressif du cœur de l'enfant.

L'enfant de trois ans qui dit qu'une girafe occupe sa chambre ne ment pas; il joue à faire semblant. Cependant, dans le cas de l'enfant de sept ans qui nie avoir mangé de la crème glacée avant le souper, alors qu'il y en a une boîte vide dans la poubelle et que sa chemise est tachée de chocolat, il s'agit d'un mensonge: il essaie de vous tromper et il a l'âge de s'en rendre compte.

Les enfants élevés dans l'amour et le sens des responsabilités mentent souvent parce qu'ils ont fait quelque chose qui, craignent-ils, leur vaudra une sévère désapprobation des parents, sinon une punition. Pourtant, dans la plupart des cas, ils n'ont rien fait de particulièrement grave. Il faut donc se demander pourquoi ils se sentent si coupables. La réponse pourrait avoir un rapport avec le degré de communication entre parents et enfant.

Dans bien des cas, les parents de l'enfant qui ment ont des normes élevées de comportement et de rendement scolaire. Ces hautes normes ne sont pas dangereuses en soi. Elles peuvent se transmettre facilement aux enfants si les parents sont très proches d'eux. La difficulté naît quand les normes sont élevées et que les parents semblent distants ou intimidants.

Je ne dis pas que, la première fois que l'enfant commet un petit mensonge pour s'éviter des ennuis, les parents doivent remettre en question la discipline qu'ils exercent. Qu'ils se contentent de dire, d'un ton amical mais sérieux: «Je veux que tu me dises la vérité et moi, je te la dirai toujours aussi. C'est ainsi que nous n'aurons jamais de raison de douter l'un de l'autre.» Mais si l'enfant continue de mentir, les parents pourront se demander pourquoi leur enfant se sent obligé de les tromper. Les enfants ne sont pas des menteurs par nature. L'enfant qui ment souvent est victime de tensions quelconques. S'il ment pour dissimuler ses piètres résultats scolaires, ce n'est pas parce qu'il s'en fiche. Au contraire, le fait de mentir indique que les résultats scolaires comptent beaucoup pour lui. Les parents se demanderont donc ce qui ne va pas. La matière est-elle trop avancée pour lui? Ont-ils établi des normes trop élevées et a-t-il peur de le leur dire? L'enseignant ou un spécialiste de l'enfance pourra aider les parents à y voir clair.

Entre-temps, les parents ne doivent pas laisser croire à l'enfant qu'ils sont dupes. Mais il n'est pas sage non plus de l'accuser avec colère ni de lui demander pourquoi il a menti. Essayez plutôt de créer un climat de confiance mutuelle où la mère pourra dire avec gentillesse: «Tu n'as pas besoin de me mentir. Dis-moi ce qui ne va pas. Je suis sûre que nous pouvons t'aider.» L'enfant pourrait bien avoir besoin de l'aide d'un adulte pour découvrir ce qui le trouble. Même s'il le sait, il pourrait être incapable de le confier à ses parents sur-le-champ. Mais s'ils lui manifestent de la sympathie et montrent qu'ils le comprennent, ils gagneront sans doute sa confiance. Toutefois, si les mensonges se poursuivent, les parents recourront au counselling.

Quelle que soit l'importance du jeu, les enfants détestent perdre. Il leur arrive donc d'essayer de tricher, par exemple au Monopoly ou aux dames. Les parents s'étonnent souvent quand ils découvrent que c'est peut-être leur influence qui incite l'enfant à tricher.

Les êtres humains, de par leur nature, aiment la compétition. Mais en Amérique du Nord, à mon avis, l'esprit de compétition est dangereusement encouragé. Si les parents prennent les petites ligues de base-ball trop au sérieux et qu'ils se montrent contrariés quand l'équipe de leur enfant perd, bon nombre d'enfants sauteront à la conclusion suivante: mieux vaut tricher que perdre la partie. Les parents qui attachent une importance excessive aux notes scolaires et qui comparent constamment le rendement de leur enfant avec celui des autres finiront peut-être par découvrir que celui-ci copie les travaux des autres ou qu'il contrefait la signature paternelle ou maternelle sur ses cahiers et bulletins.

Quand l'enfant triche au jeu, il suffit généralement que les parents lui fassent remarquer que sa conduite n'est pas honnête vis-à-vis des autres joueurs. S'il triche de nouveau, les parents répéteront leur commentaire. Ainsi, même si l'enfant garde un esprit de compétition exagéré, il apprendra qu'on découvrira sa tricherie, ce qui suffira d'habitude à l'en dissuader. La tricherie avant l'âge de six ans est beaucoup moins grave.

Tricher à l'école constitue un problème plus compliqué. Si l'enfant a besoin qu'on l'aide dans ses travaux, il devrait obtenir cette aide de son enseignant ou recevoir des leçons particulières (peut-être de l'un de ses parents, mais seulement si celui-ci a la patience requise). On ne laissera pas l'enfant patauger, car il pourrait ensuite se sentir obligé de tricher pour masquer son retard.

Dans tous les cas, quand un enfant vole, ment ou triche, il convient que les parents non seulement le guident clairement au point de vue éthique, mais essaient de trouver la cause du problème et l'éliminent.

• PLEURNICHERIES

Les enfants pleurnichent pour plusieurs raisons, telle une douleur physique constante. Le fait d'être malheureux est une autre cause, comme, dans le cas de nombreux enfants, la première année suivant le divorce des parents. Dans le présent chapitre, je me limiterai aux enfants bien portants qui n'ont aucune raison sérieuse d'être malheureux.

Dans un sens, ce type de pleurnicherie ne constitue pas un trouble sérieux et ne mène pas à des difficultés plus graves. Mais c'est agaçant pour le reste de la famille et pour les amis. (Les pleurnicheries me tapent sur les nerfs au plus haut point.)

C'est durant la maternelle et les premières années scolaires que l'on entend le plus pleurnicher. Les paroles qui accompagnent cette «musique» sont variées. «Je n'ai rien à faire», dit l'enfant les jours de pluie. «Pourquoi tu ne me laisses pas regarder juste cette émission avant d'aller me coucher?» demande l'autre, après que ses parents ont déjà dit non douze fois. «Je veux encore du pop-corn!» «Pourquoi ne puis-je pas demander à Sarah de venir jouer ici?» «Pourquoi ne me lis-tu pas une autre histoire»...

Je ne parle pas d'une requête isolée, mais de la même demande répétée d'un ton geignard, et refusée chaque fois. La plupart des demandes sont normales; elles ont pour objet des choses ou des activités que tous les enfants aiment. Mais le trait particulier des pleurnichards, c'est qu'ils ne veulent pas accepter de refus et qu'ils semblent avoir un besoin désespéré de l'objet ou du privilège en question.

J'ai remarqué deux autres traits de la pleurnicherie. Beaucoup de pleurnichards ne pleurnichent qu'auprès d'un de leurs parents, non des deux. (Il y a toutefois des exceptions.) La pleurnicherie exprime donc souvent non seulement une habitude ou un état d'âme, mais également une attitude envers l'un des parents ou une relation légèrement troublée avec ce parent-là.

Il arrive souvent aussi que le parent de deux enfants ou plus ne tolère les pleurnicheries que de l'un d'entre eux. Je me souviens d'avoir été faire de la voile avec une famille dont la mère se comportait avec le plus grand bon sens envers trois de ses enfants — polis, coopératifs, indépendants, de bonne humeur —, mais qui acceptait que sa fillette de cinq ans la harcèle toute la journée: ennui, faim, soif, froid... besoins simples que la petite aurait pu facilement satisfaire elle-même. La mère ne faisait pas attention à elle pendant un bout de temps. Puis elle suggérait à sa fille de satisfaire elle-même son besoin, mais elle le faisait en s'excusant, d'un ton indécis, comme si elle se sentait coupable. Elle n'usait jamais de son autorité, même après une heure de harcèlement qui me donnait envie d'envoyer la petite dans la cabine.

Qu'est-ce qui fait que les parents tolèrent les pleurnicheries et le harcèlement d'un enfant et pas d'un autre? Dans bien des cas, ils ont l'air de se sentir coupables. Inconsciemment à tout le moins, ils croient que l'enfant a le droit de réitérer sans cesse ses demandes excessives, qu'ils sont coupables de quelque chose — peut-être de pingrerie pour ne pas lui donner ce qu'il veut, peut-être de ne pas l'aimer assez, peut-être d'ignorer ce à quoi il a droit. Pourtant, quand ils cèdent, ces parents ne le font pas de bon cœur comme si c'était pour faire plaisir à l'enfant, mais plutôt comme s'ils étaient forcés de le faire.

Plusieurs raisons expliquent pourquoi nous, parents, pouvons souffrir d'un sentiment de culpabilité inconscient à l'endroit d'un de nos enfants. Il se peut que nous n'ayons pas été prêts pour la grossesse, que nous en ayons voulu à l'enfant pas encore né. L'enfant en question pourrait nous rappeler un frère, une sœur, un père ou une mère qui nous aurait fait la vie dure pendant notre enfance et qui aurait fait naître en nous de forts sentiments d'hostilité et de culpabilité, émotions qui aujourd'hui motiveraient notre comportement.

Il est également possible que nous soyons partis du mauvais pied avec l'enfant qui, bébé, était très agité ou très exigeant.

Les parents extrêmement consciencieux que leurs propres parents ont beaucoup critiqués durant leur enfance et qui, par conséquent, se sentent facilement inadaptés commencent souvent à élever leur enfant en se sentant un peu coupables de ne pas en savoir plus long sur l'éducation et en craignant de faire ce qu'il ne faut pas.

C'est donc souvent une forme de culpabilité ou une indulgence excessive qui, en premier lieu, incite les parents à céder aux demandes déraisonnables de leur enfant. Mais si les demandes se multiplient et deviennent plus insistantes, les parents ont de plus en plus envie de résister ou, du moins, d'atermoyer ou d'argumenter. S'ils pouvaient résister promptement et fermement, sans faire d'histoires, tout s'arrêterait là, parce que les enfants savent toujours quand le refus du parent est vraiment un refus. Mais les parents d'enfants qui pleurnichent sont généralement incapables de se montrer si résolus. Ils feignent d'abord de ne pas entendre la demande, puis leur ton irrité trahit le fait qu'ils s'attendent à être défaits encore une fois. Les enfants sont des experts quand vient le temps de déceler les signes d'indécision et d'en tirer parti.

Avant longtemps, il devient évident qu'une lutte pour le pouvoir s'est engagée, lutte dans laquelle la pleurnicherie constitue l'arme principale de l'enfant pour l'emporter sur le parent qui, lui, essaie de résister sans trop se culpabiliser. Le fait qu'il s'agisse vraiment d'une bataille de volontés est évident quand on voit que l'enfant pleurniche pour une chose qu'il peut obtenir par lui-même ou qu'il ne souhaite même pas avoir. L'enfant veut simplement forcer le parent à relire le conte une troisième fois, à faire telle course pour lui, à lui cuisiner tel plat, à lui trouver ou à lui acheter telle chose. Et, souvent, le parent pourrait satisfaire sans peine à la demande, mais il sent que l'enfant lui fait la lutte pour le pouvoir et, instinctivement, il refuse de lui céder, sans le faire avec assez de détermination pour mettre fin au harcèlement.

Il y a au moins deux bonnes raisons qui poussent les enfants à vouloir exercer un tel pouvoir sur leurs parents, à part le désir de l'objet ou du privilège demandé. La première, c'est que les parents usent régulièrement de leur pouvoir sur leur enfant et que celui-ci désire naturellement faire de même. La seconde, c'est que les parents indécis qui endurent un tel harcèlement ne peuvent s'empêcher d'être irritables et contrariants avec l'enfant, ce qui suscite en retour chez celui-ci un esprit de contradiction.

Que faire si un de vos enfants pleurniche? Des mesures précises s'offrent à vous. Mais vous devez d'abord vous demander si ce n'est pas une de vos attitudes qui suscite les pleurnicheries. Il se peut que vous manifestiez des signes d'hésitation ou de culpabilité, ou que vous vous montriez évasif ou trop faible, en plus de faire preuve de l'inévitable irritabilité que provoque votre situation de victime.

Voilà qui est difficile, parce que les parents sont rarement conscients d'être trop soumis à leurs enfants. (Ils sont beaucoup plus conscients d'être impatients.) Si vous ne percevez aucune lâcheté dans votre comportement, consultez un travailleur social, dans un organisme de service familial; il vous aidera à analyser la cause des pleurnicheries et d'autres aspects de votre situation familiale.

Même si, mi-sérieux mi-plaisantin, j'ai reconnu ma propre irritation devant les pleurnicheries des enfants, en partie pour montrer que je sympathise avec les parents touchés, cela ne veut pas dire que se montrer grognon ou se fâcher soit la bonne façon de faire, loin de là. Cela signifierait pour l'enfant que vous êtes frustré d'avoir manqué de caractère et de lui avoir cédé dans le passé, et que vous vous attendez à être frustré de nouveau.

Quand les parents sont sûrs d'eux-mêmes dans leurs principes d'éducation et efficaces dans l'application de ceux-ci, ils adoptent une attitude *amicale,* tout en étant clairs et fermes. Cette bienveillance donne envie à l'enfant de coopérer, et la détermination des parents le guide dans ce sens.

Voici quelques exemples.

Si votre enfant vous demande de lui lire ou de lui raconter encore une fois telle histoire, et que cela vous ennuie ou vous fatigue, dites d'un ton cordial mais catégorique: «Je suis fatigué maintenant et je veux lire mon propre livre. Regarde tes livres d'images.» Après tout, il n'en tient qu'à vous de vous rendre maître de la situation; si vous vous montrez sûr d'avoir raison, votre enfant se rendra vite compte de la futilité de tout harcèlement.

Si votre enfant se plaint de n'avoir rien à faire, mieux vaut ne pas commencer à lui énumérer tout ce qui s'offre à lui, car, étant donné son état d'esprit, il rejettera une à une, et avec dédain, chacune de vos suggestions. Mieux vaut aussi ne pas vous lancer dans une tirade indignée sur les enfants gâtés (j'avais toujours envie de le faire, à titre de père ou de grand-père), vous ne feriez qu'avouer votre frustration. Rejetez la responsabilité sur l'enfant, sans vous enliser dans de vaines discussions; dites: «Moi, j'ai beaucoup de travail à abattre, puis il me reste une bonne douzaine de choses agréables à faire, si j'en ai encore le temps.» En d'autres mots: «Suis mon exemple; trouve-toi des choses à faire. Ne t'attends pas à ce que je te distraie ou à ce que je discute avec toi.»

Si j'étais régulièrement agacé par un enfant pleurnichard, j'édicterais autant de règles qu'il est nécessaire pour toucher toutes les jérémiades habituelles et je n'y dérogerais *jamais*. L'heure du coucher est la même *tous* les soirs, quelles que soient les pleurnicheries. (Vérifiez si l'enfant s'est couché, tant qu'il n'aura pas accepté cette règle.) Il aura le droit de voir telle ou telle émission de télévision, mais pas telle autre. Les amis pourront être invités à souper ou à coucher certains jours seulement. Durant le marché habituel, rien de spécial (aliment, boisson, jouet) ne sera acheté pour l'enfant.

Finalement, je m'assurerais d'avoir été bien compris. Je ne veux pas dire qu'on ne doive pas prendre les bébés dans ses bras, qu'on ne doive pas faire la lecture aux enfants ou qu'on ne doive rien leur acheter dans les magasins. Ici, je parle seulement des pleurnicheries continuelles et chroniques qui rendent parents et enfant malheureux. Il s'agit de demandes déraisonnables et d'une lutte pour le pouvoir. Le scénario se dessine au bout de quelques semaines ou de quelques mois, et il faut pas mal de temps pour l'éliminer, une fois bien établi.

On doit prendre les bébés dans ses bras et les promener quand ils sont fatigués ou malades, ou qu'ils ont envie de compagnie et d'amour. En fait, on a observé que les bébés ont non seulement besoin d'attention, mais également de savoir qu'ils peuvent *la susciter* chez leurs parents. Quand ceux-ci sont inattentifs par manque d'amour ou par dépression, leur bébé est déprimé aussi.

Quand ils ne sont plus des bébés, les enfants ont encore besoin d'attention et de sentir qu'ils peuvent la susciter chez leurs parents. Ils ont besoin d'être embrassés. Ils ont besoin qu'on leur fasse la lecture. Ils ont besoin de vêtements et de jouets, selon les moyens de la famille. Ils ont le droit de demander occasionnellement qu'on leur serve tel aliment ou qu'on les emmène faire telle excursion particulièrement emballante.

Donnez donc librement ce que vos enfants demandent, pourvu que vous pensiez que cela leur est dû et que c'est ce que vous voulez donner. Mais apprenez à vous protéger des demandes harassantes, et qui vous frustrent.

• ANGOISSE DE COMMENCER L'ÉCOLE

L'entrée des petits enfants à l'école en septembre peut provoquer des tensions intérieures, surtout chez ceux qui n'ont jamais fréquenté d'école auparavant.

Pour les enfants de trois ou quatre ans qui commencent la maternelle ou la garderie de jour, le stress provient de la peur d'être séparés des parents. Cette angoisse est fréquente vers l'âge de deux ans où elle provoque de nombreux problèmes à l'heure du coucher. Par la suite, elle diminue en intensité. Elle ne cause d'ennuis scolaires qu'à un faible pourcentage des enfants de trois ou quatre ans. Une telle angoisse peut également se manifester, encore moins souvent, chez les petits qui entrent au jardin d'enfants et en première année.

L'enfant souffrant de cette angoisse peut avoir hâte d'aller à l'école au moment où il quitte la maison. Mais arrivé à l'école, les lieux non familiers, l'enseignant et les enfants inconnus pourraient bien le pousser à se cacher derrière les jambes de maman plutôt qu'à s'intégrer. Que le nouveau venu ait commencé ou non à participer aux jeux, quand les parents disent au revoir, il s'agrippera à eux. Si les parents tentent de se dégager, le petit fera toute une scène.

Parallèlement à l'angoisse de la séparation, un autre facteur pourrait bien apparaître: l'envie d'exploiter cette angoisse pour dominer les parents. L'enfant est dominé par ses parents plus ou moins continuellement, bien sûr, et cela fait naître en lui un désir de les dominer à son tour. Vous le verrez au ton autoritaire qu'il emprunte pour parler à ses poupées.

S'il craint la séparation et perçoit que ses parents s'apitoient exagérément sur son sort, il sentira qu'il peut utiliser cette sympathie comme un moyen pour les empêcher de le laisser à l'école. Au fil des semaines, un étranger pourrait voir clairement que l'angoisse a fait place presque totalement au désir de dominer les parents. Ces derniers percevront moins bien cette évolution du fait qu'ils sympathisent tellement avec l'angoisse de l'enfant.

Il est bon que les parents consultent d'avance l'enseignant au sujet de la prévention de l'angoisse de la séparation. Ce dernier possède probablement une vaste expérience en la matière. Il est encore plus important de travailler de concert avec l'enseignant si des difficultés se présentent, parce que celui-ci peut aider le parent à juger si le désir de domination de l'enfant entre en ligne de compte.

Pour réduire au minimum le risque d'angoisse, certaines écoles suggèrent aux parents de visiter l'école avec leur enfant, une, deux ou trois fois, avant de l'y laisser. Les jardins d'enfants et les écoles de première année de certaines localités demandent que parents et enfants visitent la classe vers la fin du printemps, quand les écoliers actuels y sont, pour que ceux qui y participeront l'automne suivant aient une idée claire et rassurante de ce qui s'y passe vraiment.

Si, quand vient le temps de la séparation, l'enfant commence à pleurer ou à s'accrocher au parent, dans la plupart des cas celui-ci devrait se fier au signal de l'enseignant. Ce signal lui indiquera s'il doit rester un peu plus longtemps — pour voir si l'enfant s'intéressera à un jeu au point d'accepter de rester —, ou s'il doit s'éloigner immédiatement — après avoir dit au revoir — avec autant de calme et d'assurance que possible.

Ce qu'il faut retenir, c'est que si le parent éprouve lui aussi une crainte excessive au point de manifester presque autant d'angoisse que l'enfant, pour ce dernier c'est le signe qu'il a raison de craindre la séparation. Par contre si le parent agit comme s'il était sûr qu'il n'y a rien à craindre, cela rassure l'enfant de la façon la plus convaincante possible. Devant la crise de l'enfant, le parent gêné ne se mettra pas en colère et ne sera pas agité; cela bouleverserait l'enfant au lieu de le rassurer.

Le parent aurait tort d'attendre que l'enfant se soit engagé intensément dans un jeu pour disparaître en catimini. L'enfant angoissé tirerait ses propres conclusions: on ne peut se fier à ce parent. Il est préférable que le parent dise au revoir de façon manifeste, soit près de la porte, à l'arrivée, soit après être resté un certain temps.

Si la mère a emmené l'enfant à l'école et que celui-ci a refusé de la laisser repartir, il est raisonnable que ce soit le père qui escorte l'enfant le lendemain. Comme la majorité des tout-petits sont liés plus intimement à la mère qu'au père, il est possible que la séparation d'avec elle leur semble plus effrayante. J'ai vu des cas d'angoisse de la séparation dans lesquels l'enfant qui s'accrochait à sa mère était disposé à laisser partir son père de l'école.

Généralement, quand l'enfant a passé quelques jours à l'école, il en est si ravi que la peur de la séparation se dissipe. C'est alors que le parent de l'enfant peut procéder à la séparation.

Il arrivera que le jeune enfant, surtout entre un et quatre ans, aille volontiers à l'école pendant plusieurs jours puis, tout à coup, après qu'il s'est fait ou qu'on lui a fait mal, pleure et veuille que ses parents le consolent. Si les pleurs s'éternisent, ce qui signifie qu'il ne s'agit pas d'une douleur quelconque mais plutôt que l'enfant s'est rendu compte soudainement qu'il veut sa mère, il pourrait refuser d'aller à l'école le lendemain. Je pense que la meilleure attitude des parents à ce moment-là, c'est de faire comme s'il était indiscutable pour *tous les enfants* de continuer à aller à l'école une fois qu'ils ont commencé à y aller, et de prendre l'enfant par la main (ou dans ses bras) pour l'y conduire prestement. Toutefois, je ne recourrais pas à la force.

En général, ce sont les enfants qui ont été très proches de parents protecteurs et extrêmement consciencieux, et qui n'ont eu que peu d'expériences avec d'autres adultes et enfants, qui sont susceptibles de souffrir de l'angoisse de la séparation. Naturellement, il s'agit souvent de premiers-nés, parce que ceux-ci sont plus proches de leurs parents et n'ont pas eu de petits compagnons de jeux à la maison.

Le meilleur moyen de prévenir l'apparition de cette angoisse entre trois et cinq ans, c'est d'habituer l'enfant aux étrangers — adultes et enfants, connaissances et gardiennes — dès sa naissance. Cette mesure de prévention est encore plus importante chez le premier-né que chez les enfants suivants.

Dès l'âge de trois mois, il est bon que les bébés voient régulièrement des visiteurs au foyer et qu'ils accompagnent les parents au marché ou chez leurs amis. J'aime la façon dont les jeunes parents d'aujourd'hui emmènent leur enfant avec eux — sur leur dos ou leur poitrine — quand ils vont se promener, quand ils rendent visite à des amis, en fait, dans tous leurs déplacements.

Aussitôt que l'enfant marche, on doit le laisser jouer dehors avec d'autres jeunes enfants, un peu tous les jours, pour qu'il s'habitue aux cris et aux bousculades. On ne doit voler à son secours que s'il est continuellement persécuté par quelque enfant méchant, ce qui est rare. Bien sûr, le parent doit le surveiller de près jusqu'à ce qu'il ait appris à rester sur le trottoir.

S'il n'y a pas de parc public, de terrain de jeu, de lieu de rencontre ou de jardin hospitalier d'un voisin et que vous vivez dans une maison, vous pouvez équiper votre jardin d'une balançoire, d'un jeu de bascule et d'un carré de sable. Votre jardin deviendra ainsi un aimant qui attirera tous les enfants du voisinage.

Les parents favorisent l'acquisition de l'indépendance par l'enfant, en partie en l'encourageant à poursuivre ses propres rêves, en partie en ne le surprotégeant pas.

Je me souviens d'une réunion du personnel dans une clinique, au cours de laquelle nous avions discuté du cas d'un petit de deux ans qui criait de terreur chaque fois qu'il apercevait la clinique et qui se débattait si vivement durant les examens que ceux-ci étaient presque sans valeur. La mère était une recluse qui s'accrochait à son enfant autant que lui à elle. Mais c'est là un cas extrême. Il est naturel pour certains parents très consciencieux d'avoir tendance à surprotéger leur enfant, à craindre que celui-ci tombe malade, ait un accident, se perde quelque part ou se fasse persécuter par de petits chenapans. Les enfants sont extrêmement sensibles, surtout très jeunes, aux angoisses de leurs parents.

Évidemment, à l'autre bout de l'échelle, il existe des parents qui sont si négligents que leur petit enfant peut facilement atteindre des produits dangereux, se mettre à jouer au milieu de la rue ou se tenir debout sur la banquette de la voiture. Il vous faut donc viser le juste milieu (en fait, penchez un peu plus vers le zèle que vers l'insouciance), ce qui veut dire que vous devez prendre des risques, mais calculés.

En première et en deuxième année, une autre angoisse guette l'enfant et pourrait lui causer des difficultés au début des classes, en septembre. Cela m'est apparu quand j'exerçais dans une école privée pour filles. Chaque automne, il y avait toujours une ou deux fillettes — surtout de deuxième année — qui vomissaient sur le chemin de l'école ou, plus gênant encore, à l'arrivée. Une forme plus courante et moins aiguë de cette tension empêche les enfants de prendre le petit déjeuner les jours d'école.

Ces troubles se produisent chez l'enfant plus scrupuleux que la moyenne. Je pense qu'ils sont causés parce que celui-ci est intimidé par l'enseignant et par la classe. En d'autres mots, il a peur de ne pas répondre aux attentes des étrangers. Ces difficultés pourront durer quelques jours ou quelques semaines, selon, notamment, la façon dont on les aura traitées.

Moi, je crois que les enfants de six, sept et huit ans font une importante transition à l'intérieur d'eux-mêmes: d'enfants au foyer intimement rattachés à leurs parents (même s'ils ont été au jardin d'enfants et à la maternelle), ils deviennent des êtres semi-indépendants qui déplacent leur centre d'intérêt vers le monde extérieur, surtout le monde des autres enfants de leur âge. C'est alors qu'ils cessent de singer leurs parents et qu'ils souhaitent plutôt ressembler à leurs camarades de classe, parler et agir comme eux. Ils cessent de jouer au papa et à la maman pour s'intéresser au calcul, à la lecture, à l'écriture et aux sciences.

Bien s'insérer dans le paysage scolaire — plaire aux enseignants et aux autres élèves — peut devenir un défi de taille pour les enfants éduqués selon des normes élevées, au point de leur nouer l'estomac.

On peut aborder ce problème de plusieurs façons positives. Premièrement, en laissant l'enfant temporairement sans appétit aller à l'école sans petit déjeuner. Quand les parents insistent pour que l'enfant mange quelque chose afin qu'il n'aille pas à l'école l'estomac vide (comme si ce jeûne allait le faire s'évanouir), celui-ci est pris entre *deux* feux. Le parent pourrait avouer que lui aussi a toujours été nerveux à l'idée de fréquenter une nouvelle école; il pourrait ajouter que, même adulte, il a toujours éprouvé de l'appréhension quand il s'est agi de commencer un nouvel emploi. Voilà qui pourrait étonner l'enfant, mais surtout le réconforter.

D'autre part, le parent pourrait avertir l'enseignant de la tension de l'enfant afin qu'il se montre amical avec lui, le traite de façon personnelle et lui fasse sentir qu'il l'approuve. Cela compenserait l'image de l'enseignant typique que se font bien des enfants: celle d'un être autoritaire toujours prêt à juger.

Ce qu'il y a de rassurant ici, c'est que ces problèmes scolaires, tout en étant fort ennuyeux, ne sont le symptôme d'aucun trouble plus profond et disparaissent généralement assez vite.

DIXIÈME CHAPITRE

L'influence des parents sur la personnalité et les attitudes de l'enfant

- CURIOSITÉ, IMAGINATION ET CRÉATIVITÉ: À ENCOURAGER PRUDEMMENT
- SOCIABILITÉ: À FAVORISER
- COLÈRE: À RECONNAÎTRE ET À COMPRENDRE
- SEXUALITÉ EN ÉVEIL: À IDÉALISER ET À RELIER AU MARIAGE
- LES ANIMAUX DE COMPAGNIE
- DIEU ET LA RELIGION DANS LA FAMILLE AGNOSTIQUE
- CONTES ET AUTRES HISTOIRES POUR ENFANTS

• CURIOSITÉ, IMAGINATION ET CRÉATIVITÉ: À ENCOURAGER PRUDEMMENT

La curiosité, l'imagination et la créativité de l'enfant constituent une puissante force à trois têtes qui le pousse toujours vers plus de maturité. Elle se manifestera dans le travail scolaire, dans le travail professionnel et, de façon générale, dans tous les aspects de la vie.

Durant l'enfance, c'est la curiosité qui apparaît la première. Avide et insatiable, on la voit dans le regard appuyé que les bébés de deux, trois et quatre mois dirigent sur un objet, par exemple sur un jouet ou sur le mobile qui pend au-dessus de leur berceau. On la voit aussi dans les mouvements maladroits du bébé qui a envie de toucher l'objet, même si ses bras inexpérimentés en sont encore parfaitement incapables.

Vers six mois, la curiosité passe de l'œil à la main. Le bébé fait tourner l'objet sur lui-même, le frappe contre les meubles, le porte à sa bouche pour le goûter. Cette mise en bouche constante nous rappelle que la plupart des animaux doivent effectuer toutes leurs explorations avec le nez et la bouche. Comme cela semble frustrant!

Au cours de sa seconde année, quand le bébé peut se traîner à quatre pattes ou marcher, il commence à explorer les armoires, les placards, les tiroirs. Il met ses capacités physiques à l'épreuve en montant les escaliers ou en grimpant sur les meubles, en poussant ou en tirant vers lui tout ce qui n'est pas fixé, en faisant des expériences avec des contenants divers pour voir si les petits rentreront dans les grands et vice versa. La réponse à ce vice versa semble évidente à l'adulte, mais l'enfant devra en faire l'expérience encore et encore.

Nous, parents harassés, appelons cette exploration quotidienne «mettre le nez partout», et notre ton impatient laisse entendre qu'il s'agit d'un désagrément. Mais nous pouvons voir que, pour l'enfant, il s'agit d'une aventure très sérieuse. Il essaie de maîtriser son monde et de grandir. Le fait que chaque bébé franchisse les mêmes étapes dans ses explorations — il pousse les objets pendant des mois avant de penser à les tirer vers lui, il monte les marches de l'escalier longtemps avant d'essayer de les descendre, il vide les tiroirs puis les remplit — montre qu'il existe un modèle ordonné et élaboré d'entrée en jeu des instincts, modèle qui s'est développé au cours des millions d'années qu'a duré l'évolution de notre espèce et qui s'est révélé efficace pour finalement apporter la maturité à l'individu.

Bien sûr, la curiosité dont l'objet est d'apprendre quelque chose d'utile continue de jouer durant toute l'enfance, durant toute la vie adulte aussi, bien que d'une façon moins fiévreuse. L'enfant est curieux de son corps, des animaux, des insectes, de l'origine des bébés, de la mort, de la signification de la pluie et du tonnerre, du fonctionnement des machines, des mystères du calcul, de l'écriture et de la lecture. Durant l'adolescence, une curiosité renouvelée et plus intense se manifeste en ce qui a trait au sexe, au romantisme, aux émotions et aux mécanismes du corps.

Certains parents n'ont aucune idée de l'importance et de la valeur de la curiosité. Quand leur petit de un an regarde des magazines, puis les déchire délibérément ou quand il pousse une chaise, ils le grondent ou lui donnent une tape. Quand leur enfant de trois ans leur pose «trop de questions», ils réclament le silence. Ils ne se rendent pas compte que, s'ils freinent constamment ses explorations et ses interrogations, s'ils ne lui donnent pas des objets avec lesquels jouer (ce peut être des choses très simples comme des casseroles ou des cuillers de bois), ils finiront par inhiber non seulement la curiosité de l'enfant, mais aussi son développement intellectuel et affectif.

Cela ne veut pas dire que les parents doivent s'interdire d'intervenir dans les explorations de leur enfant. Il leur suffit, par exemple, de remplacer les nouveaux magazines par ceux qu'ils ont déjà lus ou de remplacer la chaise par une boîte de carton qui ne rayera pas le parquet. Si votre enfant de trois ans a pris l'habitude de répéter machinalement la même question sans en écouter la réponse (ce qui signifie souvent que l'enfant est préoccupé par une autre question, plus troublante celle-là, comme la signification des différences génitales, qu'il n'ose pas poser), nul besoin pour vous de vous répéter. Faites-lui remarquer gentiment ce qui se passe et demandez-lui si ce n'est pas autre chose qu'il veut savoir.

L'imagination procède de la curiosité et des expériences, et elle est particulièrement active durant l'enfance, surtout entre trois et six ans. Après avoir reçu une réponse à sa première question sur la mort, l'enfant de trois ans réfléchira aux renseignements troublants qu'il aura obtenus. Peut-être demandera-t-il ensuite: «Moi, est-ce que je dois mourir?» Un de mes fils, à cet âge, un jour qu'il était en train de regarder une photo sur laquelle une tête sortait d'un poumon d'acier, m'a demandé, non sans angoisse, ce que tout cela signifiait. J'ai essayé de rester naturel en lui expliquant que l'homme de la photo souffrait de polio et qu'il ne pouvait respirer seul; la machine le faisait pour lui. Mon fils s'est alors mis la main sur la poitrine et s'est écrié: «Je peux respirer!» Son malaise n'avait duré qu'un instant, mais il révélait avec quelle rapidité et quelle intensité son imagination et sa capacité d'identification l'avaient mis dans la situation de l'autre.

L'imagination n'est pas toujours morbide. Lisez une histoire à un enfant et il vous interrompra pour vous poser mille questions qui montrent bien que son esprit court pour devancer les péripéties et s'élance de tous les côtés, comme un petit chien que l'on promène dans les bois. L'enfant s'imagine être dans l'histoire, y met ses émotions et y voit toutes sortes de choses qui n'y sont pas écrites. Si vous prenez l'habitude d'inventer des histoires pour votre enfant, il se pourrait bien qu'il décide de vous en raconter aussi.

Les jeunes enfants adorent les histoires d'animaux, plus que les histoires portant sur les enfants. C'est, je crois, parce qu'ils peuvent ainsi s'arracher aux limites et aux règles de leur vie civilisée, ainsi qu'à la direction imposée par leurs parents. Ils rêveront qu'ils courent, libres, dans la forêt, qu'ils habitent le tronc creusé d'un arbre, qu'ils volent avec les oiseaux et qu'ils vivent avec des créatures qui ne les grondent pas et qui ne leur demandent pas de se laver les mains avant le souper.

Ce désir d'échapper à la direction et à la désapprobation se manifeste dans les compagnons que certains enfants s'inventent, surtout les enfants uniques, et dont ils parlent sans cesse pendant des mois. Cette situation satisfait, bien sûr, un certain besoin d'avoir un ami. Mais, dans la plupart des cas, il est clair que cet ami imaginaire commet impunément toutes les petites choses vilaines mais délicieuses qu'il ne peut tenter lui-même. Si cela semble être le cas de votre enfant, c'est un signal: vous devez cesser d'exprimer votre désapprobation et plaisanter avec lui de façon sympathique sur son envie de faire ce que son ami imaginaire se permet.

L'enfant s'amuse également dans des aventures imaginaires seul, sans compagnon inventé. Que faire quand l'enfant de quatre ans débordant d'imagination rentre et vous raconte toutes les aventures qui lui seraient arrivées sur le chemin du retour, aventures impossibles mais présentées comme si elles étaient vraies? D'une part, vous ne voulez pas étouffer son imagination et faire d'une bonne histoire un cas pathologique. D'autre part, vous devez essayer d'éviter que votre enfant n'arrive plus à faire la différence entre la réalité et la fiction, ni qu'il croie que ses parents en sont incapables. Le compromis raisonnable? Dites-lui avec admiration: «Toi, tu sais vraiment raconter une histoire. Un jour, peut-être en écriras-tu pour les enfants.»

J'ai consacré trop de lignes aux cas inhabituels d'imagination. Parlons maintenant des manifestations courantes et constructives d'imagination que l'on voit tous les jours dans les jeux auxquels les enfants d'âge préscolaire s'adonnent. Ils jouent au papa et à la maman. Le petit papa imite les activités quotidiennes et les attitudes de son père. La petite maman veut copier sa mère: elle part travailler, ou elle reste au foyer pendant un bout de temps avant d'aller au marché. Le garçon passera des heures à construire une petite ville avec des blocs, puis fera sortir des voitures ou camions de leur garage, les fera rouler dans les rues, provoquant peut-être un accident. Garçon et fille préparent un repas élaboré dans une cuisine imaginée.

À l'âge scolaire, les pensées des enfants et leurs jeux s'éloignent graduellement de la dramatique familiale. Ils s'absorbent dans la science, la nature et la technologie. Ils rêvent d'inventer quelque chose ou d'accomplir quelque fait héroïque. Au cours de l'adolescence et plus tard, leurs rêves se déplacent vers le romantisme et vers des réussites de taille, mais plus réalistes.

Ce à quoi je veux en arriver, c'est à préciser que l'imagination est autre chose qu'un trait amusant et anodin de l'enfance. C'est un stimulus de taille vers l'acquisition de la maturité. Elle encourage les enfants à considérer toutes les significations de leurs expériences quotidiennes et à explorer de nouvelles avenues. Chaque nouvelle idée mène à une autre. Il se produit, à partir de l'intérieur, un enrichissement constant de la vie, chaque pas menant à une expérience encore plus enrichissante dans le monde extérieur. L'imagination, donc, élargit la vie et la rend plus intéressante. Elle accélère l'acquisition de la maturité et permet à l'individu de progresser dans son champ d'intérêt.

Il est sûr que l'on doit favoriser l'imagination. La famille chaleureuse en constitue le meilleur milieu de développement. Mais il y a d'autres choses que les parents peuvent faire pour la favoriser. Qu'ils montrent qu'ils s'intéressent sincèrement aux questions de leurs enfants, qu'ils leur donnent des réponses satisfaisantes, qu'ils leur fassent sentir que rien n'est tabou en ce qui concerne la curiosité, l'apprentissage, le rêve. Faire la lecture aux enfants est également un excellent moyen de faire travailler leur imagination. Cela se fait beaucoup moins que cela se faisait ou que cela devrait se faire. Aujourd'hui, la télévision remplace souvent la lecture. Les émissions qui élargissent le monde de l'enfant sont merveilleuses, mais aussi assez rares. Même s'il y avait davantage d'émissions valables à la télévision, je ne crois pas qu'il soit bon que l'enfant passe trop d'heures à la regarder, surtout quand on considère toute la brutalité qu'on y montre. C'est une occupation trop passive. Les parents doivent limiter le nombre d'heures que les enfants passent devant le téléviseur, pour qu'il leur reste plus de temps pour développer leur propre imagination et pour la transposer ensuite en jeux actifs.

L'imagination et la créativité se recoupent. L'imagination produit les idées; la créativité rend possible le produit final.

À notre époque où l'esprit de compétition est roi, il y a des parents qui croient que la contribution la plus importante des jardins d'enfants ou des garderies de jour, ce sont les aptitudes particulières que les enfants y acquièrent: comment boutonner un vêtement, nouer des lacets, se servir d'un crayon, reconnaître les chiffres et les lettres de l'alphabet. L'acquisition de ces aptitudes fascine les enfants et les prépare graduellement à l'école en bonne et due forme, pourvu qu'on ne les pousse pas trop fort ni trop loin, qu'on les laisse plutôt avancer à leur propre rythme. Mais plus précieux que tout cela, ce sont les petits jeux dramatiques spontanés que les enfants inventent eux-mêmes, sur les situations familiales, la maladie, les soins de santé, les voyages, les animaux. Ces activités aident les enfants à apprendre la coopération, à comprendre et à digérer leurs expériences quotidiennes, à surmonter les angoisses et les frustrations inévitables de la vie (par exemple, à se débarrasser de leur phobie du médecin en jouant au médecin), à devenir eux-mêmes parents un jour. À mon avis, l'être humain en apprend plus sur la façon d'être un parent entre trois et six ans qu'à n'importe quel autre moment de sa vie, du moins avant de l'être lui-même.

Autres activités précieuses pour l'enfant: peindre ses propres images, modeler, marcher en formation et danser, faire de la «musique» avec un petit groupe rythmique. Ces activités libèrent les émotions, élargissent le sens de la vie et l'enrichissent, durant l'enfance et pendant toute la vie. Mais la créativité ne se limite pas aux beaux-arts. Durant les années scolaires, son rôle est évident dans la construction de tables ou de maquettes d'avion, dans le dessin et la confection de vêtements, dans la rédaction ou la publication d'un journal scolaire ou du livre des finissants. C'est ainsi que les enfants apprennent à avoir confiance en eux et à prendre des initiatives.

Voici où je veux en venir: les adultes qui sont créatifs dans leur travail, dans leurs hobbies ou ailleurs — écrivains, designers de vêtements ou de produits industriels, peintres, sculpteurs, artisans, inventeurs, compositeurs, acteurs, danseurs, publicistes, architectes, paysagistes, producteurs, réalisateurs et metteurs en scène — doivent avoir fait preuve d'imagination et de créativité durant leur enfance aussi. En fait, vous pouvez inclure les savants, les chefs d'entreprise et bien d'autres personnes dont le travail ne semble pas avoir la créativité comme caractéristique principale, parce que, pour que notre apport à la société dépasse l'ordinaire, dans la plupart des domaines nous devons être capables et désireux de voir plus loin que le bout de notre nez et de prendre la route la moins fréquentée.

Ainsi, les parents d'une «petite peste» de un an feraient bien de ne jamais oublier que ses explorations constantes représentent de durs efforts pour réaliser son potentiel d'adulte. Ils devraient faciliter ses efforts en mettant à sa disposition des objets simples avec lesquels il peut jouer, en faisant preuve d'une tolérance raisonnable, en lui donnant leur aide, leur temps et leurs encouragements.

• SOCIABILITÉ: À FAVORISER

S'il est possible pour les enfants de devenir des êtres socialement bien adaptés sans avoir eu l'occasion de se lier d'amitié avec d'autres enfants, ce n'est certes pas le meilleur moyen d'y parvenir.

J'ai connu bon nombre d'enfants qui n'avaient aucune expérience du jeu — sauf avec leurs parents accommodants — avant l'âge de deux, trois ou quatre ans. Les premières fois qu'ils ont joué avec des enfants de leur âge, ils étaient effrayés — intimidés à tout le moins — par le comportement de ceux-ci qui s'approchaient d'eux abruptement, sans sourire ni rien dire de gentil, qui leur arrachaient peut-être un jouet pour l'essayer et devenaient souvent bruyants et brusques dans le jeu. Les enfants qu'ils rencontrent pour la première fois peuvent sembler aux enfants sans expérience aussi étranges et dangereux que les gorilles à nous adultes.

Je me souviendrai toujours de cette adolescente de seize ans, enfant unique, élevée dans une propriété éloignée et isolée de Suisse, qui avait reçu des leçons particulières plutôt que d'aller à l'école. Quand elle et les autres membres de sa famille sont allés vivre à New York, ils ont emménagé dans un hôtel de Madison Avenue, artère passagère s'il en est une, et elle a fréquenté une école de qualité, mais bruyante. En quelques jours seulement, elle pleurait de fatigue nerveuse. Après un certain temps, elle a réussi à s'habituer au bruit et au chaos. Il lui a fallu plus de temps encore pour se lier d'amitié avec les deux ou trois filles les plus tranquilles de sa classe.

Les parents devraient commencer par reconnaître que chaque enfant naît avec sa personnalité unique, et que certains sont plus enclins que d'autres à la sociabilité. Tel enfant peut se montrer particulièrement sociable, énergique et capable d'endurer les petits chocs et les ecchymoses de la vie en société. Tel autre peut se révéler être un individu prudent, sensible, tranquille, susceptible et qui réagit à la moindre offense en rentrant dans sa coquille. Les parents peuvent transformer l'un en l'autre.

L'ordre de naissance est un autre facteur de sociabilité, beaucoup de premiers-nés étant moins sociables que la moyenne. (Je sympathise avec eux parce que j'en suis un moi-même.) Les premiers-nés prennent presque exclusivement pour modèles leurs parents, n'ayant ni sœur ni frère aîné à imiter. Il en résulte qu'ils sont généralement plus sérieux, plus mûrs et plus réservés que le second ou le troisième enfant. Ils font plus d'efforts et peuvent être moins enjoués; la sociabilité ne leur vient pas facilement. C'est tout aussi vrai, sinon plus, dans le cas des enfants uniques.

Quand le premier-né commence à être entouré d'autres enfants, quelquefois après l'âge de deux ou trois ans, il n'est pas préparé à affronter leur caractère bruyant, leur rudesse au jeu et leur tendance à empoigner. Ces enfants l'effraient; il se replie sur lui-même. Il est habitué à la gentillesse et aux attentions de ses parents et de leurs amis, et il pourrait se méfier des autres enfants et leur en vouloir un peu.

Il y a toutefois des compensations pour le premier-né et ses parents. L'aîné a plus de chances de réussir à l'école. Il est plus probable qu'il se lancera dans une profession d'«aide»: enseignement, soins infirmiers, travail social ou médecine. Et le pourcentage de premiers-nés parmi les gens qui apparaissent dans le *Who's Who* est spectaculaire.

Le second enfant, à un, deux ou trois ans, sera souvent laissé à ses propres occupations. Mais quand, tout naturellement, il recherchera de la compagnie, il trottinera vers sa mère. C'est lui qui amorcera la rencontre, et il aura la gratification réelle de *susciter* chez elle une réaction. Quand il voudra qu'on lui fasse la lecture, il ira chercher le livre et le demandera. Quand il voudra que son frère ou sa sœur joue avec lui, il en fera la suggestion. Ses initiatives lui apprendront à se faire des amis.

Combien de temps mettra l'enfant inexpérimenté à surmonter l'étrangeté des autres enfants et à prendre plaisir à leur compagnie? Cela dépend en partie du type de relation qu'il a eue avec ses parents. S'il s'est agi d'une relation de compromis agréable, il finira par trouver le moyen d'en établir une du même type avec des enfants de son âge. Mais si ses parents lui ont laissé croire qu'il était le centre de l'univers et lui ont toujours cédé, il mettra plus de temps à trouver le moyen de s'amuser avec les autres de façon démocratique.

Généralement, il est plus facile pour l'enfant d'apprendre l'amitié durant ses premières années. S'il prend le tour dès le départ, quand il est le moins timide, et qu'il apprend à tirer plaisir des échanges, alors il aiguisera ses techniques et renforcera son assurance chaque fois qu'il rencontrera un autre enfant. Mais s'il connaît des débuts lents ou difficiles et qu'il se sent repoussé, il pourrait en venir à toujours appréhender l'inimitié. Dans ses rapports avec les autres, il en a toujours gros sur le cœur — ou du moins il les regarde de travers —, ce qui provoque l'inimitié même qu'il craignait. Chaque échec social lui enlèvera un peu de son assurance et le rendra plus revêche.

Apprendre à se montrer amical, ce n'est pas retenir une série de règles énoncées par les parents «Sois poli avec tes amis», «Partage tes jouets» ou «Fais ce que ton invité veut, non pas ce que toi tu veux faire», même si les parents doivent souvent rappeler ces choses à leurs enfants.

L'attitude amicale, c'est fondamentalement l'amour des autres, le plaisir que l'on prend à leur compagnie et le désir spontané de leur plaire. Elle vient du fait que nous sommes des animaux sociables, prêts à aimer la compagnie des autres, si notre développement a été normal.

Le développement de notre sociabilité doit être favorisé dès le départ par des parents qui sont ravis de nous avoir durant notre enfance, qui nous sourient, qui nous étreignent et qui nous parlent. Puis, après l'âge de un ou deux ans, la chaleur que nos parents font naître en nous se dégage de plus en plus de nous pour atteindre les autres, adultes et enfants.

À un an, vous le remarquerez, l'enfant observe d'abord un étranger pendant un bon moment. Si ce dernier s'est montré amical de loin — il lui a souri, ne s'est pas précipité sur lui et ne s'est pas mis à jacasser —, l'enfant s'approchera de lui. Il tendra peut-être un jouet à l'étranger, pas pour le lui passer, simplement pour lui manifester son amitié.

À deux ans, l'enfant aime jouer à proximité d'un autre enfant, peut-être au même jeu. C'est un jeu parallèle, non pas coopératif. Vers trois ans, les enfants sociables commencent à prendre plaisir à jouer avec les autres: l'un sera le mari, l'autre la femme, le chauffeur d'autobus ou le passager. L'un tirera la charrette, l'autre y aura pris place, et vice versa. Bien sûr, le parent ou l'enseignant doit faire des suggestions de temps à autre, mais la disposition à jouer avec les autres est dans l'enfant.

Arrivé à six ou huit ans, l'enfant est capable (et préfère qu'il en soit ainsi) de rester loin des adultes pendant toute la durée du jeu en société, pour se prouver à lui-même qu'il est indépendant et «grand».

Cet âge est également celui auquel l'enfant tend à vivre à l'intérieur d'un petit groupe fermé et à être intolérant. En essayant de trouver ses propres normes, il s'associe naturellement avec ceux qui ont été élevés d'après les mêmes principes et les mêmes goûts, et il voit d'un mauvais œil tous ceux qui ne ressemblent pas aux membres de son groupe. En raison de cette intolérance, l'enfant qui semble «différent» ou celui qui n'a jamais appris à s'intégrer facilement dans un groupe trouvera pénible la période de six à douze ans.

Les adolescents ne sont pas beaucoup plus tolérants. La plupart sont esclaves de la conformité aux modes et coutumes de leur groupe et méprisent les non-conformistes. Cependant, à cet âge, le besoin de liens affectifs intenses — avec les membres de son sexe ou de l'autre — est tel que l'adolescent qui n'est pas expert en sociabilité ou dont la personnalité ou les goûts sont différents s'acharnera à trouver une ou deux âmes sœurs avec qui se lier d'amitié.

Je crois que les bébés et les petits enfants peuvent être retardés de plusieurs façons dans le développement de leur sociabilité. Il se peut que les parents équilibrent mal les types d'attentions qu'ils leur prodiguent. Ou encore, peut-être l'enfant est-il trop souvent en compagnie d'adultes ou trop souvent en compagnie d'enfants.

Un cas assez rare est celui où les parents ne sont pas très démonstratifs: ils n'embrassent pas le bébé, ne lui sourient pas et ne lui parlent pas. Ce n'est pas qu'ils ne l'aiment pas, c'est simplement qu'on leur a enseigné à être sérieux et réservés. Mais le bébé a besoin de manifestations *évidentes* d'affection; je ne fais pas allusion ici aux attentions tapageuses ni aux chatouillements qui le rendent hystérique.

Un autre déséquilibre flagrant est assez fréquent chez le premier-né dont les parents s'occupent trop. Celui-ci deviendra égocentrique, aux dépens d'une sociabilité de bon aloi. Par exemple, ses parents le surveillent tout le temps, anxieux, craignant qu'il ne se blesse. («Non, ne grimpe pas sur cette chaise; tu pourrais tomber.» «Ne mets pas cet objet dans ta bouche. C'est sale et tu seras malade.») Même le bébé percevra l'inquiétude de ses parents et en absorbera une partie. Dès lors, il se préoccupera exagérément de son corps et de sa sécurité, plutôt que de s'amuser avec les autres.

Il se peut encore que ses parents le mènent constamment par le bout du nez. («Ne touche pas à cela.» «Ne tiens pas ta cuiller de cette façon.» «Dépêche-toi de finir ton repas.» «Dis bonjour à ton oncle.») Cette attitude des parents provient sans doute du fait qu'eux-mêmes ont été aiguillonnés et corrigés durant toute leur enfance. Ils en sont venus à croire que le seul moyen d'éduquer le petit, c'est de le harceler. Cela réduit grandement le plaisir que l'enfant tire de ses parents et l'incite à les contrarier. En grandissant, cet enfant aussi sera hérissé face aux autres.

Dans d'autres cas, la fierté toute naturelle des parents à l'endroit de leur premier-né les pousse à le «donner en spectacle» à tout un chacun, chaque fois qu'ils en ont l'occasion. («Où est ton nez?» «Dis ton nom à Marie.» «Danse pour M. Martin.») L'enfant en vient à considérer les gens non pas comme des êtres dont la compagnie est agréable, mais comme un auditoire qui applaudit. Une fois qu'il sera assez grand pour jouer avec les autres, il pourrait ne pas les inciter au jeu et se contenter d'attendre passivement leur adulation. Si celle-ci est longue à venir, il en sera offensé.

Il arrive que les parents soient si charmés par leur enfant et tellement ravis de passer la journée avec lui qu'ils amorcent toujours la communication, qu'ils sont cordiaux avec lui même quand il est grognon, qu'ils inventent toujours de nouveaux jeux pour l'amuser. Il est le prince; eux, ses loyaux serviteurs. Il n'a jamais l'occasion (et pourrait ne jamais ressentir le besoin) de faire la conquête de l'autre. Rien ne stimule sa sociabilité ni ne l'aide à la développer.

Bien sûr, je ne dis pas que les parents doivent éviter d'avertir leurs jeunes enfants des dangers réellement imminents, ni qu'ils ne doivent pas le corriger au besoin, ni qu'ils ne doivent jamais le mettre en valeur devant les autres. Ce sont là de bien étranges parents que ceux qui n'agissent pas ainsi à l'occasion. Je dis simplement qu'il faut éviter de toujours faire un tas d'histoires pour rien.

Je ne recommande certes pas aux parents de se montrer froids ou distants. Plus ils sont chaleureux, mieux c'est. Je leur suggère simplement de s'occuper de leurs propres affaires les trois quarts du temps et de laisser l'initiative à l'enfant le plus souvent possible.

Du berceau jusqu'à l'école, et surtout quand il commence à faire ses premiers pas, votre enfant devrait avoir l'occasion de jouer avec d'autres enfants plusieurs fois par semaine. Emmenez-le donc à un terrain de jeu ou dans le jardin d'une famille hospitalière.

N'intervenez pas immédiatement s'il se fait bousculer ou frapper, ou si on lui arrache un de ses jouets. Ne sympathisez pas trop facilement avec lui quand il est blessé dans ses sentiments, car il pourrait avoir l'impression qu'on lui a fait un tort grave ou un mal démesuré. Laissez-le apprendre qu'un petit peu de rudesse n'est pas la fin du monde. Il faut qu'il s'habitue à répondre aux poussées par une poussée et à s'accrocher au jouet qu'on veut lui dérober. En d'autres mots, c'est de ses parents que l'enfant apprend ce qu'il ressent à l'égard de l'agressivité des autres enfants. Si ses parents considèrent celle-ci comme dangereuse et cruelle, il en sera effrayé. Mais si les parents la prennent avec un grain de sel, il apprendra à faire de même.

Bien sûr, vous ne pouvez permettre qu'un compagnon de jeu particulièrement agressif fasse sérieusement mal à votre enfant ou l'intimide régulièrement. Si le problème se présente occasionnellement, interposez-vous entre l'agressé et l'agresseur, ce qui désamorcera la situation. S'il se présente constamment, vous devrez emmener votre enfant jouer ailleurs, du moins pendant quelques mois.

Si c'est votre enfant qui est toujours l'agresseur, vous avez besoin des conseils d'un organisme de service familial ou d'une clinique de pédopsychologie.

À trois ans, votre enfant devrait pouvoir profiter d'un bon jardin d'enfants ou d'une garderie de jour. C'est là qu'il apprendra à développer ses aptitudes physiques, sa créativité, son intellect et sa sociabilité. L'expérience de l'école est particulièrement précieuse pour le premier-né, pour l'enfant unique, pour l'enfant qui vit éloigné d'autres enfants et pour celui dont les parents trouvent frustrante sa constante compagnie. (Dans ce dernier cas, les enseignants devraient également pouvoir aider les parents à vivre une meilleure relation avec leur enfant.)

Si vous possédez un jardin derrière votre maison, vous pouvez y installer une balançoire, un jeu de bascule, un carré de sable pour que les enfants du voisinage s'y rassemblent. Si cet appât ne suffit pas, servez-leur du jus et des craquelins au milieu de la matinée et de l'après-midi.

Si votre enfant est d'âge scolaire et qu'il est encore timide ou qu'il est peu populaire, vous pouvez inciter les autres enfants à l'apprécier davantage, jusqu'à un certain point, en les invitant, un à la fois, à manger ou à faire des excursions: pique-nique, zoo, musée, ferme, laiterie, usine. Vous pouvez faire en sorte que les autres enfants se rendent compte des qualités de votre enfant, plutôt que de permettre qu'ils l'ignorent d'emblée, sous prétexte d'une quelconque différence.

Pour certains parents, le problème n'est pas d'attirer les autres enfants, mais plutôt de mettre fin à une amitié qui semble indésirable. Il y a, par exemple, l'ami dont les mauvaises manières sont offensantes et qui est toujours en conflit avec les voisins, celui qui vole, qui ment ou qui persiste à entraîner les autres dans des jeux sexuels, malgré de nombreux et fermes avertissements. Si le problème est d'ordre moral et qu'il préoccupe sérieusement les parents, ceux-ci devront intervenir. Mais si c'est affaire de goûts et de préférences, ils devraient y penser à deux fois avant de révéler leurs sentiments à leur enfant.

Si l'enfant a envie d'être en compagnie de X ou d'Y, ce besoin est réel, que les parents le comprennent ou non, qu'ils l'approuvent ou non. Ils doivent le respecter sur le moment et observer les effets de la relation sur chacun des amis. S'il semble n'y avoir aucun effet néfaste sur leur propre enfant, les parents devraient tolérer une telle relation. Peut-être finira-t-il un jour par en sortir. (Certaines des relations les plus intenses sont les plus courtes.) Si les parents croient que leur enfant est affecté négativement, je leur suggère de consulter le principal de son école, un enseignant ou un organisme de service social pour obtenir une opinion professionnelle et indépendante, avant d'intervenir.

L'amitié n'est pas seulement un des plaisirs de la vie, comme les bons desserts ou les sports exaltants. C'est un ingrédient essentiel de l'existence, pour 99 p. 100 des gens, qu'ils la recherchent plus ou moins maladroitement. L'amitié est aussi importante que la nourriture, que la santé, que le toit et que le sexe. Il est donc logique de cultiver en votre enfant sa capacité d'amitié à l'âge où elle est facile à acquérir.

• COLÈRE: À RECONNAÎTRE ET À COMPRENDRE

L'une des tendances les plus saines dans l'éducation des enfants, ces dernières années, a été la disposition des parents à parler du ressentiment que leurs enfants éprouvent à leur égard.

Dans la famille où j'ai grandi, dans le premier quart de ce siècle, une telle chose aurait été intolérable, même impensable. Arrivés à l'adolescence, mes sœurs, mes frères et moi étions conscients d'en vouloir souvent à notre mère, qui nous semblait poser des jugements moralistes et arbitraires et nous punir de façon trop sévère. Que je sache, de toute sa vie elle n'a jamais reconnu avoir tort et elle n'a jamais changé d'idée.

Nous ne pouvions ni critiquer ses décisions, ni dire que nous étions fâchés. Nous ne pouvions pas marmonner ou lui envoyer des regards perçants ou même discuter trop longtemps parce qu'elle aurait pris ces attitudes pour des signes d'insubordination et nous auraient punis davantage. (Je me souviens encore de m'être fait interdire, à dix-sept ans, le troisième jour des vacances de Noël, d'aller aux dix fêtes qui restaient à cause d'une désobéissance mineure. À ce moment-là, j'ai cru que le ciel s'écroulait sur moi.)

Durant notre enfance, même si nous avons dû nous sentir extrêmement frustrés et opprimés à certains moments, nous avons également dû vivement réprimer notre colère. Je ne me suis rendu compte de cela que beaucoup plus tard, quand j'ai acquis ma formation professionnelle, car le jeune enfant de parents sévères n'ose pas manifester ouvertement son ressentiment; qui plus est, il n'ose même pas se laisser aller à l'éprouver. Inconsciemment, il craint que, s'il met ses parents en colère par sa défiance, ceux-ci ne l'attaquent ou ne l'abandonnent; il ne peut se permettre ni l'un ni l'autre de ces dénouements.

(Je m'empresse d'ajouter que notre mère était aussi très dévouée envers sa famille, généreuse quand elle approuvait, excellente imitatrice et la meilleure raconteuse d'histoires que j'ai jamais entendue, sur scène ou ailleurs. Elle n'a presque jamais recouru au châtiment physique; bien sûr, elle n'en avait pas besoin. Elle avait été élevée elle-même dans ce que nous qualifierions aujourd'hui de discipline de fer, même si elle et ses frères et sœurs étaient aimés de leurs parents. Par comparaison, ma mère trouvait qu'elle nous traitait avec indulgence.)

Le sentiment d'intimidation que ma mère a créé en moi durant ma petite enfance et l'habitude bien enracinée de me cacher mes propres sentiments à moi-même et aux autres ont souvent nui d'une certaine façon à l'établissement de relations franches avec autrui, même dans ma vie d'adulte. Cela m'a aussi fait transmettre à mes enfants la même habitude consistant à refouler ses sentiments.

Quand nous avons l'habitude de cacher ce que nous ressentons, non seulement nous accumulons des tensions et des conflits à l'intérieur de nous-mêmes, mais nous mettons aussi les autres mal à l'aise. Ils interprètent mal nos paroles et nos gestes. Leurs réactions mal fondées nous étonnent et nous bouleversent. Plus ce malentendu dure, plus il est difficile à ceux qui cachent leurs sentiments de reprendre le bon chemin.

Quand les gens admettent ce qu'ils ressentent et reconnaissent les sentiments des autres (ce sont les deux faces de la même médaille), qu'ils ne se cachent pas leurs émotions, positives ou négatives, toutes leurs relations humaines — au travail, dans le mariage, en amitié — s'en trouvent grandement améliorées.

L'intensité du ressentiment qu'éprouvent les enfants envers leurs parents varie selon le tact et la sensibilité dont ceux-ci ont fait preuve jusque-là dans leur éducation en général. Mais un enfant qui n'a jamais aucun ressentiment envers ses parents, cela n'existe pas. Il est également inutile pour les parents d'essayer d'élever leurs enfants avec une telle indulgence et si raisonnablement qu'aucun conflit ne puisse apparaître. Les enfants testeront les limites des parents jusqu'à ce que ceux-ci ne puissent s'empêcher d'exploser.

Pour assumer leurs responsabilités fondamentales, les parents doivent empêcher leur enfant de se faire du mal et d'en faire aux autres. Ils doivent lui apprendre à respecter les autres. Ils doivent lui inculquer normes et idéaux. Ils doivent lui enseigner qu'il faut souvent sacrifier la gratification instantanée au profit d'objectifs à long terme.

Le guide en ce domaine n'a pas besoin d'avoir la main lourde. Les enfants — la plupart du temps — essaient d'imiter les parents qu'ils aiment et admirent; ils sont donc bien disposés pour ce qui est de se conformer. Mais, comme tous les parents le savent, les jeunes enfants sont inexpérimentés, impatients et impulsifs. On doit leur répéter souvent: «Nous nous tenons la main quand nous traversons la rue»; «Quand nous enlevons notre manteau, nous l'accrochons dans la garde-robe» ou: «Nous rangeons nos jouets dans la grande boîte.»

Ces exhortations routinières ne sont pas sans faire naître en l'enfant un certain ressentiment. Et quand il arrive que les parents se fâchent et sévissent, les sentiments négatifs de l'enfant s'intensifient.

En plus des conflits ouverts et conscients entre parents et enfant, il en existe d'autres qui affleurent et que Freud a découverts grâce à la psychanalyse. Ils proviennent surtout de la rivalité ressentie par le fils envers son père et par la fille envers sa mère. Ces sentiments sont refoulés si loin qu'une fois adultes nous n'y pensons plus jamais. Mais les psychanalystes ont toujours été impressionnés par les preuves indirectes de leur virulence, même chez les enfants qui, en surface, s'entendent très bien avec leurs parents.

Autrefois, quand on tenait pour acquis que les enfants naissaient sauvages et que seules la vigilance et les pressions parentales pouvaient les civiliser, on présumait que tout comportement défendu — hostilité, curiosité sexuelle ou même succion du pouce — devait être sanctionné aussi vigoureusement que nécessaire par des réprimandes et par des châtiments.

Par la suite, Freud et les autres psychanalystes et psychologues ont fait des découvertes fondamentales à propos des sentiments d'hostilité. Ces sentiments sont universels; ils sont présents même chez les gens les plus «gentils». Ce n'est pas le frein mis à l'agressivité de l'enfant qui le civilise, mais l'amour et l'admiration qu'il a pour ses parents. Quand les parents sont excessivement stricts et désapprobateurs, le petit enfant est angoissé et se sent coupable d'avoir des pensées hostiles. Il craint non seulement qu'elles lui fassent du mal à lui, mais qu'elles prennent une quelconque forme active et fassent du mal à ses parents aussi. (Les pensées magiques sont courantes durant l'enfance.)

La peur et la culpabilité poussent certains enfants à réprimer leurs sentiments hostiles. Ils peuvent devenir des personnes un peu trop dociles ou montrer des symptômes de névrose, telles les compulsions et les phobies qui sont souvent l'expression masquée d'une hostilité enrobée de culpabilité.

Les thérapeutes pour enfants ont traité ces symptômes à l'aide de psychodrames. Une fois que l'enfant fait confiance au thérapeute, il se peut qu'il montre dans ses jeux à quel point il a peur de reconnaître la présence en lui de sentiments hostiles. Ces sentiments, y compris ceux qu'il éprouve à l'égard du thérapeute, remontent plus près de la surface.

Aux premiers temps de ce type de thérapie, les psychiatres permettaient à l'enfant (ils l'y encourageaient même) de concrétiser ses sentiments nouveaux contre le thérapeute en frappant celui-ci, en l'insultant ou en endommageant son bureau ou son contenu.

L'expérience m'a toutefois enseigné qu'il n'est pas bon de laisser l'enfant transformer ses sentiments en gestes. L'enfant sait au fond de lui que c'est mal d'insulter quelqu'un. Agir ainsi lui donne un *nouveau* sentiment de culpabilité. De plus, cela l'effraie d'être confié aux mains — à l'école, à la maison ou à la clinique — d'un adulte qui lui permet de se comporter en fou furieux. Il pourrait bien se conduire de plus en plus mal pour forcer l'adulte à le reprendre en main.

Nous comptons tous sur les autres, autant que sur notre propre maîtrise de nous-mêmes, pour nous retenir. Et l'enfant, parce que sa maîtrise de lui-même n'est pas encore bien développée, sent qu'il a besoin d'être retenu par des adultes.

L'expérience acquise dans les cliniques de pédologie et de pédiatrie montre que l'inhibition exagérée des sentiments — surtout des sentiments hostiles — peut disparaître avec des paroles, sans qu'il soit nécessaire de passer à l'action. Le thérapeute, voyant que l'enfant est en colère (il le voit dans son jeu, dans l'expression de son visage ou dans son attitude grognonne), lui dit: «Je pense que tu m'en veux parce que je te défends de rapporter ce jouet à la maison (d'aller dans le corridor ou de jouer avec mon stylo). Mais tu as peur de le dire parce que tu crois que je vais me fâcher et te punir ou te faire mal. Je sais que tous les enfants en veulent aux adultes à un moment ou à un autre. Alors, je ne t'en voudrai pas si c'est ton cas.»

Le thérapeute, en parlant de cette façon — il le fait à petites doses — montre à l'enfant qu'il ne le rejette pas et qu'il ne le croit pas mauvais pour la seule raison que l'enfant éprouve de la colère. Il lui fait plutôt sentir qu'il trouve bon et utile de parler de ses sentiments négatifs.

Les parents peuvent recourir à la même méthode, mais de façon moins formelle et moins fréquente, avec leur jeune enfant. Quand vous devez interrompre le jeu de votre enfant de trois ans, vous pouvez lui dire sincèrement: «Je sais que tu m'en veux quand je te demande cela.» Quand votre fils de huit ans est furieux parce que vous insistez pour qu'il fasse son lit avant de sortir jouer avec son ami, dites-lui — avec gentillesse, sans sarcasme — que vous savez ce qu'il ressent.

Quand vous reconnaissez la colère de l'enfant, ne profitez pas de l'occasion pour vous excuser en lui expliquant pourquoi vous avez dû le frustrer. Cela réorienterait la conversation; plutôt que de reconnaître la légitimité de *ses* sentiments, vous justifieriez *vos* actions. Il pourrait croire que votre message est: «Tu n'as pas le droit de m'en vouloir, parce que mes droits sur toi ont priorité.»

Pour bien faire, donnez-lui un moment pour sentir que vous reconnaissez sa colère sans lui en vouloir. S'il veut ensuite vous demander avec reproche pourquoi vous l'avez frustré en premier lieu, donnez-lui vos raisons légitimes. Mais ne le faites pas en l'accusant ou en vous montrant indigné, car vous feriez renaître sa colère initiale. Expliquez-vous le plus calmement possible, afin de ne pas entamer votre attitude compréhensive.

Cette reconnaissance des émotions de l'enfant ne doit pas se limiter à sa colère. Il en éprouve d'autres qui sont qualifiées de négatives, comme la jalousie ressentie à l'endroit du frère ou de la sœur. «Je sais que cela t'irrite de voir les gens s'occuper de Linda à ce point.»

D'autres sentiments ne sont pas mauvais, mais peuvent couvrir l'enfant de honte ou d'embarras. «Je pense que tu as peur de l'obscurité, comme moi quand j'étais enfant.» Reconnaissez sa peine: «Je vois que ton petit chien te manque encore», ses désirs sexuels: «Je vois que tu veux toucher aux seins de maman. Tous les garçons éprouvent cette envie, mais les mères ne les laissent pas faire, parce les seins, c'est intime.» (Ou expliquez à votre façon vos inhibitions naturelles.)

En attirant l'attention des parents sur les sentiments de l'enfant qu'ils peuvent reconnaître, je ne veux pas dire qu'ils doivent le surveiller toute la journée et commenter chaque émotion fugace. Parents et enfant deviendraient obsédés. Cette reconnaissance ne s'exprimera qu'occasionnellement, quand il est évident que l'enfant est victime d'un conflit intérieur.

Je dois aussi ajouter que les parents ne devraient pas ramper ni adopter une attitude masochiste quand ils font remarquer sa colère à l'enfant, comme s'ils lui disaient: «Je sais que je ne suis pas un bon parent et que je mérite ton ressentiment.» Ce n'est pas que les parents soient incompétents et qu'ils méritent la colère de l'enfant. C'est que les bons parents, en assumant leurs responsabilités, doivent lui imposer obligations et restrictions. Et il est normal que les «bons» enfants en veuillent à leurs parents. Personne n'est mauvais.

Le parent commettra des erreurs, c'est inévitable, comme quand, par exemple, il accusera l'enfant ou le punira à tort. Dans ce cas, il admettra tout simplement qu'il a eu tort et s'excusera. Mais même alors, le parent n'a pas à se mettre à plat ventre. Il s'excuse parce qu'il s'est trompé, mais il reste digne.

J'ai ajouté ces avertissements à la fin pour être sûr que les parents mettent en pratique ce que je préconise et améliorent la compréhension et le respect qui existent entre eux et leurs enfants; non pas pour qu'ils établissent une relation malaisée dans laquelle l'enfant serait toujours l'accusateur qui a raison et les parents, les vilains toujours sur la défensive.

• SEXUALITÉ EN ÉVEIL: À IDÉALISER ET À RELIER AU MARIAGE

Nous avons été témoins, au XXe siècle, d'un changement d'attitude spectaculaire à l'égard des choses sexuelles, où honte et culpabilisation sont devenues choses du passé. Les psychologues, les psychiatres pour enfants et les éducateurs ont pressé les parents de surmonter leur malaise pour répondre aux questions naturelles de leurs enfants et pour discuter avec eux. Ces influences ont rendu la tâche plus facile aux parents. Mais il serait sot de la part des professionnels de faire croire aux parents qu'il est facile de parler de ces sujets aux enfants, surtout aux adolescents.

La plupart des parents, même à notre époque émancipée, se trouvent un peu surpris quand la première question est posée, vers l'âge de deux ans et demi ou trois, sur les différences physiques entre les sexes et sur l'origine des bébés. La question n'est jamais posée dans la forme attendue, ni à l'endroit ni au moment prévus. Beaucoup d'adolescents (le plus souvent les garçons) sont si conscients des changements émotionnels et sexuels en cours qu'ils embarrassent le parent occupé à leur expliquer les choses de la vie en prétendant qu'ils savent déjà toutes ces choses-là. (C'est ce que mes deux fils m'ont dit à l'époque.) Cependant, si vous êtes le parent exceptionnel que ce genre de discussion ne gêne pas, tant mieux. Généralement, les discussions mère-fille se déroulent plus aisément.

Les enfants âgés de deux ans et demi à six ans rendent la tâche facile à leurs parents grâce à leur extrême curiosité et à leur naturel. Ils absorberont toute information, vraie ou fausse.

Au cours de cette période, il se produit de grands changements dans ce que l'enfant pense et ressent au sujet de la sexualité au sens large. Tous ces changements sont reliés entre eux et font que la sexualité a une influence beaucoup plus complexe, puissante et spirituelle chez l'homme que chez les autres créatures.

La plupart des enfants découvrent les différences génitales entre deux et trois ans, s'ils en ont l'occasion. Il est possible que ces différences inquiètent également le garçon et la fille: elle pourrait croire qu'on l'a privée d'un pénis, et lui, qu'il risque d'en être privé.

Entre trois et quatre ans, les enfants veulent connaître l'origine des bébés et ils en veulent un pour prendre soin de lui.

Les garçons, quand on leur apprend que seules les filles peuvent faire pousser des bébés dans leur ventre, pourraient persister à dire qu'ils le peuvent aussi. Ils acceptent difficilement de renoncer à un privilège aussi extraordinaire. Par ailleurs, les filles peuvent manifester, dans leurs jeux ou dans leurs paroles, l'envie d'avoir un pénis.

Il y a cependant d'autres facteurs émotionnels — agréables et inquiétants — qui compliquent la vie de l'enfant de trois ou quatre ans. La plupart se mettent à adorer le parent du sexe opposé. Ils surestiment les qualités de ce parent. Le garçon dira: «Je vais épouser maman quand je serai plus grand.» La fille dira la même chose de son père. Cette adoration joue un rôle important dans la formation de l'idéal romantique qui guidera l'enfant devenu adulte dans ses amours et son mariage.

Garçons et filles veulent jouer à être mariés comme leurs parents et à faire pousser des enfants. Il se peut qu'ils s'engagent dans des jeux sexuels, ce qui traduit non seulement une conscience de la sexualité, mais aussi une curiosité extrême pour les organes génitaux.

Les enfants prennent conscience petit à petit, entre cinq et six ans, du fait que, leurs parents étant déjà mariés, un mariage de plus n'est pas possible. Inconsciemment, le garçon et la fille se sentent alors écartés; ils voient le parent du même sexe comme un rival et éprouvent un certain ressentiment à son égard, comme le révèle la psychanalyse d'enfants et d'adultes. Au niveau du conscient et dans le quotidien, les enfants continuent d'être raisonnables, coopératifs et affectueux. Et ils peuvent être grognons et susceptibles à l'occasion.

La psychanalyse d'enfants (et d'adultes aussi) a montré que, lorsqu'ils éprouvent colère et hargne à l'égard de leurs parents, ils présument que ceux-ci lisent dans leur tête et ressentent la même chose pour eux. Ainsi, le garçon qui en veut à son père de déjà posséder sa mère croit que son père lui en veut de la désirer lui aussi. De la même façon, la fillette de cinq ou six ans qui se sent la rivale de sa mère et qui lui en veut présume que celle-ci éprouve le même sentiment à son endroit.

Malgré cette rivalité croissante avec le parent du même sexe, le garçon admire son père et s'identifie à lui; il en va de même pour la fillette avec sa mère. C'est ainsi qu'ils se forment un idéal pour ce qui est du type de personnes qu'ils deviendront une fois grands.

Un autre facteur que la psychanalyse a fait ressortir accentue la rivalité du fils avec son père: le garçon en veut à son père d'avoir un pénis plus gros que le sien. (Je l'ai constaté clairement chez un de mes fils.) Il a quelquefois envie de le lui enlever. Il présume que son père veut se venger en lui enlevant le sien. Il croit que c'est possible parce qu'il a vu des filles sans pénis.

C'est ainsi que cet ensemble complexe d'idées et d'émotions angoisse de plus en plus le garçon. Chez les filles, le sentiment négatif est plus le ressentiment d'une privation passée que la crainte d'une privation future. Ces soucis sont une des causes des cauchemars des enfants de six et sept ans. Que font les enfants quand ils sont exagérément inquiets? Ils chassent tout cela de leur conscient vers leur inconscient, où ces soucis marinent et mijotent, pour causer à l'occasion des symptômes de névrose comme des phobies qui n'ont aucun sens.

Du fait que ces angoisses affectent de jeunes enfants dont l'imagination est souvent morbide et qui entendent çà et là des bribes d'information (vraie ou fausse), les idées de ceux-ci sur les choses sexuelles sont confuses et contradictoires, même quand les parents sont d'excellents maîtres. Longtemps après qu'on leur a appris la vérité biologique, les enfants retournent à leurs théories de cigognes et de paquets apportés par le médecin. Ne vous étonnez donc pas.

Soit dit en passant, vous n'avez pas à accepter les conclusions de Freud et d'autres psychanalystes si vous les trouvez contraires au bon sens. Je les cite parce que j'y crois de par ma formation et mon expérience, et parce qu'elles aident à comprendre le comportement de l'enfant.

Entre six et douze ans, en raison de l'angoisse causée par sa rivalité avec le parent du même sexe, l'enfant essaie de réprimer le gros de son intérêt pour le sexe, le mariage et la fabrication de bébés. Il se tourne, soulagé, vers des choses moins personnelles et plus abstraites, comme la lecture, le calcul, l'écriture, la nature et la science. Il est plus à l'aise pour rechercher et accepter des renseignements de nature scientifique sur le sexe et pour parler de sexualité chez les animaux plutôt que chez les humains.

Qu'advient-il donc, après l'âge de six ans, de l'attachement romantique intense pour le parent du sexe opposé, attachement que j'ai dit refoulé dans l'inconscient par l'angoisse? Qu'en est-il de la curiosité au sujet des organes génitaux et de l'origine des bébés? Et que dire de l'admiration du fils pour son père et de son identification à lui, et des mêmes sentiments de la fille pour sa mère, sentiments qui coexistent avec une certaine rivalité?

Toutes ces émotions subissent de grands changements entre six et sept ans. La curiosité pour l'anatomie sexuelle s'élargit en curiosité pour toutes sortes d'aspects de la nature et de la science. L'admiration pour le parent du même sexe et l'identification avec lui, dont les enfants veulent se départir pour devenir plus indépendants, se concentrent désormais sur les jeunes de leur âge: ils veulent s'habiller comme eux, parler comme eux et posséder les mêmes choses qu'eux. Une certaine partie de l'admiration pour le parent se transforme en une idéalisation de héros de l'histoire, de champions du sport, d'inventeurs ou d'explorateurs.

L'engouement pour le parent du sexe opposé reste refoulé jusqu'à l'adolescence. Il refait alors surface sous forme de toquades pour tel enseignant, acteur de cinéma ou chanteur qui sont vus sous un éclairage particulièrement flatteur. Vient ensuite le moment où l'adolescent éprouve un amour éperdu pour tel autre jeune dont le visage, le corps ou la personnalité l'attire. Ces béguins sont souvent de courte durée parce que les adolescents voient dans l'objet de leur flamme les traits idéalisés qu'ils recherchent mais qui ne sont, la plupart du temps, que le fruit de leur imagination. Mais même quand leurs choix deviennent plus réalistes, une partie de la nostalgie spirituelle qui leur reste de leur amour réprimé pour le parent du sexe opposé se réalisera dans la musique, la poésie, la littérature ou les arts, où ils se sentent poussés à créer ou au moins à apprécier. L'exemple classique est celui de Dante, inspiré, dans ses poèmes qui sont parmi les plus beaux du monde, par Béatrice, une femme qu'il n'a jamais connue, mais entrevue une fois seulement dans la foule. Je suis de ceux qui croient, sur la foi du travail de psychanalyse effectué auprès d'enfants et d'adultes, que l'amour profond que l'enfant de trois ou quatre ans éprouve pour le parent du sexe opposé, et qui est refoulé entre l'âge de six ans et l'adolescence, est ce qui donne puissance, mystère et spiritualité au phénomène que nous appelons l'amour et à la réaction de l'être humain devant la beauté de la nature et des arts.

Laissons maintenant les théories de fond sur l'inconscient. Comment faire en sorte que l'enfant reçoive une bonne éducation sexuelle? Avant de répondre aux questions des enfants de deux ou trois ans sur les différences génitales, il est bon que les parents prennent conscience que filles et garçons présument souvent que les filles ont été privées d'un pénis et que la même chose pourrait arriver aux garçons. Les parents doivent donc insister sur le fait qu'aucun mal n'a été fait à personne, qu'il est normal que le garçon soit différent de la fille. Il est relativement facile de répondre aux premières questions des enfants sur l'origine des bébés: une petite graine grandit dans le ventre de la mère et le bébé en sort par une ouverture spéciale.

Un mois ou deux ans pourraient passer avant que l'enfant pense à s'informer du rôle du père dans la création. À ce moment-là (l'enfant aura sans doute de quatre à six ans), je pense qu'il est important que le parent parle non seulement de pénis et de vagin, mais de l'amour intense et mutuel des parents, de l'envie de se plaire et de se servir l'un l'autre, ainsi que du désir d'élever un bébé ensemble.

Je crois que la sexualité humaine est d'ordre tout autant spirituel que physique, mais qu'aujourd'hui on relègue trop souvent au deuxième plan le côté spirituel. À mon avis, cela explique pourquoi tant d'adolescents voient le sexe comme exclusivement physique et qu'ils se livrent à des expériences. Ils disent: «Le sexe est un instinct naturel que l'on doit assouvir.» Il en va de même pour les lapins. Mais pour les êtres humains qui ont été élevés dans des familles où l'amour et les idéaux avaient leur place, c'est beaucoup beaucoup plus.

Je crois que les parents doivent aider leurs enfants à reconnaître et à respecter les aspects spirituels de la sexualité. Quand, durant le souper familial, la conversation porte sur les deux étudiants du secondaire qui se sont mariés, les parents feront remarquer que les mariages entre très jeunes gens se brisent souvent parce que ceux-ci n'ont pas atteint une certaine maturité. Quand on y potine sur tel ou tel divorce, les parents expliqueront, sans faire de sermons, qu'un bon mariage n'est pas un accident, mais quelque chose qui doit être entretenu tous les jours, comme un jardin. Ils donneront l'exemple en montrant leur amour et leur respect mutuel, et aussi leur respect pour l'institution du mariage. Les plaisanteries douteuses sont à éviter. Quand on y discute de la grossesse de telle adolescente, les parents feront remarquer que le jeune couple n'avait sans doute pas conscience du fait qu'il incombe aux deux partenaires de prévenir une grossesse ni n'avait compris jusqu'à quel point celle-ci handicaperait leurs études et leur vie. Tous ces commentaires seront exprimés non sur un ton de reproche, mais du ton même dont les adultes usent entre eux quand ils discutent de problèmes. Que les parents n'oublient pas de parler avec enthousiasme des mariages réussis, notamment du leur.

Les adolescents ont mille questions au sujet de la vie et de l'amour. Ils veulent connaître l'opinion et les expériences des autres jeunes, mais aussi celles de leurs enseignants et des parents de leurs amis. Au fond, ils sont curieux des opinions de leurs parents, mais hésitent à s'en enquérir de crainte que ceux-ci n'essaient de leur dicter ce qu'ils doivent faire et croire. Si vous pouvez orienter la conversation vers ces sujets, vous aiderez vos jeunes à parler des choses qui les tracassent et il vous sera à tous plus facile d'entamer une discussion plus profonde et plus franche.

Une autre façon de provoquer des conversations sur les choses de la vie avec vos adolescents — ou vos enfants plus jeunes —, c'est de recourir à des livres. Il existe bon nombre d'ouvrages sur ce sujet, qui s'adressent aux enfants d'âges divers. Vous en trouverez à la bibliothèque ou chez votre libraire.

Les ouvrages d'éducation sexuelle pour les enfants sont utiles de plus d'une façon. Ils contiennent souvent des illustrations ou des diagrammes qui aident les enfants à mieux saisir les explications verbales des parents et des enseignants. Dans les meilleurs livres, l'auteur a choisi ses mots de façon à exprimer sans équivoque ses opinions. Le parent timide qui serait embarrassé de répondre à telle ou telle question — du moins sans aucune aide — peut donner le livre à l'enfant en vue d'une discussion ultérieure, ou le lui lire. Ainsi, l'enfant saura que ses parents considèrent que la sexualité est un sujet digne de réflexion et de discussion, même s'ils sont trop embarrassés pour en parler.

Il y a au moins deux raisons qui font que les conversations entre parents et enfants sur le sexe se révèlent souvent difficiles. Les adolescents qui sont maintenant conscients des sensations intenses qui entourent la sexualité hésitent à en parler aux parents qui ont tendance à la critique.

Une fois que les jeunes enfants commencent à jouer avec les plus grands, ils entendent toutes sortes d'histoires horribles sur l'accouchement, par exemple que le médecin déchire le ventre de la mère pour faire sortir le bébé. Il est donc bon que le parent, l'enseignant, l'auteur ou l'illustrateur n'escamote pas le sujet par un «C'est alors que le bébé naît», mais plutôt qu'il parle du caractère naturel du travail et des contractions, en mentionnant peut-être la douleur, mais sans dramatiser.

La plupart des parents modernes trouvent relativement aisée la discussion sur le sperme, l'œuf, l'utérus et le fœtus. Ce qui est difficile, c'est de parler de l'acte sexuel même et des sensations intenses qui l'accompagnent.

Les parents souligneront ceci: même à notre époque où les normes sexuelles sont libérées, il existe un très grand nombre de jeunes qui ne se sentent pas prêts à avoir des rapports sexuels, malgré les sarcasmes de leurs amis plus audacieux (qui les qualifient de frigides ou d'impuissants), et qui souhaitent retarder ce type d'intimité jusqu'au mariage ou jusqu'à ce qu'ils soient prêts à avoir ces rapports. En d'autres mots, il n'y a rien de mal à dire non. Les parents expliqueront qu'un grand nombre d'êtres humains parmi les plus créateurs — compositeurs, écrivains, peintres, sculpteurs, savants — ont été intimidés par l'intimité physique jusque vers le milieu de la vingtaine.

• LES ANIMAUX DE COMPAGNIE

Je ne parlerai pas des animaux de compagnie en me fondant sur mes expériences d'enfance, car je n'ai jamais eu le droit d'en avoir, mis à part les têtards ramassés sous forme d'œufs. Chaque fois que mon frère, moi-même ou une de mes quatre sœurs pleurait pour avoir un chien, ma mère répondait avec fermeté: «Des chiens, j'en ai déjà six.» À ses yeux, ce n'était pas une insulte, mais bien un rappel: cela lui suffisait de s'occuper de nous. Et elle ne changeait jamais d'idée. En grandissant, nous avons compris la nature de ses objections: les chiens n'ont aucune pudeur, sont trop curieux de l'anatomie des autres chiens (et des humains aussi) et s'accouplent au grand jour sur la place publique. Les chats, au moins, ont la délicatesse de le faire dans l'obscurité.

Ce que j'ai appris sur les animaux de compagnie me vient de ceux qui ont appartenu à mes enfants, à mes petits-enfants et à mes patients.

Je me suis souvent demandé pourquoi les enfants sont si fascinés par les animaux, non seulement les animaux vivants, mais aussi ceux en peluche et ceux dont on parle dans les histoires. Je pense que les enfants d'âge préscolaire préfèrent les histoires de lapins aux histoires d'humains.

Au septième chapitre, dans la partie intitulée «Autres considérations sur les consolateurs», j'ai parlé des animaux en peluche, des vieilles couvertures et des autres objets tout doux auxquels de nombreux enfants s'attachent profondément. Ils les caressent ou les manipulent tout en suçant leur pouce durant les périodes de régression: quand ils sont fatigués, anxieux ou blessés.

Je crois que ces attachements apparaissent graduellement vers l'âge de six mois, quand le bébé commence à sentir qu'il est un être distinct de sa mère: il veut faire quelque chose lui-même, faire valoir son indépendance. Le consolateur lui rappelle le sentiment de sécurité que sa mère lui inspire. Mais c'est là un excellent substitut de la mère, parce que le consolateur ne peut accaparer entièrement l'enfant, ni le dominer. Grâce à son consolateur, l'enfant se sent en sécurité tout en manifestant un petit peu d'indépendance.

Revenons à nos... animaux vivants. Je suppose qu'un de leurs plus grands attraits pour l'enfant, c'est qu'ils lui tiennent compagnie sans essayer de le dominer. (Il n'y a pas que les adultes qui mènent les enfants par le bout du nez, les aînés le font aussi.) En fait, l'enfant devient le maître de l'animal. Vous le remarquerez à toutes les réprimandes qu'il lui sert. En outre, l'animal, généralement petit, permet à l'enfant de se sentir grand. Mais même les petits enfants essaieront de commander aux gros chiens, surtout s'ils sont dociles et de bonne composition.

On pourrait aussi dire que l'animal de maison donne l'occasion à l'enfant d'être un parent, état auquel tous les petits ont hâte d'arriver. Être parent ne signifie pas seulement dominer, mais aussi donner amour, tendresse, réconfort et nourriture. L'enfant sent à quel point il a été important pour lui de recevoir tout cela de ses parents et il a envie de rendre la pareille à ses enfants réels ou imaginaires, aux autres enfants et aux animaux.

Quels sont les animaux de compagnie les plus demandés? Lesquels conviennent le mieux? Les enfants d'âge scolaire rêvent de posséder un poney. Rien là d'étonnant. Le poney possède toutes les caractéristiques des autres animaux, en plus de pouvoir transporter son maître là où il le veut. Je n'ai jamais connu, parmi mes patients, un enfant propriétaire d'un poney, et je suis conscient du fait que ce n'est pas un «animal de maison» très pratique, du moins en milieu urbain: il en coûte cher pour l'acheter, pour le loger, pour le nourrir, et il a besoin de beaucoup de soins quotidiens.

Le chien reste le préféré parce qu'il manifeste ostensiblement son amour, qu'il est loyal, ardent et enjoué. Il donne à l'enfant le maximum de compagnie non humaine. Comme il est affectueux de nature et qu'il réagit avec enthousiasme à l'affection qu'on lui témoigne, le chien permettra à l'enfant de manifester chaleur et tendresse. (Je n'irai pas jusqu'à dire qu'il guérira à lui tout seul l'enfant maussade ou méchant.)

L'inconvénient du chien, c'est qu'il faut l'entraîner à être propre, à ne pas sauter sur les gens lorsqu'il les accueille et à ne pas menacer les étrangers. Il vous aliénera peut-être vos voisins parce qu'il fera des trous dans leur pelouse. Le chien agité pourrait également effrayer l'enfant timide qui n'arrivera pas à s'habituer à lui. Et les chiens (comme les chats) se font souvent écraser, ce qui est affreux pour la famille et particulièrement troublant pour l'enfant sensible.

Le chat (j'espère ne pas offenser les adeptes des chats) n'a pas nécessairement le même caractère amical et la même exubérance que la plupart des chiens; il pourrait donc ne pas attirer l'enfant qui a envie d'un compagnon constant et actif. Mais le chat est affectueux à sa manière et il apprécie la tendresse. Il est facile de le rendre propre et on n'a pas besoin de le promener. Il n'est agressif ni dans ses démonstrations d'amitié, ni dans ses démonstrations d'inimitié.

Parmi les animaux qui suscitent chez l'enfant l'envie de prendre soin d'un animal mais qui ne peuvent manifester beaucoup d'amour ni se montrer enjoués, on compte les lapins, les cochons d'Inde, les hamsters, les souris blanches, les canaris et les poissons. Les quatre derniers peuvent servir de compromis acceptables pour l'enfant dont les parents ne veulent ni chien ni chat.

Quel enfant devrait posséder un animal de maison? Je ne crois pas que le fait de posséder un petit animal soit essentiellement important pour quelque enfant que ce soit, en ce sens que l'animal ne peut distinguer si l'enfant est heureux ou malheureux, bien ou mal adapté. Mais il peut jouer un rôle précieux pour l'enfant unique, pour l'enfant sans compagnon et pour celui qui harcèle ses parents pour en obtenir un, que ses parents sachent ou non pourquoi il en a tant besoin. (L'enfant isolé, même s'il possède un animal de maison, doit être emmené une ou deux fois par semaine dans un endroit où il peut jouer avec d'autres enfants. L'animal ne peut remplacer entièrement la compagnie humaine.)

Le fait d'avoir un chien aiderait-il l'enfant de deux, trois ou quatre ans atteint de la phobie des chiens? Le fait de posséder un chien ne garantit pas qu'il sera à l'aise avec les chiens qu'il ne connaît pas. Généralement, cette phobie atteint l'enfant mais parce qu'il a une peur inconsciente de la colère d'un de ses parents, peur qui se manifeste sous cette forme déguisée. S'habituer à son propre chien n'élimine pas la tension intérieure de l'enfant, même s'il peut en soulager ce symptôme particulier.

Chez beaucoup d'enfants normaux, la méchanceté n'est pas freinée avant l'âge de trois ans. Il arrive que les petits enfants se mordent entre eux quand ils en ont l'envie ou qu'ils se montrent assez cruels envers un animal. Par conséquent, je ne recommande pas que l'on confie un animal à l'enfant de moins de trois ans. C'est à partir de cet âge qu'il maîtrise son agressivité, qu'il apprécie la compagnie et qu'il apprend l'altruisme. Bien sûr, certains enfants ne manifestent aucune cruauté à deux ans ou avant, et d'autres seront toujours méchants. Quel que soit son âge, on ne permettra jamais à l'enfant d'être cruel envers un animal: cela fait du tort à l'un comme à l'autre. L'attitude la plus constructive consiste à entraîner l'enfant à submerger ses impulsions méchantes par ses impulsions affectueuses. Dirigez-le, aussi souvent qu'il le faut, en lui disant: «Tu fais mal au petit chat quand tu le frappes. Caresse-le gentiment, comme ça. Tu aimes le petit chaton et il t'aime. Il aime que tu le caresses avec douceur.»

Tout enfant qui pleure pour qu'on lui achète un petit animal est prêt à s'engager solennellement à s'en occuper: il le nourrira, lui fera faire sa promenade, le lavera... L'expérience a montré que la plupart des enfants — surtout les très jeunes — n'ont pas suffisamment le sens des responsabilités pour respecter leurs promesses pendant plus de quelques jours, à moins d'être aiguillonnés par les parents.

Je pense que si l'animal a été acheté sur la foi de ces promesses, il est préférable de forcer l'enfant à les respecter. Pour réduire au minimum votre harcèlement et vos récriminations, il est sage que parents et enfant s'entendent sur une routine: l'enfant fera ce qu'il doit faire à la même heure chaque jour, disons après le petit déjeuner ou avant le souper, quand les parents pourront constater facilement (sans avoir à le demander) si l'enfant s'est acquitté de ses devoirs. Au besoin, faites un petit rappel: «C'est l'heure de donner à manger à Fido.»

Le parent pourrait aussi choisir de s'occuper de l'animal sans faire de reproches à l'enfant. Quel que soit le cas, il faut de la constance. Il ne faut pas forcer l'enfant à s'occuper de l'animal un jour et pas le lendemain, pour ensuite le harceler le troisième jour pour qu'il le fasse. L'inconstance des parents encourage l'enfant à se dérober à ses obligations.

Si l'animal meurt ou si l'on doit s'en débarrasser, il est normal que l'enfant soit bouleversé et déprimé pendant plusieurs jours, voire plusieurs semaines. Les parents bien intentionnés voudront peut-être alléger ce deuil en offrant un autre animal au petit. Ils auraient bien tort.

La meilleure façon de se remettre du deuil d'un animal, comme du deuil d'une personne, c'est de se laisser aller à l'éprouver, d'en parler, non pas de le refouler. Si l'enfant voit que ses parents ne sont apparemment pas touchés par cette mort, tragique à ses yeux, il pourra présumer que l'amour que ses parents éprouvent pour lui est également temporaire et superficiel. Attendez que l'enfant manifeste le désir d'avoir un autre animal.

La mort ne doit pas devenir une chose tout à fait négative aux yeux de l'enfant. C'est un aspect de la vie que nous devons admettre, comme une menace théorique d'abord; il nous faut ensuite accepter la perte d'un animal préféré, d'un ami ou d'un parent, et enfin notre propre mort.

À chacun de ces événements, la mort nous enseigne à être humbles et à continuer de vivre. Elle nous demande courage et dignité. En cette matière, les parents devraient donner l'exemple à l'enfant, par leurs paroles, leurs gestes, leur attitude. La mort de son animal n'est généralement pas aussi bouleversante que la mort d'un parent proche. Elle donne donc l'occasion aux parents et à l'enfant d'en tirer leçon.

Les jeunes enfants ont naturellement tendance à accompagner la mort de l'animal d'une cérémonie, ne serait-ce qu'en plaçant le corps dans une boîte et en l'enterrant dignement. Les parents doivent considérer ces cérémonies avec la même révérence que l'enfant.

Les psychiatres de l'enfance ont appris que le jeune enfant — surtout avant six ans — peut être sérieusement bouleversé si l'animal a dû être éliminé à la suite d'une maladie, d'une blessure ou d'un comportement inacceptable (lorsqu'il attaque les gens, par exemple). L'enfant en conclut que le même destin ou la même punition l'attend. Mieux vaut lui expliquer que le vétérinaire croit que l'animal vivra mieux à la campagne (ou ailleurs) le reste de ses jours et qu'il (ou vous-même) lui trouvera un nouveau domicile.

Si les parents, pour une raison ou pour une autre, ne veulent pas de l'animal que leur enfant veut à tout prix — ou d'un animal en général —, ils doivent le lui dire de façon catégorique. Aujourd'hui, de nombreux parents consciencieux ne savent pas trop s'ils ont le droit de priver leur enfant de quelque chose qu'ils ont les moyens de lui offrir, même si cette faveur ne manquera pas de les déranger ou même si elle va à l'encontre de ce qu'eux souhaitent. Il se peut qu'ils décident de refuser la demande, puis qu'ils se sentent coupables. Si c'est le cas, cela encouragera l'enfant à répéter sans cesse sa demande, à pleurnicher, à leur faire des reproches.

Je crois fermement que les parents ont le droit de prendre toutes les décisions finales au sujet de leur enfant, après avoir pris en considération les souhaits de celui-ci, les us et coutumes de la communauté et leurs propres souhaits à eux. S'ils peuvent prendre la décision sans se culpabiliser (en y réfléchissant ensemble) et l'annoncer sans avoir l'air coupables, il est probable que l'enfant l'acceptera de bonne grâce.

• DIEU ET LA RELIGION DANS LA FAMILLE AGNOSTIQUE

Parler de la religion avec les enfants est devenu de plus en plus difficile au cours des cent dernières années, en raison de l'évolution des attitudes religieuses et de l'affaiblissement de la foi chez beaucoup de gens. Mais la théorie selon laquelle l'univers ne serait qu'un système purement physique et l'être humain une sorte d'appareil fait de cellules et de substances chimiques en constante évolution ne satisfait pas la plupart d'entre nous qui sont agnostiques ou vaguement croyants. Nous aspirons à ce que notre existence ait plus de sens. Nous ressentons vivement une force spirituelle en nous et en ceux qui nous entourent. Nous voulons donner un nom et une identité à cette force et définir la relation individuelle qui nous lie à elle.

Je ne m'adresse pas ici aux croyants convaincus. Ce sont eux qui éprouvent le moins de difficulté à expliquer la religion à leurs enfants. Je ne m'adresse pas non plus aux athées qui se croient obligés de transmettre leur incrédulité à leurs enfants. Je m'adresse à ceux qui se tiennent entre ces deux positions extrêmes: ceux qui pensent que Dieu existe mais qui ne savent pas comment le présenter à leurs jeunes enfants, les agnostiques qui ignorent comment expliquer leur doute et ceux que j'appellerai les athées démocratiques, qui souhaitent que leurs enfants fassent leur propre choix quant à la religion.

De nombreux parents de ces catégories me posent ce genre de questions: Que pouvons-nous enseigner à nos enfants sur la religion et sur les valeurs spirituelles? Devrions-nous avouer notre doute si nos enfants nous le demandent? Devrions-nous prétendre être des croyants plus convaincus que nous ne le sommes, pour donner à nos enfants quelque chose sur quoi s'appuyer, du moins temporairement? Ou devrions-nous leur laisser toute la responsabilité de croire ou de ne pas croire, en leur disant que tôt ou tard ils devront bien prendre une décision? Faut-il croire ceux qui avancent que les enfants dont les antécédents sont chrétiens ou juifs doivent connaître un peu la Bible, qui fait partie de leur culture? Que penser de l'école du dimanche? Qu'en est-il des effets psychologiques sur les enfants du sentiment de culpabilité profond qu'inculquent certaines Églises et de la menace de l'enfer et de la damnation éternelle?

Pour comprendre l'importance de certaines de ces questions pour les enfants, je crois qu'il est utile d'examiner ce qu'une religion comme le christianisme ou le judaïsme signifie pour eux, aux divers stades de leur développement affectif, et de voir comment leurs émotions à ces stades modèlent leurs attitudes envers la religion une fois adultes.

À trois, quatre et cinq ans, l'enfant admire et adore ses parents. Il dépend d'eux du point de vue affectif car ils constituent sa source de sécurité. Il croit que ses parents sont les mieux avisés du monde, les plus riches, les plus puissants et les plus beaux. Il veut imiter leur comportement et leurs attitudes. Si les parents sont des croyants convaincus, leur jeune enfant aura sa propre version de la même attitude; il acceptera l'existence de Dieu sur la foi de ce que disent les parents. Il n'y aura aucune discussion, seulement peut-être quelques questions.

Comme les parents sont de loin les gens qui comptent le plus pour l'enfant, celui-ci verra Dieu comme un être à l'image de son père ou de son grand-père pour ce qui est de l'apparence physique et de l'attitude. (C'est là un des aspects du sexisme de notre société. Rien ne justifie que Dieu ne soit pas une femme, comme dans certaines sociétés.)

L'association établie entre Dieu et parents va plus loin encore. Si les parents sont des gens doux et aimants, ils auront tendance à présenter Dieu comme un être bon et miséricordieux. D'autre part, les parents sévères accentueront peut-être le côté «juge» de Dieu. C'est donc surtout entre trois et six ans que se développe la disposition de l'enfant à aimer Dieu et à s'en remettre à Lui ou à Le craindre. Les individus qui n'ont pas été aimés durant l'enfance se tournent rarement vers la religion plus tard dans la vie.

Entre six et douze ans, l'enfant essaie de surmonter sa dépendance envers les parents et de commencer à s'adapter au monde extérieur. Même si ses parents sont non croyants, l'enfant entendra parler de religion et leur posera des questions. Durant un week-end que nous passions avec des amis, mon fils aîné, alors âgé de sept ans, a entendu un cuisinier déclarer que l'enfer et la damnation éternelle attendaient les non-croyants. Comme nous ne fréquentions pas l'église, il m'a alors demandé si oui ou non il existait un certain danger pour nous de passer l'éternité en enfer. Il était évident qu'il voulait comparer nos croyances religieuses avec celles des autres familles qu'il connaissait. Faisions-nous partie d'une catégorie reconnue et distincte, même à titre de non-croyants? Il était prêt à accepter nos explications et à se laisser rassurer par nous au sujet de la damnation éternelle.

Il est donc évident que le désir à cet âge d'acquérir plus d'indépendance vis-à-vis des parents ne touche que des choses superficielles pour lesquelles il est typique que l'enfant se révolte: il veut résister aux règles familiales concernant l'ordre, la propreté, le bruit, les mauvaises manières, le langage grossier. Mais il ne se rebelle pas contre les croyances plus sérieuses des parents, comme la morale et la religion.

La plupart des enfants de six à douze ans sont peu enclins à réfléchir sur le sens de la religion ou à chercher à établir une relation personnelle avec Dieu. À cet âge, leurs émotions profondes sont bien enfouies. Mais les questions d'autorité concernent l'enfant dès qu'il essaie de sortir de sa subordination totale et volontaire à ses parents et qu'il ressent le besoin de remplacer leur omnipotence par une autre autorité qu'il pourra respecter. Il se peut qu'il demande à son père ou à sa mère si eux, parents, doivent obéir au maire, si celui-ci doit obéir au Premier ministre et si ce dernier doit obéir au gouvernement. D'une certaine façon, il lui plaît de penser que ses parents doivent s'incliner devant des gens plus haut placés et, s'il a été élevé dans une famille croyante, que tout le monde croit en la suprématie de Dieu, y compris parents et chefs de gouvernement.

Durant cette période, la conscience de l'enfant est sévère et arbitraire. Le bien est le bien; le mal est le mal. Pas de zone grise, pas de tolérance pour la faiblesse humaine.

Le renforcement de la conscience et le sentiment de culpabilité, en plus de la reconnaissance d'une autorité morale plus élevée, caractérisent, dirons-nous, la deuxième étape de préparation aux religions chrétiennes et judaïques.

Durant l'adolescence, la religion pourrait bien devenir quelque chose de tout à fait différent. Des émotions de toutes sortes montent à la surface — adoration et attirances physiques, dévotion idéaliste à certaines causes, sensibilité à la beauté sous toutes ses formes, ouverture au côté spirituel de l'être humain. Les enfants ont envie de relations significatives et intenses, notamment d'une relation personnelle avec Dieu, s'ils ont été élevés dans une famille croyante ou s'ils se sont convertis.

L'adolescent est également effrayé et troublé par son nouveau corps et ses nouvelles émotions. Il a perdu sa bonne vieille identité d'enfant et il lui faudra des années pour trouver sa pleine identité d'adulte. Il cherche donc un enseignant en qui il a confiance, un membre de la famille étendue, une sœur ou un frère aîné, ou encore un ami cher à qui faire des confidences, à qui demander conseil et de qui obtenir un peu de sécurité. (Souvent, l'adolescent ne se tourne pas vers ses parents, en raison d'une rivalité croissante entre les générations et de l'inclination des parents à réprimander.) Certains adolescents se tournent vers Dieu directement ou par l'intermédiaire d'un membre du clergé. Ils le feront individuellement ou ils se joindront à un groupe de jeunes croyants.

D'autre part, cette rivalité avec les parents fait que certains jeunes rejettent leur religion, ou toutes les religions, du moins pendant un certain temps.

Durant le reste de la vie, les éléments qui nous poussent à maintenir une relation continue avec Dieu et l'Église sont les mêmes besoins humains qui se sont développés à chaque étape de l'enfance. Il y a le désir de trouver quelqu'un pour nous comprendre et nous aimer dans toutes les circonstances, le désir d'un code moral sur lequel nous appuyer, et la certitude d'être soulagés de notre culpabilité si nous renonçons à ce que nos parents, la société ou Dieu considèrent comme mal.

Quand ils essaient de comprendre des concepts compliqués, les enfant ont tendance à y aller pas à pas. À mesure que leur curiosité les pousse, une minute ou un mois plus tard ils poseront une autre question. Il est donc logique de répondre à la seule question posée, de ne pas anticiper.

Les enfants d'âge préscolaire posent mille questions sur ce qu'ils voient et entendent, surtout sur ce qui est susceptible de les tracasser: «Qu'est-il arrivé aux jambes de cet homme? Pourquoi l'herbe est-elle verte? Le chat est-il un garçon ou une fille? Pourquoi cet insecte est-il mort? Et moi, est-ce que je dois mourir?» Mais généralement leur curiosité ne s'étend pas à des domaines qui n'ont jamais été portés à leur attention; cela viendra plus tard.

Dans le ménage qui fréquente l'église et où l'on parle souvent de Dieu, les petits enfants poseront des questions terre à terre comme: «Où est-ce que Dieu vit? Est-ce que je peux voir Dieu? Dieu m'aime-t-Il?» Ce qui veut dire: est-ce que Dieu me désapprouve comme mes parents le font quelquefois? «Dieu a-t-Il une mère?» L'enfant se demande qui prend soin de Dieu, mère ou épouse? (Le petit enfant distingue mal la mère de l'épouse quand il pense aux adultes. Il m'est arrivé, alors que j'avais les cheveux blancs, de me faire demander par de petits patients affectueux si j'avais une mère.)

Le parent très consciencieux et honnête se troublera peut-être en répondant aux questions du genre «Où Dieu habite-t-Il?», parce que même la Bible est vague quant à l'emplacement du Ciel; pourtant, les enfants veulent une réponse précise. Mais ce problème n'est pas aussi grave que ne le pensent les parents, qui anticipent toujours la question suivante. L'enfant se satisfera peut-être de cette réponse: «Dans un endroit que l'on appelle Ciel». Il n'est pas plus probable qu'il veuille savoir où se trouve le Ciel qu'où se trouve Ottawa ou Bordeaux.

Je crois qu'il est difficile de répondre aux questions comme «Est-ce que je peux voir Dieu?» ou «Pourquoi ne puis-je pas voir Dieu?», posées par un enfant de trois, quatre ou cinq ans, même pour les parents pratiquants, parce qu'un esprit est immatériel. Ils aideront l'enfant à comprendre qu'il n'est pas seul dans ses interrogations en lui répondant: «Personne ne peut voir Dieu.» Les parents pourront ensuite tenter de définir l'esprit en donnant un exemple: «Dieu est un esprit. Cela veut dire qu'Il n'habite pas dans un corps comme toi et moi. Nous croyons que Dieu est partout, qu'Il nous observe, qu'Il écoute nos prières, qu'Il nous aime. Tu ne peux pas voir le vent, n'est-ce pas? Mais tu peux le sentir; tu sais qu'il existe.»

Les parents non croyants pourront donner le même type d'explication, mais plutôt que de la présenter comme si elle était la leur, ils diront: «Les gens qui croient en Dieu croient qu'Il n'a pas de corps comme toi et moi. Dieu serait un esprit, ce qui veut dire qu'Il serait partout», et ainsi de suite.

Si l'enfant demande: «Croyez-*vous* en Dieu?», les parents peuvent répondre: «Oui, mais nous ne savons pas comment Il est.»

Ou bien ils diront: «Non, mais beaucoup de nos amis croient en Lui. Nous croyons en certains de ses enseignements.» Ou encore: «Non, mais quand tu seras grand, tu décideras toi-même si tu y crois ou non.»

Que la famille soit religieuse ou non, les enfants de six à dix ans enregistreront les commentaires des amis, des parents et de tout le monde, et poseront des questions pénétrantes si les parents ont encouragé les questions de façon générale. Je pense qu'il est plus facile pour les parents qui hésitent à interpréter la religion de se reporter à la Bible ou à un membre du clergé que d'essayer d'être des experts en la matière. Quand ils ne savent pas quoi répondre, ils peuvent toujours se retrancher derrière la Bible. Les parents croyants feront référence à la Bible comme s'ils y croyaient sans réserve. Les parents non croyants peuvent montrer qu'ils considèrent la Bible comme un livre d'histoire écrit dans les ères passées par de nombreux auteurs, sans pour autant mentionner qu'ils y croient ou non, du moins, aussi longtemps qu'on ne le leur aura pas demandé.

Les demi-croyants et les non-pratiquants pourront répondre ainsi aux questions sur Dieu, sur la Bible et sur le Ciel: «La Bible est un livre qui a été écrit il y a des millénaires. Elle raconte comment une personne nommée Dieu a créé le monde. Il y est dit qu'Il a créé le soleil, la lune et les étoiles, les montagnes et les océans. La Bible dit qu'Il a ensuite fait les animaux, les oiseaux, les poissons puis, finalement, les hommes. Beaucoup de gens vont à l'église le dimanche pour chanter la gloire de Dieu et pour Le remercier de tout ce qu'ils ont: nourriture, toit, vêtements chauds. Ces gens vont aussi à l'église pour demander à Dieu de les aider à faire le bien. La Bible dit que Dieu vit au Ciel, mais nous ne savons pas où c'est. Certains avancent que c'est là-haut, quelque part. Les gens qui vont à l'église n'y voient pas Dieu, mais ils sentent sa présence, en tant qu'esprit.»

Que peuvent faire les parents croyants pour favoriser le sens de la religion chez leur enfant, à part répondre à leurs questions? À mon avis, c'est simple. Qu'ils aiment leur enfant (en exigeant que celui-ci les respecte) et qu'ils lui donnent ce qu'ils considèrent comme le bon exemple de vie chrétienne, ou juive, ou protestante, etc. L'enfant se chargera du reste, par l'imitation et l'identification. Il demeurera dans la religion de ses parents, du moins jusqu'à la période de rébellion de l'adolescence. S'il rejette alors cette religion, il se peut qu'il y revienne plus tard (ou qu'il se tourne vers une autre religion), une fois qu'il sera adulte et qu'il aura acquis sa propre identité. Même si l'enfant ne revient pas à une religion en bonne et due forme, en raison de son éducation, il pourrait s'attacher à demeurer un être idéaliste et respectueux d'une éthique. Bien sûr, les parents qui n'ont pas été religieux mais qui se sont attachés à une échelle de valeurs et qui l'ont partagée avec leur enfant peuvent eux aussi s'attendre à le voir acquérir des valeurs solides, mais pas nécessairement les mêmes que les leurs.

Je crois qu'il est sage pour les parents religieux de discuter de leurs principes et de ceux de leur Église avec leur enfant quand des questions de comportement ou de croyances se posent en ce qui concerne la famille ou le monde extérieur. En d'autres mots, la religion ne doit pas être réservée au dimanche. Mais cette démarche sera plus efficace si elle se fait d'une manière positive, joyeuse, que dans un esprit de reproche. Il n'est pas utile non plus de prêcher à tout bout de champ. Il s'agit de mettre au clair le sens des principes et non pas de les faire entrer dans la tête des enfants à coups de marteau.

Je crois que les discussions sur les idéaux d'éthique et de religion doivent aussi s'accompagner de discussions sur le caractère naturel de certains traits de l'homme: sa cupidité, son égoïsme, sa tendance à tout remettre au lendemain, sa paresse, son irritabilité, sa colère, sa jalousie, ses pulsions sexuelles. De cette façon, l'enfant ne croira pas qu'il est le seul dans son cas.

Pourtant, je ne crois pas non plus que l'on doive enseigner aux enfants que l'être humain est surtout mauvais et que seul Dieu est bon, car les pulsions positives de l'homme — son amour, sa générosité, son esprit de coopération, sa loyauté, son envie d'élever des enfants — sont plus puissantes que ses pulsions négatives, pourvu qu'il ait eu la chance de grandir dans une famille remplie d'amour.

Je crois fermement qu'on doit épargner aux enfants — surtout aux petits — les histoires d'enfer ou d'ire divine. La vision créée par l'imagination débordante de ce petit être est beaucoup plus terrifiante et menaçante que celle de l'enfant plus grand ou de l'adulte.

Je m'oppose aussi à ce que l'on donne à l'enfant un sentiment de culpabilité. Ce sentiment, je l'ai trop souvent éprouvé quand j'étais jeune, même s'il ne se rattachait pas directement à Dieu, et je me rends compte qu'il me faisait craindre tout le monde quand j'étais enfant et qu'il a nui à mon efficacité plus tard. (Étudiant sur le point de subir un examen, je me sentais si coupable de ne pas avoir assez préparé telle partie de telle matière que j'en venais à intégrer cette partie dans ma réponse et, même si elle n'avait rien à voir avec la question posée, à montrer ainsi mon ignorance. Aujourd'hui encore, je fais des cauchemars dans lesquels je me présente à des examens sans être préparé du tout.) J'ai donc appris que la culpabilité *excessive* peut être destructrice sans aucun avantage moral en compensation. Je mets *excessive* en italique, parce que tous les bons citoyens, durant l'enfance et l'âge adulte, ont besoin d'une certaine conscience pour rester dans le droit chemin et d'un sentiment de culpabilité modéré pour les aiguillonner quand ils s'égarent.

Je pense que l'école du dimanche — tant que les maîtres gardent une attitude positive — a beaucoup à offrir, même aux enfants d'agnostiques et d'athées. Le judaïsme, le christianisme et le protestantisme font partie intégrante de notre histoire, de notre culture et de nos attitudes; même quand nous avons rejeté ces religions, elles restent un outil d'éducation précieux pour nous aider à comprendre notre passé. Il est aussi utile à quiconque de connaître les histoires bibliques auxquelles ses concitoyens font allusion et de se familiariser avec les cantiques qui se chantent souvent ailleurs qu'à l'église. Tout cela fait partie du patrimoine culturel que nous avons en commun.

Les parents qui ne fréquentent pas l'église ne peuvent, en toute équité, insister pour que leurs enfants assistent à l'école du dimanche, mais ils peuvent la leur recommander.

Bien sûr, il y a les parents fermement convaincus d'avoir raison de ne pas croire et qui pensent qu'il serait malhonnête et fallacieux de parler à leur enfant comme s'ils envisageaient une quelconque possibilité que Dieu existe ou comme s'ils allaient être heureux que celui-ci devienne croyant. Je pense que, en plus de donner le bon exemple à leur enfant en mettant en pratique leurs normes d'éthique, ces parents doivent à l'occasion discuter avec lui de leurs croyances spirituelles. Mais cette discussion ne doit pas être suscitée sans objet; il faut qu'elle s'impose d'elle-même en raison d'événements survenus dans la famille, le voisinage ou le monde.

Si je dis cela, c'est que souvent la réaction des agnostiques et des athées contre la religion établie est de toujours éviter de parler de croyances spirituelles. Même le mot *spirituel* leur semble légèrement suspect, comme s'il pouvait être un déguisement de la religion. Mais *spirituel* fait allusion à ce qui est moral plutôt que d'appartenir à la nature sensible ou au monde physique; c'est l'amour des autres, le dévouement pour sa famille et sa communauté, le courage, l'émerveillement devant la musique et certains paysages. Nous entretenons tous, hormis les plus matérialistes d'entre nous, de fortes croyances et valeurs spirituelles, même si nous n'en parlons jamais, et nos enfants les absorbent graduellement par le simple fait qu'ils vivent près de nous. Mais pour les enfants, en entendre parler ou en discuter avec les parents les aide à mieux les comprendre, à choisir celles qui leur semblent les meilleures et à les adopter comme si elles étaient les leurs.

La discussion de sujets d'ordre spirituel avec parents et enseignants aidera les enfants — surtout entre six et douze ans, quand ils recherchent une moralité et qu'ils veulent appartenir à une catégorie — à voir que, si leur famille n'est pas pratiquante, elle n'est toutefois pas différente des familles religieuses et qu'elle ne va pas à la dérive, privée d'une échelle de valeurs. En outre, cette discussion leur montrera que leur famille n'est pas seule dans ce cas, que d'autres familles vivent sans pratiquer aucune religion, mais respectent un système de valeurs et de principes moraux.

Ceux qui croient fermement en une religion établie nous disent que c'est la religion qui fait défaut dans la vie de bien des gens et que nous avons tous besoin de renaître à Dieu. Il est certain que la religion a orienté et inspiré les membres de la plupart des sociétés. Mais si, dans quelques esprits, la science a miné la crédibilité, l'autorité et le caractère mystique de la religion, il est impossible de la rétablir instantanément par une simple résolution ou sur un ordre des autres. (Cela peut se produire sur notre lit de mort, mais c'est autre chose.)

J'espère que suffisamment de gens prendront conscience de tous les maux et de toutes les tragédies qui sont attribuables à notre pauvreté spirituelle, ou seront choqués par telle catastrophe économique ou environnementale, ou seront inspirés par tel leader spirituel, et qu'ils finiront par en arriver à se consacrer à leurs frères humains, quel que soit leur travail, et à inculquer à leurs enfants le même idéal. Je crois qu'à défaut d'une telle conversion, notre concentration sur le matérialisme finira par causer notre perte. Je ne me fonde pas ici sur la religion ou sur la morale, mais simplement sur le fait que notre société est en train de se désintégrer.

• CONTES ET AUTRES HISTOIRES POUR ENFANTS

Depuis la fin de mes études en pédiatrie et en psychiatrie, au début des années 30, et le début de ma pratique, j'ai toujours été conscient de la controverse entourant les contes de fées et autres histoires mettant en scène des êtres cruels. Sont-ils bons ou mauvais pour les enfants? Par exemple, on lira dans le journal que tel psychologue déclare que les contes constituent une excellente soupape de sûreté pour les sentiments hostiles des enfants. La semaine suivante, tel autre rapport affirmera que les contes de Grimm provoquent chez eux cauchemars et phobies.

Il est certes vrai que la plupart des enfants génèrent leurs propres sentiments hostiles et fantasmes malveillants dans leurs jeunes années, parce que leurs parents les frustrent ou en raison d'une quelconque rivalité avec leurs frères et sœurs. Ils ont une tendance naturelle à nier leur hostilité et à la réprimer parce que, pour autant que leurs parents manifestent leur désapprobation de cette hostilité, ils se sentent coupables.

En raison de ce sentiment de culpabilité presque universel en ce qui a trait à l'hostilité, il est réconfortant pour les enfants d'entendre que les autres aussi se mettent en colère, que les pensées haineuses et cruelles peuvent être discutées et qu'avoir des pensées hostiles à l'endroit de telle personne ne la tuera ni ne la blessera. (De même, la culpabilité des parents consciencieux est soulagée quand ils apprennent que d'autres parents se fâchent quelquefois contre leurs enfants et ont envie de les étrangler.) C'est pourquoi certains psychiatres et psychologues voient d'un bon œil la lecture d'histoires cruelles aux petits enfants.

D'autre part, nous avons tous connu des enfants qui ont été bouleversés, qui ont eu de la difficulté à s'endormir et qui ont souffert de cauchemars après avoir entendu des histoires effrayantes ou vu des émissions violentes à la télévision. Le propriétaire d'une grande salle de cinéma m'a confié un jour que, après avoir montré pendant plusieurs semaines le film *Blanche-Neige et les sept nains,* il avait dû faire recouvrir tous les sièges du cinéma qui étaient saturés par l'urine des petits enfants effrayés. Des symptômes de ce type prouvent que les enfants souffrent de beaucoup plus d'angoisse qu'ils ne peuvent en endurer.

J'ai l'impression que le type le plus néfaste d'expérience éprouvante, c'est de voir de vrais acteurs en train de se faire battre, poignarder et abattre par d'autres acteurs, ou jeter en bas de montagnes ou de gratte-ciel, ou pourchasser par des bandits ou par des animaux sauvages, parce que ces scènes ont l'air trop réelles. Les petits enfants ont du mal à distinguer la réalité de la fiction. Les dessins animés et les bandes dessinées sont un peu moins néfastes, parce qu'un peu moins réalistes.

Quand les enfants écoutent des contes et qu'ils se forment des images mentales des péripéties qui leur sont lues, ils sont limités par leur propre vocabulaire et par leur expérience; ils pourraient donc ne pas ressentir l'impact total de la cruauté de l'histoire. D'autre part, ils pourraient mal comprendre les mots et tirer des conclusions pires que celles que l'auteur a prévues.

Bien sûr, il y a beaucoup de différences d'un enfant à l'autre, du même âge parfois, dans les réactions aux émissions, histoires et films effrayants. L'enfant sociable et actif semble généralement moins affecté par les histoires troublantes. Il se protège en transformant le passif en actif: il s'empresse de ne plus se sentir la victime pour devenir l'agresseur. Par exemple, s'il a reçu une piqûre du médecin, il prétendra en donner une à sa poupée, se débarrassant ainsi d'une bonne partie de son angoisse.

À l'autre bout de l'échelle se trouve l'enfant qui a toujours eu tendance à rester tranquille, à observer et a se laisser facilement troubler. Il est extrêmement sensible à tout ce qui est le moindrement effrayant. Une fois que quelque chose l'a effrayé, il ne l'oublie pas de sitôt.

L'âge est un autre facteur qui détermine jusqu'à quel point l'enfant sera effrayé par telle histoire, tel film ou telle émission de télévision. Plus il est jeune (excluons bien sûr les enfants de moins de deux ou trois ans), plus il est impressionnable. En grandissant, il devient plus apte à distinguer réalité et fiction. Tous les enfants ne progressent pas au même rythme, cependant; j'ai connu des adolescents et des adultes qui ont été fort troublés par un film qui les a touchés en un point sensible.

En ce qui me concerne, je ne lirais pas d'histoires cruelles, même si elles ne l'étaient que légèrement, aux enfants ni ne les laisserais regarder d'émissions de télévision le moindrement troublantes. Non seulement pour qu'ils ne s'effraient pas, mais aussi pour les empêcher d'en arriver à tolérer la violence. Il y a assez d'expériences réelles dans la vie qui troubleront l'enfant (et l'adulte) sans qu'on en crée inutilement.

Je veux insister sur la nécessité que vous restiez sur vos gardes en ce qui a trait aux émissions de télévision et aux films — en particulier les dessins animés — qui sont censément destinés aux enfants. Les trois quarts s'attachent à des histoires de sadisme insensées. Le lapin dégringole de la montagne, se fait brûler tous les poils dans une explosion, se fait aplatir comme une galette par un train ou trancher en deux par une grosse scie. Les adultes en rient, mais les enfants se crispent.

Je veillerais à ce que mes jeunes enfants n'aient aucune occasion de voir des émissions violentes ou effrayantes, même s'ils me harcelaient pour que je leur permette de les regarder. (Je ne laisserais pas non plus les plus grands regarder des émissions violentes.)

Je ne lirais pas non plus une histoire à un enfant avant d'y avoir jeté un coup d'œil. Il existe des centaines de livres d'histoires inoffensives qui fascinent les jeunes enfants; achetez-les ou empruntez-les à votre bibliothèque. En tant que parent, j'ai constaté que certaines histoires étaient agréables à lire à haute voix alors que d'autres m'agaçaient. Comme les enfants insistent pour qu'on leur lise dix fois la même histoire, il est sage que les parents facilement agacés choisissent des livres qu'eux-mêmes aiment lire à haute voix.

ONZIÈME CHAPITRE

Santé et nutrition

- COMMENT INCULQUER DE BONNES ATTITUDES EN MATIÈRE DE SANTÉ
- COMMENT INCULQUER DE BONNES HABITUDES ALIMENTAIRES
- L'ALIMENTATION DU BÉBÉ
- COMMENT ÉVITER LES PROBLÈMES D'ALIMENTATION
- LES MALADIES GRAVES
- COMMENT PARLER AUX ENFANTS DE LA SEXUALITÉ ET DE L'AMOUR

• COMMENT INCULQUER DE BONNES ATTITUDES EN MATIÈRE DE SANTÉ

Si on veut inculquer aux enfants de bonnes attitudes en matière de santé, c'est bien sûr pour éviter qu'ils ne soient ignorants et négligents, mais aussi pour essayer de les empêcher de devenir des inquiets, des hypocondriaques ou d'autres types de névrosés. Ce n'est pas toujours facile.

La plupart des habitudes et des attitudes relatives à la santé s'acquièrent durant la petite enfance. Mais cela ne signifie pas qu'il est possible d'inculquer aux enfants les bonnes habitudes que l'on souhaite, comme si on lui enseignait les tables de multiplication. Certaines attitudes s'acquièrent au cours d'expériences vécues très tôt dans la vie et qui échappent au contrôle des parents.

Par exemple, la phobie du cancer que peut ressentir un adulte peut prendre racine dans des sentiments de culpabilité extrêmement puissants qui ont été refoulés dans l'inconscient durant l'enfance et qui n'ont presque rien à voir avec un quelconque enseignement reçu des parents au sujet de la santé. La tendance à l'hypocondrie repose souvent en partie sur l'égocentrisme et l'insécurité qui sont apparus durant les deux premières années de la vie.

Négliger sa santé ou la malmener peut aller tout à fait à l'encontre de ce que les parents ont enseigné; ce peut être l'expression d'un soi-disant courage ou d'une virilité d'emprunt (comme siffler dans l'obscurité) ou d'une autopunition masochiste.

Ainsi, pour mieux préparer les enfants à adopter de bonnes attitudes en ce qui a trait à la santé, il faut les élever de telle sorte qu'ils soient bien dans leur peau et bien avec les autres, ce qui est une ordonnance un peu trop vague pour être bien utile. On aidera le bébé ou le jeune enfant à être sociable en évitant de faire des chichis avec lui, en se gardant bien de le mener par le bout du nez ou de le mettre constamment en garde contre divers dangers (comme le font quelquefois les parents peu sûrs d'eux). On le laissera trouver ses propres champs d'intérêt, communiquer avec ses parents quand *il* se sent sociable et on lui donnera l'occasion d'apprendre à faire des compromis avec les autres enfants.

Les profonds sentiments de culpabilité et les tendances à l'autopunition peuvent être évités quand les parents assument la plus grande part de responsabilité pour ce qui est d'empêcher les enfants de mal agir. Par exemple ils élimineront certaines tentations pour l'enfant âgé de un à deux ans ou mettront fin promptement, avec bonne humeur et constance, aux mauvais comportements, plutôt que de recourir à la désapprobation sévère avant et après le fait. Le parent peut se montrer affectueux, joyeux et de bonne compagnie la plupart du temps sans que cela encourage l'enfant à faire des siennes. En d'autres mots, le leadership des parents n'a pas à être austère pour être efficace.

Je suggère d'abord aux parents de trouver le juste milieu entre mettre trop l'accent sur les blessures et les maladies et faire comme si elles n'existaient pas. Le parent qui agit devant le moindre symptôme ou petit bobo comme si la situation était dramatique peut faire de son enfant un adulte qui n'arrêtera pas de se ronger les sangs. Si le parent est généralement distant ou critique avec l'enfant et qu'il ne devient attentif que quand celui-ci est malade, l'enfant apprendra à exagérer automatiquement plus tard chaque malaise pour attirer l'attention et la sympathie de son entourage.

D'autre part, si le parent craint plus que tout de céder à la maladie (crainte qu'on m'a inculquée durant mon enfance), il aura envie d'enseigner la même attitude à son enfant: «Ne fais pas d'histoires; tu te sentiras mieux bientôt»; «Cela ne te fait pas mal; cesse de pleurer»; «Ne fais pas le bébé, sois courageux.» Enseigner le courage à son enfant, peut contrer des tendances à l'hypocondrie ou à l'exagération et lui apprendre à être brave et stoïque, vertus louangées depuis Sparte et encore admirées dans certaines familles.

Toutefois, il y a un hic. Cette négation de la douleur et de la maladie pourrait pousser l'individu à ignorer les symptômes d'une maladie jusqu'à ce qu'elle soit devenue grave. Les médecins rencontrent souvent des patients — même des patients eux-mêmes médecins et qui auraient dû faire preuve d'un jugement plus sûr — chez qui les symptômes d'une maladie grave comme le cancer sont manifestes depuis des mois, mais qui n'en ont jamais parlé à personne et qui ont même réussi à se persuader de leur peu d'importance.

Conséquence encore plus troublante du stoïcisme par rapport à la douleur et à la maladie, c'est que certains individus en arrivent à réprimer d'autres types d'émotions: angoisse, regret, colère, et même joie. Pis encore, ils pourraient bien faire la sourde oreille aux émotions des autres. Ils ne reconnaîtront ni la tristesse, ni l'inquiétude, ni le ressentiment chez leur conjoint, leurs enfants, leurs amis et leurs collègues. Ils deviennent des gens avec qui il est difficile de vivre.

Le seul moyen satisfaisant qui permette aux êtres humains de s'entendre entre eux, c'est de se communiquer mutuellement leurs sentiments et leurs pensées. Nous observons le visage, surtout les yeux, de notre interlocuteur, pour nous assurer qu'il a compris ce que nous lui disons et que nous avons sa sympathie, ou pour voir si ce que nous lui proposons lui plaît ou l'irrite. S'il est du genre qui cache ses émotions, nous nous sentons alors mal à l'aise. Ou encore, nous présumons de son hostilité et nous nous montrons hostiles à notre tour.

Par conséquent, il faut viser le juste milieu: laissez l'enfant manifester la douleur ou l'inconfort qui semblent normales compte tenu de la maladie ou de la blessure en question mais, en le rassurant ou en le rappelant à la réalité, contrez toute tendance à l'exagération de son mal.

Bien sûr, ce conseil est plutôt théorique, les parents ayant déjà toutes sortes de réactions difficiles à cacher. La mère qui ne supporte pas la vue du sang, quelle que soit l'insignifiance de la blessure, ou le père qui a peur de montrer qu'il a peur, aura nécessairement de la difficulté à trouver le juste milieu. Nous dévions tous de la moyenne à certains égards.

Les psychanalystes croient que de nombreux soucis au sujet du corps sont dus aux avertissements inutilement sévères contre la masturbation. Vers l'âge de un an, quand l'enfant identifie toutes les parties de son corps, il explore ses organes génitaux aussi. Il faut savoir que ce n'est là qu'un des multiples aspects de sa curiosité et que le sentiment naissant d'être un individu est normal. Vous ne devez rien faire dans ce cas, si ce n'est lui sourire et lui dire: «C'est ton pénis (ta vulve)» — vous emploierez les termes que vous voudrez —, un organe du corps qui n'a rien de honteux. Si sa manipulation de ses organes génitaux vous gêne (comme c'est le cas de certains parents), vous pouvez facilement le distraire en lui offrant un jouet ou en discutant avec lui de quelque chose qui l'intéresse. Ce qu'il faut surtout éviter, c'est de lui donner l'idée que cette partie de son corps est mauvaise ou qu'il peut se blesser s'il la manipule.

Le même conseil s'applique à l'enfant de trois à six ans, période ou l'expérimentation occasionnelle des organes génitaux et les jeux sexuels avec les autres enfants sont courants. Selon votre propre vision des choses, vous pouvez choisir d'ignorer ces signes d'un développement sexuel normal. Souvent, la seule présence des parents interrompra ces jeux. Ou vous pouvez distraire l'enfant en lui suggérant une autre activité. Ou dites-lui (sans dramatiser) que ce n'est pas poli de se comporter ainsi devant les gens, ou simplement que vous ne voulez pas qu'il le fasse. Mieux vaut ne pas laisser entendre à votre enfant que les jeux sexuels sont néfastes pour la santé physique ou mentale (ce n'est pas le cas) ou qu'ils lui feront perdre votre amour.

Le meilleur moment pour entraîner l'enfant à être propre, c'est entre deux ans et deux ans et demi. C'est vers cet âge que la majorité des enfants sont naturellement prêts. Le docteur T. Berry Brazelton, après avoir observé mille cinq cents enfants durant sa pratique, en est arrivé à plusieurs conclusions au sujet de l'apprentissage de la propreté. Il est sage d'éviter toute pression ou persuasion. Présentez à l'enfant le type de siège qui s'adapte à un petit pot sur le plancher et dites-lui qu'il s'agit de son siège à lui. Ne parlez pas de la fonction du siège pour le moment. Laissez-en le couvercle fermé. Laissez-le s'asseoir dessus aussi souvent (ou aussi peu souvent) qu'il le veut.

Au bout de plusieurs semaines, au cours desquelles il aura eu le temps de s'habituer au siège et de s'en sentir propriétaire, mettez un petit pot sous le siège, relevez-en le couvercle et dites-lui qu'il peut s'en servir pour faire caca (employez le terme qu'il connaît), tout comme papa et maman font sur le gros siège de la salle de bain. Ne lui mettez pas de couches vers l'heure à laquelle il va à la selle. Laissez-le expérimenter son siège autant qu'il le veut, à son propre rythme. S'il s'assied dessus un bref instant, puis se lève, n'essayez pas de l'y faire rester. Il s'agit de lui faire sentir non pas que vous essayez de faire passer ses selles de son corps au petit pot (ce qui provoque possessivité et regimbement chez beaucoup de petits enfants), mais qu'aller aux toilettes est une technique de grand qu'il veut peut-être apprendre *de lui-même*.

Le docteur Brazelton a découvert que non seulement les enfants apprennent par eux-mêmes à être propres, mais qu'ils apprennent à peu près en même temps à maîtriser leur vessie et leurs intestins. Le résultat le plus convaincant, c'est le nombre extrêmement faible d'enfants souffrant d'énurésie persistante chez ceux qu'on a laissés apprendre la propreté d'eux-mêmes. Cela nous laisse croire que l'énurésie persistante (après l'âge de trois ou quatre ans) est une forme de protestation — inconsciente — contre les pressions excessives que les parents ont exercées sur un enfant pour lui apprendre la propreté.

Il importe aussi que les enfants n'en arrivent pas à croire, en écoutant leurs parents ou en observant leur visage, que les selles sont dégoûtantes et dangereuses à toucher, comme si elles étaient toxiques. Nombreux sont ceux qui ont reçu ces impressions durant la petite enfance, impressions qui ont duré jusqu'à l'âge adulte et qui leur ont causé des inquiétudes constantes: irrégularité des selles, quantité, consistance... Ces inquiétudes mènent souvent à l'emploi fréquent de laxatifs et au recours aux lavements et aux irrigations du côlon.

En fait, il n'y a rien de malsain à l'irrégularité; la quantité évacuée est sans importance; les selles dures ne causent qu'un certain malaise. Quand on a fait croire à quelqu'un que les selles sont vraiment toxiques, il est enclin à croire que ses maux de tête, le ton jaunâtre de son teint, sa mauvaise haleine et sa fatigue sont dus à la constipation.

Il peut alors se sentir affaibli ou malade quand il ne va pas à la selle assez souvent ou qu'il juge ses selles insuffisantes. Mais les selles ne sont toxiques ni à l'intérieur des intestins ni à l'extérieur du corps. Même le dégoût que leur odeur inspire est chose apprise.

Le dénominateur commun de toutes mes suggestions, c'est que pour donner à nos enfants de bonnes attitudes vis-à-vis de la santé, il faut concentrer notre énergie non pas sur les blessures ou sur les maladies dont ils souffrent, mais plutôt sur la préservation de sentiments positifs envers leur corps, envers eux-mêmes en tant qu'individus et envers nous en tant que parents.

• COMMENT INCULQUER DE BONNES HABITUDES ALIMENTAIRES

On dit souvent que nous avons en Amérique du Nord le niveau de vie le plus élevé du monde. C'est nous qui consommons la part du lion en protéines. (Les céréales dont nous nourrissons notre bétail pourraient servir à soulager la faim dans le monde.) Nous jouissons d'une telle abondance et d'une telle variété de fruits et de légumes que les autres nations, même industrialisées, nous envient.

Pourtant, la majorité de nos concitoyens — adultes et enfants — s'alimentent médiocrement. Selon les experts en nutrition, malgré notre prospérité croissante, l'alimentation s'est appauvrie depuis la Seconde Guerre mondiale.

La médiocrité du régime alimentaire est attribuable en partie à la distribution inégale des revenus. Les statistiques publiées par le gouvernement montrent qu'un nombre sans cesse croissant de nos concitoyens vivent en dessous du seuil de pauvreté. Ils ne sont pas couchés dans les rues et dans les champs pour y mourir rapidement, comme dans certains pays de famine, mais ils sont atteints d'incapacités partielles dues à des maladies par carence.

Mais la malnutrition dont je veux parler est répandue dans les familles à revenus moyens et élevés qui peuvent pourtant se permettre de bien manger. Elle se manifeste plus souvent sous forme d'obésité que d'émaciation. Je fais allusion à la consommation excessive de sucres, de féculents raffinés et de matières grasses animales. Pris ensemble, ils favorisent l'obésité. Le triste résultat de tout cela, ce sont les obèses qui font rire d'eux toute leur vie et qui n'arrivent pas à croire en eux-mêmes. La consommation exagérée de sucres et de féculents contribue aussi à la carie dentaire et, quelquefois, au diabète.

Le mal causé par la surconsommation de sucres et de féculents raffinés est double. En effet, non seulement ces aliments sont déficients du point de vue nutritionnel mais, parce qu'ils satisfont l'appétit, ils empêchent les gens de manger suffisamment d'autres aliments plus nutritifs.

Les chirurgiens spécialisés dans le traitement du cancer du gros intestin lancent une autre accusation. Ils ont maintenant des preuves que ce cancer est causé en grande partie par une forte consommation d'aliments raffinés, qui font que le transit des aliments, de la bouche au rectum, est d'une durée de beaucoup supérieure à celui des gens des pays où l'on consomme surtout des fruits, des légumes et des céréales entières, tous aliments de volume (matières inassimilables excitatrices de l'intestin).

Il y a aussi le grand nombre de victimes de l'artériosclérose qui meurent de crises cardiaques ou qui sont frappés, de plus en plus jeunes, d'attaques d'apoplexie. On croit qu'une des causes de ces maladies est la consommation excessive de matières grasses animales (lait, crème, beurre et fromage notamment) et de cholestérol, surtout en provenance des œufs.

Le lien entre les matières grasses animales, le cholestérol et l'artériosclérose n'a pas encore été prouvé de façon définitive, mais il est reconnu par la plupart des spécialistes dans le domaine. On a pressenti l'existence de ce lien en examinant les statistiques relativement au nombre de décès causés par les maladies du cœur au Danemark durant la Seconde Guerre mondiale. Une fois que les forces d'occupation allemandes se sont approprié le gros du beurre, de la crème, du fromage et des meilleures coupes de viande du pays, le taux de mortalité des Danois imputable aux maladies du cœur est tombé de façon spectaculaire. Il n'est remonté au taux élevé précédent qu'après la défaite des Allemands.

Nous ne savons pas aujourd'hui quelles autres maladies, dans les années à venir, seront attribuées à la déficience et au raffinement exagéré de nos aliments, ni aux nombreux additifs qui les rendent si peu naturels.

Les habitudes alimentaires s'établissent durant l'enfance et ont tendance à persister le reste de la vie. Nous permettons à la majorité de nos enfants de prendre des habitudes alimentaires épouvantables. Ils consomment des céréales de maïs qui, dès le départ, contiennent des protéines moins valables que le blé et l'avoine. Le raffinement a fait perdre à beaucoup de ces céréales le gros de leurs germes, de leurs protéines, de leurs fibres et de leurs vitamines. On rend plus appétissantes certaines d'entre elles en les enrobant de sucre ou en leur ajoutant bonbons ou guimauves.

Les féculents cuits que consomment les enfants au lunch se présentent souvent sous forme de spaghetti, de nouilles ou de riz blanc, tous aliments assez pauvres. Les enfants préfèrent le pain blanc. La farine blanche est «enrichie», ce qui fait bien et, au fond, vaut mieux que rien. Mais ce terme signifie seulement que, après l'extraction des fibres, des germes de blé et de la plupart des vitamines, on remet dans la farine une partie des vitamines éliminées.

Bien sûr, manger occasionnellement de petites quantités de féculents raffinés ne fait de mal à personne. Ce qui m'inquiète, ce sont les millions d'enfants qui consomment chaque jour des féculents raffinés et appauvris en quantités qui dépassent de loin leurs besoins nutritionnels. Les familles qui veulent éviter de glisser dans ces habitudes alimentaires déplorables feraient bien d'établir des règles strictes et de les respecter au supermarché et dans la cuisine, au cours de la planification des repas.

Il est bon de ne pas servir de poudings composés de sucres et de féculents raffinés. Réservez aux occasions spéciales la crème glacée, les gâteaux et les pâtisseries.

Les collations entre les repas des enfants d'âge scolaire sont un véritable crime contre une saine nutrition: les tablettes de chocolat et la gomme à mâcher alimentent les microbes responsables de la carie dentaire. Le sucre contenu dans les boissons gazeuses provoque aussi la carie des dents, leurs acides en dissolvant directement l'émail. Les collations riches coupent l'appétit pour les aliments plus sains qui sont servis aux repas.

Les collations d'aliments sucrés sont doublement néfastes, parce que c'est le nombre d'heures pendant lesquelles la bouche est sucrée qui détermine l'importance de la carie. Le sucre consommé aux repas et entre les repas fait que les dents des enfants baignent dans un sirop, du petit déjeuner à tard dans la soirée.

Les écoles (même les facultés de médecine!), qui devraient être mieux avisées, exploitent souvent des distributeurs automatiques de friandises et de boissons gazeuses.

J'ai jusqu'à maintenant condamné un si grand nombre d'aliments que vous avez peut-être la fâcheuse impression que tous les aliments sont malsains. Ce n'est pas le cas. Nos marchés débordent d'aliments nutritifs autant que d'aliments appauvris.

Les fruits — frais, surgelés ou en conserve (jetez le sirop) — doivent constituer le dessert de tous les repas et de toutes les collations, si celles-ci sont nécessaires. (Mieux vaut habituer les enfants d'âge scolaire à éviter les collations.)

On mangera un légume jaune ou vert tous les jours.

Les céréales et le pain seront faits de blé entier, d'avoine ou de seigle. Lisez attentivement les étiquettes.

Les spécialistes de la nutrition ne sont pas prêts à recommander que tous les enfants ramènent leur consommation de matières grasses animales — notamment de lait, crème, beurre et fromage — à l'intérieur d'une certaine limite. Mais ils recommandent que, dans les familles qui ont connu des décès prématurés dus aux maladies du cœur, les enfants subissent des examens sanguins pour déterminer s'ils sont susceptibles d'être atteints d'artériosclérose. Si c'est le cas, ces enfants suivront un régime sévère toute leur vie.

Personnellement, je crois qu'il est raisonnable de limiter la consommation des adolescents (et des adultes) à une quantité modérée de matières grasses animales et d'aliments riches en cholestérol. Les viandes seront donc maigres. Les coupes de choix étant de toute façon marbrées de gras dans les portions rouges, prenez l'habitude de découper tout le gras apparent de la bordure des steaks, des côtelettes, des rôtis, de l'agneau et du jambon.

À mon avis, les adolescents et les adultes ne doivent boire que du lait écrémé. Il serait sage de ne manger qu'un œuf par semaine.

Le poulet et le poisson remplaceront les viandes rouges au moins deux fois par semaine, parce que, croit-on, ils ne favorisent pas l'artériosclérose; en fait, les huiles de poisson pourraient bien réduire le taux de cholestérol de l'organisme.

Une gamme de haricots, de fèves et de céréales compléteront les protéines de la viande, sans favoriser l'apparition de l'artériosclérose.

Dans *Comment soigner et éduquer son enfant,* de l'édition initiale jusqu'à la dernière, je soulignais la supériorité du blé entier et de l'avoine et je déconseillais les aliments et les boissons sucrés. Mais j'y ai laissé beaucoup de marge aux parents et toléré certaines exceptions. Maintenant, je sens que je dois être plus impérieux et moins nuancé: ne servez à votre famille aucun des aliments à proscrire ni aucun des aliments à éviter.

L'alimentation de beaucoup d'enfants est médiocre et continue de s'appauvrir. Cela signifie qu'un nombre incalculable de parents ne prennent pas au sérieux la nécessité d'une alimentation saine. Ou peut-être la croient-ils importante à long terme et estiment-ils qu'ils auront bien le temps de l'améliorer plus tard. Ou encore ils jugent peut-être que des exceptions doivent être faites puis laissent celles-ci devenir la règle.

Les parents de bébés et de jeunes enfants ont l'occasion unique de les faire partir du bon pied, en rendant les aliments si appétissants et les règles si strictes que chacun les acceptera tout naturellement.

L'enfant ne harcèle ses parents et ne discutaille — au sujet des aliments ou d'autre chose — que s'il perçoit un manque de conviction chez eux ou un certain sentiment de culpabilité lorsqu'ils leur refusent les délices dont les autres enfants profitent. Je m'efforce donc de soutenir les parents dans leur résolution.

• L'ALIMENTATION DU BÉBÉ

Un certain nombre de facteurs jouent un rôle dans l'obésité, notamment les habitudes alimentaires nationales et familiales, l'hérédité, l'organisme de l'individu et les états émotionnels comme la tristesse ou l'anxiété. Mêlé à ces facteurs on trouve le phénomène mystérieux de l'appétit, qui peut être facilement satisfait chez l'un et impossible à satisfaire chez l'autre, et qui peut varier inexplicablement d'un jour à l'autre chez le même individu.

Le moyen le plus facile et le plus rapide de rendre le bébé trop gras, c'est de lui faire consommer beaucoup de sucres. Les féculents et les matières grasses jouent également un rôle dans l'excès de poids.

Jadis, certains bébés nourris avec une préparation composée de lait condensé très sucré gonflaient comme des ballons. (Je précise immédiatement que cela ne signifie pas que les bébés ne peuvent pas consommer une quantité modérée de sucres. Le lait maternel est deux fois plus sucré que le lait de vache. Les nourrissons, durant leurs premiers mois, n'ont pas les sucs digestifs requis pour absorber les féculents, et ils sont limités dans leur absorption des protéines et des graisses. Il leur faut donc compter sur une quantité modérée de sucres.)

Dans notre partie du monde, la plupart des parents ont toujours été fiers de la rondeur de leur bébé, et un peu honteux de ceux qui sont maigres. (Quand ma femme était bébé, son père ne permettait aux visiteurs de ne voir que son visage, parce qu'elle était maigre.) Peut-être la rondeur est-elle une preuve pour les parents que tout va bien chez leur enfant. Peut-être croit-on aussi que c'est la preuve que les parents font bien leur travail.

L'obésité qui persiste plus tard dans l'enfance et dans l'âge adulte prédispose l'individu à l'artériosclérose et au diabète. Elle attire la moquerie et nuit à de nombreuses activités. La personne obèse se sent mal à l'aise.

Les bébés nourris au biberon risquent davantage d'être rondelets que ceux que l'on allaite — autre avantage du sein —, peut-être parce que les parents qui recourent au biberon sont souvent tentés de faire boire le reste de préparation visible dans le biberon au bébé qui n'a plus soif. Les mères qui allaitent, par contre, sont davantage enclines à croire le bébé quand il manifeste sa satiété en cessant de téter.

Un des moyens de limiter l'apport calorique du bébé qui a atteint cinq ou six mois, qui mange des aliments solides et qui, par conséquent, n'a plus besoin d'une préparation sucrée, c'est de ne plus ajouter de sucre à celle-ci. C'est facile quand la préparation est faite d'une combinaison de lait évaporé, d'eau et de sirop. Il suffit de réduire chaque jour d'un quart de cuillerée à table la quantité de sirop ajoutée, pour que la différence ne soit pas trop perceptible. Les bébés qui boivent une préparation commerciale, avec sucre ajouté, seront mis au lait entier ou au lait évaporé additionné d'eau, mais non sucré.

Qu'en est-il des aliments solides? Pour prévenir l'obésité du petit et — tout aussi important — pour bien équilibrer son alimentation, il faut lui donner de bonnes portions de fruits, de légumes et de viande (et des œufs, après neuf mois), et limiter les portions de féculents et de sucres.

À long terme, il importe que les féculents consistent surtout en céréales entières, même si persiste la tradition de donner au bébé des céréales blanches raffinées les premiers mois. Il importe également de privilégier les céréales de blé et d'avoine, dont les protéines sont de meilleure qualité que celles du maïs. (Les protéines du riz sont de meilleure *qualité* que celles du maïs, mais leur *quantité* peut être moindre.)

Jusque vers la fin des années 30, les parents préparaient eux-mêmes les aliments du bébé. Ils faisaient griller le bœuf et cuisaient les fruits (frais et secs) et les légumes qu'ils passaient à la moulinette. (Les mélangeurs n'existaient pas encore.) Ils cuisaient les céréales au bain-marie pendant deux heures, parce que, à l'époque, il n'y avait pas de céréales précuites.

Depuis, les aliments en petits pots pour bébés et les céréales précuites sont largement utilisées, parce que leur grande commodité compense de loin leur prix, selon les parents.

Quand les aliments pour bébés ont été lancés sur le marché, chaque pot contenait un fruit, un légume, une viande ou un pouding. Au fil des années, de plus en plus de pots ont contenu des mélanges: fruits et féculents, légumes et féculents et «repas» contenant viande, légumes et féculents.

Les gros caractères de l'étiquette pourraient ne pas révéler que le pot contient un mélange. La mention «haricots en crème», par exemple, pourrait bien en fait indiquer un mélange de haricots et d'amidon de maïs. Les parents s'attacheront donc à lire la liste des ingrédients (en petits caractères), qui est exhaustive et qui est donnée, conformément à la loi, dans l'ordre décroissant des quantités.

Les bébés ont besoin d'une quantité modérée de féculents, on aurait tort de leur en donner plus, même des meilleurs (avoine, blé entier, seigle). On aurait également tort de leur donner les féculents de moins bonne qualité (maïs et riz) qui sont combinés dans les petits pots (viande, fruits, légumes), puisque, sans doute, il consomme séparément une céréale une ou deux fois par jour.

Par conséquent, si vous achetez des petits pots pour bébés, choisissez ceux qui ne sont pas des mélanges, c'est-à-dire ceux qui ne contiennent que des fruits, des légumes ou de la viande.

Donnez à votre bébé des fruits et légumes frais ou surgelés quand votre famille en mange. La première année, réduisez-les en purée pour le bébé. Quand votre famille consomme des fruits et légumes en conserve, servez-en au petit aussi. Achetez les fruits mis en conserve dans leur propre jus ou jetez le sirop dans lequel nagent trop de fruits en conserve. Vous enlèverez ainsi le sucre excédentaire, mais une partie de celui-ci demeurera, bien sûr, puisqu'il a été absorbé par le fruit.

Les fruits — frais, surgelés ou en conserve — font de meilleurs desserts que les poudings, surtout les poudings à l'amidon de maïs et les gélatines. Évidemment, les desserts à la présure et les poudings de riz faits surtout de lait ont leur utilité, surtout dans le cas des enfants qui boivent peu de lait. Mais les fruits constituent tout de même les meilleurs desserts.

Ne donnez pas de biscuits, de gâteaux ni de friandises à votre bébé, même s'il les aime et est adorable quand il s'en barbouille le visage. Donnez-lui la viande et le poisson que vous servez au reste de votre famille, finement hachés.

Jusqu'à dernièrement les médecins recommandaient vivement de donner des œufs ou des jaunes d'œuf aux bébés à partir de six mois, en raison du risque d'anémie et parce que le jaune d'œuf contient plus de fer que tous les autres aliments. Mais on a récemment découvert que le fer du jaune d'œuf n'est pas absorbé. Il n'y a donc aucune raison de privilégier les œufs, surtout quand on sait qu'ils sont parmi les aliments qui occasionnent le plus souvent des allergies quand on en donne aux enfants en bas âge. L'œuf reste néanmoins une bonne source de protéines, surtout quand il remplace la viande et le poisson dans les familles végétariennes. Aujourd'hui, on recommande généralement de donner au bébé trois ou quatre œufs par semaine, à partir de neuf ou douze mois.

Les habitudes alimentaires se prennent tôt dans la vie et ont tendance à persister. Il vous sera facile de faire en sorte que votre bébé parte du bon pied si vous respectez quelques règles simples, plutôt que de céder à votre envie bien humaine de le gâter.

• COMMENT ÉVITER LES PROBLÈMES D'ALIMENTATION

Je vois souvent des parents qui incitent leur bébé à consommer encore un tout petit peu de tel aliment solide ou de telle préparation lactée. Le bébé tourne la tête: il n'en veut pas davantage. Il frappe du poing sur le plateau de la chaise haute ou écrase un morceau d'aliment qui s'y trouve. La mère ou le père tente de le convaincre de manger encore, essayant de lui faire oublier son refus en transformant la cuiller remplie en un avion qui fait des cercles dans un grand bruit de moteur et qui vole vers la bouche fermée. Le bébé sourit; papa en profite pour glisser la cuiller dans la bouche entrouverte, avant que bébé n'ait le temps de se rendre compte de ce qui se passe et de regimber. Ou encore, maman distrait bébé en faisant des grimaces ou en chantonnant des chansons comiques, et elle lui rentre la cuiller dans la bouche aussitôt que celui-ci se met à rire.

Je me souviens d'une mère qui a pratiqué cette forme de distraction et d'insistance pendant cinq ans. Au début, elle ne devait distraire son fils que vers la fin du repas, quand son appétit était satisfait. Mais au fil des mois et des années, l'attitude de la mère a fini par éroder tout sentiment positif de l'enfant envers la nourriture. L'enfant ne s'y intéressait plus, même au début des repas. Quand je l'ai vu la première fois, il avait cinq ans. Sa mère, superbe conteuse, lui récitait une longue histoire sur tel ou tel animal imaginaire avant chaque bouchée. «Maintenant, je vais te raconter une histoire sur Ellie l'éléphant», disait-elle, ou encore: «Je vais maintenant te parler du canard qui détestait l'eau.» C'était vraiment pénible et pour la mère et pour le fils. Celui-ci, comme s'il était en train d'avaler quelque médicament épouvantable, était au bord de la nausée à chaque cuillerée, mais il aimait bien les histoires. Pour la mère, cette situation était éprouvante parce que chaque repas durait une heure et demie. Seule sa crainte de voir son fils mourir de faim l'incitait à continuer. L'apparence du petit était telle que ses craintes n'étaient pas sans fondement: il était d'une maigreur impressionnante.

Vous pouvez être sûr qu'une mystérieuse maladie n'est pas à l'origine de la malnutrition de l'enfant quand son dégoût le plus vif ne se manifeste que devant les aliments que les parents jugent les plus essentiels, comme le lait et les légumes. L'appétit du petit demeure pour les aliments que les parents considèrent sans importance ou même à éviter. Beaucoup d'enfants que j'ai connus et dont l'appétit avait été anéanti par l'insistance des parents ne voulaient consommer que des cornichons ou des saucisses de Francfort. Ils faisaient partie de familles qui considéraient ces aliments comme néfastes pour les enfants. Le garçon dont j'ai parlé plus haut et à qui on racontait des histoires d'animaux suppliait ses parents de lui donner la lie de leurs martinis et les canapés aux anchois qu'ils consommaient avec leurs boissons.

Une autre caractéristique des enfants qui ont une aversion alimentaire, c'est que la plupart de ceux qui ne veulent rien du tout aux repas — ils auront un haut-le-cœur si vous insistez — partent à la recherche d'une collation dès que le repas est «finalement» terminé. Ce sont les pressions exercées par les parents qui suppriment l'appétit de l'enfant; aussitôt les pressions dissipées, l'appétit commence à revenir, du moins un peu.

L'aversion pour les aliments qui lui sont présentés avec trop d'insistance semble apparaître à certaines étapes du développement de l'enfant.

Le bébé qui reçoit sa première cuillerée d'un aliment solide est comique à voir. Il a l'air perplexe et un peu dégoûté. Il plisse le nez, ouvre et ferme la bouche comme s'il gloussait. Le gros de l'aliment glisse sur son menton.

Il est naturel que les bébés, habitués à téter du lait pendant cinq ou six mois, soient déconcertés quand ils goûtent des aliments solides la première fois. Ces aliments ont une étrange consistance. La cuiller, toute dure, est étrange aussi. L'acte d'avaler est très différent de l'acte de téter et requiert de nouvelles techniques.

Soyez patient au début. Si le parent tente de donner trop de nourriture au bébé, celui-ci pourrait résister. Plutôt que de devenir plus habile et se plaire à manger, il pourrait s'entêter. La bonne méthode, c'est de procéder avec douceur, en commençant par une très petite quantité d'aliments solides afin de lui en donner le goût, et en augmentant cette quantité à mesure que le bébé acquiert la technique et, plus important encore, apprend à l'aimer. Personnellement, je préfère initier les bébés aux aliments solides en leur donnant non pas des céréales, mais des fruits cuits ou des fruits crus et écrasés, comme des bananes, des avocats et des papayes bien mûrs, que la plupart trouvent beaucoup plus appétissants que les céréales.

La situation peut devenir difficile quand l'appétit vorace de la petite enfance se calme, vers quatre, cinq ou six mois, et que l'enfant consomme une plus grande variété d'aliments solides et grossit moins vite. Une autre étape difficile, c'est la poussée des dents, qui coupe l'appétit de certains enfants. L'alimentation de l'enfant peut devenir difficile quand une infection lui a temporairement coupé l'appétit et que les parents inquiets commencent à le forcer à manger avant que son appétit normal ne soit revenu; à ce moment-là, il est par trop facile de transformer une aversion temporaire pour les aliments en un désintérêt permanent.

C'est vers l'âge de un an que se manifestent le plus de problèmes d'alimentation, en raison des fréquentes variations de l'appétit. C'est alors que la majorité des enfants se prennent d'une aversion temporaire pour les aliments qu'ils acceptaient naguère, surtout les légumes, les céréales et le lait. Pourquoi? C'est une de ces choses mystérieuses que je ne peux expliquer entièrement. Je pense que c'est en partie parce que le rythme de prise de poids diminue, ce qui réduit l'appétit. En outre, entre un et deux ans, la plupart des enfants sentent et peuvent faire connaître ce qu'ils aiment et n'aiment pas beaucoup mieux qu'avant. Peut-être les légumes, les céréales et le lait leur déplaisaient-ils déjà, mais ils étaient trop affamés pour les refuser. Maintenant, ils sont capables de refuser les aliments qu'ils n'aiment pas.

Il faut se rappeler que les petits enfants aiment les aliments croustillants et les aliments liquides, mais qu'ils ont tendance à ne pas aimer ceux dont la consistance se trouve entre ces deux extrêmes: purée de pommes de terre ferme ou céréales cuites épaisses, par exemple.

Pourquoi les parents, surtout les nouveaux parents, sont-ils si tentés de forcer leur enfant à manger? Peut-être est-ce instinctif, jusqu'à un certain point. La crainte de manger insuffisamment a été inculquée à la plupart d'entre nous durant notre enfance, et nous la transmettons à nos propres enfants. Certaines ethnies, ici et là à travers le monde, croient que les enfants mourront de faim si on ne les bourre pas et prisent l'obésité. Ils ont bien tort. Les bébés humains, comme les petits des autres espèces, ont l'appétit qui leur convient, sauf quand ils sont malades ou quand on les a dégoûtés en les poussant à manger contre leur gré. (Quand, durant la petite enfance, les incitations à manger sont légères et qu'elles ne se répètent pas trop longtemps, l'appétit naturel du bébé est généralement assez fort pour survivre malgré l'inquiétude exagérée des parents.)

En réalité, il n'est jamais besoin de pousser l'enfant à manger; à long terme, cela produit l'effet contraire à l'effet recherché. La mère pourrait bien dire: «Mais je finis toujours par lui faire avaler quelques bouchées (gorgées) de plus, si je suis patiente.» Ce peut être vrai sur le moment, mais si vous lui faites manger plus que ses besoins de croissance ne l'exigent, son appétit en sera d'autant réduit au prochain repas. Et si vous persistez, même doucement, le désir de manger de l'enfant tombera sous la normale. Vous n'y gagnez donc pas, vous y perdez.

Il est facile d'énoncer la règle: laissez toujours le bébé ou l'enfant cesser de manger aussitôt qu'il n'en a plus envie. C'est le meilleur moyen de préserver son appétit naturel. C'est aussi le meilleur moyen pour que l'enfant s'alimente de façon optimum. Cependant, de par mon expérience auprès de centaines de parents consciencieux et intelligents, je sais très bien que ce conseil est dur à suivre, surtout quand le bébé a pris l'habitude de regimber devant les aliments.

Nul besoin de vous inquiéter si votre enfant de un an ne veut plus voir la plupart des légumes. Certes, vous devez cesser de lui servir les légumes qui font l'objet de son aversion. Continuer de lui en offrir ne le rendrait que plus obstiné et soupçonneux et ne ferait qu'allonger la liste des aliments détestés. Mais servez-lui encore les quelques légumes aimés. Servez-lui des légumes crus comme des carottes, des haricots verts, des avocats et des tomates. Certains de ces légumes se tiennent bien en main; le bébé se voit ainsi encouragé à se nourrir lui-même. Vous pouvez aussi recourir à des légumes qui ne sont généralement pas les plus prisés en raison de leur saveur prononcée: oignons, choux-fleurs, choux, brocolis et navets bouillis. Mais il est peu probable que l'enfant les accepte. Ne lui servez pas de petits pois crus ou de maïs cuit, il risquerait de s'étouffer.

Quand l'enfant de un an refuse tel ou tel aliment, il importe de se rappeler que les fruits — cuits ou crus — contiennent les mêmes minéraux, les mêmes fibres et presque les mêmes vitamines que les légumes. (Leurs hydrates de carbone sont le sucre plutôt que l'amidon.) Par conséquent, les fruits, accompagnés de vitamine A en gouttes, remplaceront les légumes temporairement rejetés par l'enfant. La plupart des fruits restent populaires durant sa deuxième année aussi; ne vous en faites donc pas si votre petit ne mange aucun légume pendant des mois, voire pendant une année entière.

Durant la seconde année — parfois toute la vie durant —, il arrive souvent que les enfants rejettent les céréales cuites. Mais il en existe de nombreux substituts: céréales sèches, pain, craquelins et pommes de terre. Les céréales, le pain et les craquelins doivent être composés d'avoine, de seigle ou de blé entier. Bon nombre d'enfants rejettent tous les féculents pendant un an ou deux, mais consomment généralement assez d'autres aliments pour que leur nutrition n'en souffre pas.

Pourquoi la plupart des enfants (et sans doute la majorité des adultes aussi) aiment-ils les aliments sucrés, néfastes pour la nutrition et cause de la carie dentaire? Le docteur Clara Davis, au cours d'expériences effectuées il y a de nombreuses années, a travaillé auprès de bébés âgés de neuf à douze mois qui n'avaient jamais rien consommé d'autre qu'une préparation lactée. Après leur avoir offert toute une gamme d'aliments naturels, elle a constaté qu'ils choisissaient ce que tout diététicien considérerait comme une alimentation bien équilibrée. Et ils n'abusaient pas des fruits, seuls aliments sucrés qui leur étaient servis.

Alors, comment l'appétit des enfants se corrompt-il? Je pense que les parents sont souvent à blâmer, même s'ils ont les meilleures intentions du monde. Ils servent à leur enfant des aliments sains et naturels, puis ils lui offrent des desserts sucrés et des bonbons pour le récompenser d'avoir mangé les aliments sains ou pour s'être bien comportés dans le cabinet du dentiste ou du médecin. Beaucoup de parents ont eux-mêmes été récompensés par des sucreries durant leur enfance; il est donc naturel qu'ils préservent la tradition. Résultat? De génération en génération, l'amour est devenu synonyme de sucreries. Au fond, mieux vaudrait que les parents disent: «Tu n'auras pas d'épinards avant d'avoir fini de manger ton dessert.»

De nombreux bébés et petits enfants réduisent souvent leur consommation de lait à moins d'un litre par jour, mais la plupart continuent d'en consommer un litre ou plus, ce qui est généralement suffisant. En tout cas, les parents devraient se rappeler que le lait est tout aussi bon — surtout en ce qui a trait à sa teneur en calcium et en protéines — quand il est cuit avec les céréales et les soupes ou servi sous ses autres formes. Nombre de bébés adorent le fromage. Trente grammes de fromage à pâte ferme contiennent autant de calcium que 225 millilitres de lait. (Le fromage cottage et les fromages en crème sont loin de contenir autant de calcium que les fromages à pâte ferme.) Si l'enfant consomme de la viande, de la volaille et des œufs (il privilégie souvent la viande et la volaille), cela compense une partie des protéines perdues quand il consomme moins d'un litre de lait par jour.

Même si l'alimentation de l'enfant n'est pas idéale, qu'y pouvez-vous? Vous ne pouvez le forcer à manger, et l'y inciter vivement ne fera qu'accentuer son aversion pour la nourriture. Vous devez donc mettre tout votre espoir dans vos tentatives de raviver son appétit *en ne lui servant que les aliments sains qu'il aime encore,* sans tenir compte du caractère bizarre ou déficient du régime qui en résulte. En espérant qu'il retrouvera graduellement son intérêt pour une nourriture variée. Mais cela exige une maîtrise de soi et une patience peu communes de la part des parents.

• LES MALADIES GRAVES

J'ai reçu une lettre d'une mère qui avait appris, sept mois plus tôt, que sa fillette de quatre ans était atteinte de diabète. Cette mère m'a décrit les divers états émotionnels qu'elle avait dû traverser. D'abord, elle avait accepté la possibilité de la maladie; puis elle avait nié le diagnostic avant de l'accepter pour vrai. Enfin, elle avait éprouvé amertume et sentiments de culpabilité. Par la suite, grâce à sa grande honnêteté et à sa personnalité saine, elle avait réussi à calmer le tourbillon de ses émotions et à y voir clair. Elle en était arrivée à accepter la situation.

L'expérience décrite dans la lettre de cette mère devrait être utile à tous les parents qui eux aussi font face à des difficultés, même moins sérieuses que la maladie, bien qu'il soit plus facile d'en analyser le déroulement quand elles sont spectaculaires.

Toute une gamme de situations peuvent donner un certain sentiment de culpabilité aux parents: les accidents courants durant l'enfance, le manque de beauté ou de grâce de l'enfant ou son air malheureux, ou encore le manque relatif d'enthousiasme ou de chaleur des parents envers l'un des enfants. Le sentiment de culpabilité — justifié ou non — nuira à l'autorité que les parents exercent sur leur enfant, jusqu'à ce qu'ils la comprennent et puissent s'en libérer.

Voici la lettre de Mme T.:

«En mars dernier, nous avons appris que Linda, notre petite fille de quatre ans, souffrait du diabète. Je m'inquiétais à son sujet depuis l'automne précédent: il lui arrivait de boire des quantités excessives d'eau et de se lever deux ou trois fois par nuit pour uriner. J'avais entendu dire que c'étaient les symptômes du diabète, mais je me trouvais des excuses pour toujours reporter la visite au cabinet du médecin. Les symptômes apparaissaient puis disparaissaient. Je ne voulais pas que l'on me croie névrosée ou trop anxieuse.

«Quand le diagnostic a été final, je sentais que je l'avais accepté. Mais Georges, mon mari, a été extrêmement bouleversé et a refusé d'y croire pendant plusieurs jours. Il a fini par l'accepter, mais moi, je suis devenue amère. Je me sentais coupable aussi. Je ne cessais de me demander pourquoi je n'avais pas emmené Linda chez le médecin plus tôt. Peut-être aurait-il découvert la maladie plus rapidement et qu'aujourd'hui Linda n'aurait pas besoin d'insuline. Le médecin avait beau me répéter qu'il n'en était rien, je ne le croyais pas. Et je ne l'ai pas cru pendant plusieurs mois.

«Le médecin a hospitalisé Linda pendant quelques jours. Même si nous avions essayé de la préparer à ce séjour, elle n'arrivait pas à comprendre, parce qu'elle ne se sentait pas malade. Nous lui avons dit qu'elle devait aller à l'hôpital parce qu'elle buvait trop d'eau et qu'elle urinait trop souvent, et que nous voulions savoir pourquoi.

«À l'hôpital, on lui a fait un test sanguin. On m'a dit plus tard qu'elle s'était écriée: "Non, docteur! Je promets que je ne boirai plus d'eau!" Cela m'avait brisé le cœur. Je me suis rendu compte que je devais lui dire que, si elle buvait tant d'eau, c'était seulement *parce qu*'elle avait un problème, et que ce n'était pas sa consommation excessive d'eau qui causait ce problème.

«Une autre chose qui m'a beaucoup troublée, c'était de voir les autres parents traverser de si dures épreuves. Un petit de six ans était atteint d'un cancer du poumon; un autre, âgé de deux ans, souffrait de fibrose kystique. Une petite fille de deux ans avait besoin d'un stimulateur cardiaque. Au fond, Linda était en meilleure santé qu'eux, mais cette constatation ne m'a guère réconfortée. Je me demandais pourquoi certains d'entre nous devaient souffrir, pendant que d'autres se préoccupaient de faire assez d'argent pour pouvoir acheter une somptueuse demeure.

«Bientôt, je n'ai plus voulu parler au téléphone avec amis et parents. Ils ne pouvaient rien me dire d'utile; je ne voulais pas entendre leurs conseils ni l'expression de leur sympathie. Leurs commentaires ne faisaient que me mettre en colère; j'ai donc décidé d'éviter de leur parler.

«Après trois ou quatre jours d'hospitalisation, Linda s'est mise à pleurer. "Je sais que je ne rentrerai jamais à la maison", disait-elle. Nous lui disions qu'elle rentrerait bientôt, mais cela ne l'empêchait pas de pleurer. Deux ou trois jours plus tard, sur le chemin du retour, elle était silencieuse. Elle ne semblait pas du tout heureuse. Nous avons découvert pourquoi un peu plus tard.

«Au cours d'une promenade avec mon père, elle a rencontré ses meilleurs amis, deux garçons de son âge. "Mauvaises nouvelles, leur a-t-elle déclaré, je ne pourrai plus jouer." Voilà donc pourquoi elle était si malheureuse. Nous l'avons rassurée: sa vie ne changerait pas, ou du moins très peu. D'abord, elle ne nous a pas vraiment crus. Nous l'avons renvoyée à l'école maternelle dès le lendemain de son retour de l'hôpital. Tous les après-midi, d'autres enfants venaient jouer à la maison. Au bout d'un certain temps, Linda a repris du poil de la bête et est redevenue elle-même.

«Ma propre amertume s'est finalement dissipée quand j'ai pris conscience de ce que les problèmes qu'occasionne la vie auprès d'un enfant diabétique ne sont pas si grands. Ce qui me dérange le plus, c'est la rigidité de notre horaire de repas: nous devons manger à la même heure chaque jour. En outre, je suis persuadée que, si Linda se montrait plus agréable quand vient le temps de ses piqûres d'insuline, ma tâche serait plus facile.

«Ç'a été l'une de mes plus grandes difficultés. Au début, elle criait: "Et alors? Je buvais beaucoup d'eau et j'allais souvent aux toilettes. Et alors, qu'est-ce que ça fait?" Pendant des mois, chaque fois que je lui donnais sa piqûre, elle criait: «Harnais de vache!», expression qu'elle avait inventée. C'était probablement la pire chose qu'elle pouvait dire sans y aller directement et m'appeler vache.

«Elle me demandait sans cesse: «Pourquoi tu me fais ça?» Et moi, comme un disque usé, je lui répétais inlassablement: «Parce que je t'aime et que je veux que tu restes en bonne santé.»

«Même si Georges sait comment administrer les piqûres d'insuline, il ne l'a fait que deux fois. Linda insiste pour que ce soit moi qui les lui fasse, ce qui arrange bien Georges, quoiqu'il refuse de le reconnaître. Il m'arrive de lui en vouloir pour cette raison.

«La maladie de Linda a été la première difficulté grave de ma vie. Je suis la fille unique de parents merveilleux et mon enfance a été dorée. J'ai épousé un brave homme qui est devenu un bon mari et un bon père. Quand j'ai voulu un bébé, j'en ai eu un. Quand je travaillais encore, j'avais un poste extraordinaire comme secrétaire d'un groupe d'études sur le développement de l'enfant. Rien ne me préparait donc à cette douloureuse expérience. Deux incidents m'ont toutefois aidée à faire face à mon sort.

«L'un s'est produit après une réunion du personnel engagé dans le groupe de travail sur l'enfant. Le docteur Lowell, un des pédiatres pour qui je travaillais, m'a demandé si j'avais une suggestion à lui faire pour qu'il puisse aider les parents vivant une situation analogue à la mienne. Puis il m'a dit quelque chose qui m'a renversée: «Le bouleversement des parents est-il en partie causé par le fait que leur enfant n'est plus parfait, qu'ils ont maintenant un enfant imparfait?» Je l'ai regardé et j'ai fait oui de la tête. Je restais bouche bée; je voyais qu'il avait raison.

«Depuis le début, mes amis m'enviaient mes parents, mon mari, mes enfants et mon travail. Je suppose que j'y étais habituée, que j'avais besoin de cette admiration. J'étais redevenue simple mortelle, accaparée par des problèmes comme tout le monde; on n'avait plus à m'envier. Cela n'a pas été facile pour moi de l'admettre. Mais quand j'ai fini par l'accepter, je me suis sentie mieux.

«L'autre incident s'est produit quand une de mes cousines m'a rendu visite pour me dire qu'elle avait appris que ma Linda était malade. J'ai passé une heure à lui parler de mes problèmes. Lorsqu'elle a pris congé, je me suis excusée d'avoir passé tout le temps de sa visite à parler de mes problèmes. Elle m'a alors dit qu'un jour elle me parlerait des siens. Après avoir beaucoup insisté, j'ai finalement appris que son mari était atteint d'un cancer. (Il est mort depuis.) J'avais honte de moi. C'est alors que j'ai décidé que, chacun ayant ses propres problèmes, dorénavant je ne ferais plus peser les miens sur les épaules des autres.

«Une fois Linda rentrée de l'hôpital, j'avais l'habitude de l'observer par la fenêtre quand elle jouait dehors, les yeux mouillés de larmes, déchirée entre ma crainte de la laisser sortir de mon champ de vision et la certitude que je devais l'élever de sorte qu'elle devienne un être humain normal.

«Je ne m'étais pas rendu compte à quel point j'avais changé en six mois, jusqu'à ce qu'un autre incident se produise cet automne-là. Quand Linda a commencé à fréquenter le jardin d'enfants, l'infirmière de l'école m'a appelée pour s'informer de son état de santé. Je lui ai expliqué que le diabète de Linda était stabilisé.

«Vous savez, m'a-t-elle dit, la mère qui a un enfant malade doit rester à la maison pendant que celui-ci est à l'école et ne jamais s'éloigner du téléphone.» Si on m'avait dit cela en mars, je pense que ç'aurait été la goutte qui aurait fait déborder le vase. Mais nous étions en septembre, et j'allais cent fois mieux.

«Grâce à l'aide de professionnels, lui ai-je répondu, mon mari, ma fille et moi en sommes arrivés à accepter notre situation. Nous n'allons pas dramatiser. J'ai bien des choses à faire, des courses, par exemple. Il serait ridicule qu'on s'attende à ce que je passe chaque minute à la maison. Je présume que si quelque chose arrive, vous allez envoyer Linda à l'hôpital.»

«Elle m'a répondu que oui, c'était certain. Elle n'allait pas se contenter de la regarder mourir, elle ferait bien quelque chose. Je lui ai alors dit que c'était ce que moi aussi je ferais. J'ai ajouté que si elle ne pouvait pas me joindre, elle devait agir comme s'il s'agissait de son propre enfant.

«Quand j'ai raconté cette histoire à Georges, je lui ai dit que j'avais finalement accepté la maladie de Linda et que désormais je n'allais pas me laisser démonter par elle. Il n'arrivait pas à croire que j'avais parlé de la sorte à l'infirmière, mais il était heureux que je l'aie fait.»

La lettre qui suit m'a été écrite quelques années plus tard par Linda, alors âgée de quinze ans. La voici:

«Il ne sert à rien de me rappeler mille fois que Dieu n'est pas à blâmer pour mon diabète — je me pose quand même des questions. Même si je m'efforce de maîtriser ma maladie, il arrive souvent que mon taux de sucre dans le sang soit trop élevé. Tant de choses m'effraient que, quelquefois, je ne peux m'empêcher de pleurer. Personne d'autre qu'un diabétique ne peut savoir comment on se sent quand on entend dire qu'une autre victime de cette maladie est en train de mourir ou souffre de complications et devient aveugle ou encore doit recourir à la dialyse. Les gens (médecins, parents, etc.) ne savent-ils pas combien de fois par jour on nous rappelle ce qui nous arrivera si nous ne gardons pas le contrôle de notre taux de sucre? Il est étrange aussi de voir à quel point les gens peuvent être froids avec nous. Pouvez-vous imaginer comment on se sent à huit ans quand on se sait atteint du diabète et que, en revenant à l'école conscient de ce qu'un changement s'est produit en soi, on s'attend quand même à être traité par les autres de la même façon qu'avant, mais que certains de vos camarades apportent en classe des bouteilles marquées *chasse-poux,* pour que vous ne vous approchiez pas d'eux? Je me souviens aussi — j'étais en sixième année — d'un camarade qui m'avait dit que je *méritais* d'avoir le diabète. Nous on essaie de ne pas se sentir trop différent, mais quand les gens qui *étaient* comme nous avant ne cessent pas de nous dire qu'on est différent, on finit par croire qu'on l'est. Je ne dirai plus à personne que j'ai le diabète, à cause de mes expériences passées. C'est, je pense, parce que tout le monde essaie de me faire me sentir à part, de me faire croire que je suis différente, et que je mange parfois des aliments que, je le *sais*, je ne devrais pas manger. Je suppose que j'essaie de me laver le cerveau; en mangeant les mêmes aliments que les gens «normaux», je pense que j'appartiendrai au même groupe qu'eux d'une certaine façon. Je n'aime pas quand mes parents m'accusent de manger dès que je me trouve dans la cuisine. Aussi longtemps que j'aurai le diabète, je vais essayer de me conditionner à croire que je suis comme tout le monde. Mais comment est-ce possible quand je ne peux manger ce que tout le monde aime? Le matin, en remplissant ma seringue, toutes sortes de choses me passent par la tête. Il m'arrive de détester Dieu pour m'avoir «choisie». Qu'est-ce que je lui ai fait? Je déteste quelquefois mes parents. S'ils ne m'avaient pas mise au monde, je n'aurais pas à endurer toute la douleur physique et mentale de cette maladie. Il m'arrive d'avoir envie de me suicider quand je vois à quel point mes parents seraient mieux, du point de vue financier comme du point de vue émotionnel, si je n'étais plus là. J'ai l'impression de les avoir déçus. Tout ce qu'on entend partout, c'est à quel point les parents trouvent important d'avoir un bébé en bonne santé. Je me souviens d'avoir remercié Dieu d'avoir été âgée de quatre ans au moment du diagnostic, parce que j'étais trop grande pour qu'on me tue sous prétexte que je n'étais pas «parfaite». Je me demande parfois si ma mère aurait voulu se faire avorter si elle avait su que son «bébé» ne serait pas parfait et qu'elle aurait à se tracasser à son sujet au point d'en pleurer. Mais je dois reconnaître que la seule personne dans toute ma vie qui a *toujours* été là pour moi, de la première visite à l'hôpital jusqu'aux derniers examens visuels réussis, a été ma mère. Sans son aide et son soutien, je ne serais pas là où je suis aujourd'hui. Tout ce que j'ai à dire maintenant, c'est que le diabète ne sera pas la cause de ma mort. J'espère seulement être celle qui en viendra à bout.»

Le jour où Mme T. m'a écrit sa lettre — un mois après son franc échange avec l'infirmière de l'école et sept mois après le diagnostic de la maladie —, elle y a ajouté un post-scriptum: «Aujourd'hui, je suis entrée dans la chambre de Linda pour lui faire sa piqûre. Elle était là qui m'attendait, les culottes baissées, prête à recevoir l'injection, *souriante*. Mon Dieu! Cela signifie-t-il qu'elle s'est finalement résignée à l'insuline?»

Je suis reconnaissant à Mme T. de m'avoir écrit cette lettre qui me sert à animer les discussions. Il existe peu de gens dans une société comme la nôtre — dans laquelle on nous demande de toujours sourire, de rester stoïques et de cacher nos sentiments aux autres et à nous-mêmes — qui sont capables de reconnaître la nature de leurs émotions et de les exprimer avec autant d'honnêteté que Mme T. Je pense que ces paroles rejoindront d'autres parents et les aideront mieux que tous les lieux communs que peuvent servir les professionnels. Je me contenterai ici de faire quelques commentaires sur certains des points qu'elle a su si bien rendre concrets.

L'amertume de Mme T. n'est pas rare. «Pourquoi Dieu (le destin) m'a-t-Il choisie? Pourquoi moi? Je ne mérite pas cela.» C'est là une saine façon de lutter pendant un certain temps contre une peine et un sentiment de culpabilité excessifs. Mais, à long terme, l'amertume n'est pas une réaction constructive, car elle ne conduit à aucune solution. C'est une forme d'apitoiement sur soi-même teintée de colère. Mais elle a permis à ma correspondante de s'en prendre — en imagination — aux amis bien intentionnés qui essayaient de la «consoler» par des remarques qui l'irritaient. Il a été bon pour elle de pouvoir rejeter sa colère sur quelqu'un d'autre.

Mme T. a su faire preuve d'une honnêteté étonnante en reconnaissant très tôt, avec l'aide du docteur Lowell, que l'«imperfection» de Linda donnait un coup à sa propre fierté et à son amour-propre. Cette reconnaissance d'une attitude qu'elle jugeait indigne (bien que naturelle et inévitable) a accéléré son rétablissement.

J'imagine qu'elle a raison de présumer que, n'ayant jamais eu d'expériences vraiment douloureuses dans la vie, elle a été prise de court. Mais son heureuse adaptation à la vie, au fond, n'a pas été un désavantage pour elle. Cette adaptation a été le facteur premier qui lui a permis de s'adapter de façon adulte à la situation, sans trop de délai.

Le sentiment de culpabilité, à un degré ou à un autre, est inévitable. Dès notre tendre enfance, on nous enseigne que nous sommes responsables de nos échecs et de nos péchés, que nous ayons été élevés religieusement ou non, et que l'éducation de nos enfants et les soins à leur prodiguer sont nos plus grandes obligations. Si ce n'était pas vrai, nous serions des parents dangereusement irresponsables. Quand notre enfant tombe gravement malade ou qu'il a un accident, un voile de culpabilité s'étend sur nous. En général, ce voile se lève progressivement, à mesure que nous nous rendons compte que nous ne sommes pas si mauvais ou, du moins, pas plus mauvais que les autres. Les efforts du médecin pour nous rassurer finissent par porter fruit.

Mais si la maladie est sérieuse et que la culpabilisation dure non des mois mais des années, la personne a alors besoin de soins psychiatriques pour l'aider à trouver les racines de sa culpabilité excessive et à les extirper.

Mme T. se sentait coupable de ne pas avoir reconnu les symptômes de Linda plus tôt. C'est pourquoi, au début, elle surveillait constamment sa fille et avait des difficultés à lui expliquer sa maladie et la nécessité des piqûres. J'imagine que c'est un sentiment de culpabilité et une légère crainte de la mère — quand elle répétait à Linda qu'elle lui donnait les piqûres pour son bien — qui encourageaient celle-ci à extérioriser ses propres tensions intérieures, en retardant constamment l'heure des injections, en faisant des reproches à sa mère et en lui lançant des injures à peine déguisées.

À mon avis, ce qui est le plus révélateur dans la lettre de cette mère, c'est qu'elle a fini par venir à bout de son sentiment de culpabilité et qu'elle a pu parler franchement à l'infirmière de l'école, lui disant qu'elle n'allait pas rester assise à la maison à attendre un éventuel coup de téléphone de sa part, que cette dernière pouvait prendre la situation en main avec compétence si une urgence se présentait.

Ce qui prouve de façon spectaculaire que c'est le sentiment de culpabilité de Mme T. qui incitait Linda à la torturer — et à se torturer elle-même —, c'est que, une fois ce sentiment dissipé (je suppose que la rédaction de la lettre l'a aidée à prendre un certain recul), elle a trouvé sa fille toute souriante, prête à recevoir ses injections.

Bien sûr, mieux vaudrait que les pères assument leur part des soins à dispenser à l'enfant malade, surtout quand le traitement est désagréable et qu'il cause du ressentiment chez la victime, comme quand il faut administrer aux jeunes enfants des médicaments dont le goût est désagréable. Cela soulage une partie des tensions qu'éprouve la mère quand elle se décharge de la moitié des responsabilités. Plus important encore, la mère n'est plus la seule à assumer le rôle du parent «méchant». En outre, il ne faut pas excuser le père pour la seule raison que l'enfant demande que la mère se charge de la besogne.

Ce que tous les parents — même ceux qui n'ont pas d'enfants malades — peuvent apprendre de cette lettre, c'est qu'il arrive souvent aux enfants de mal interpréter les situations qu'ils ne comprennent pas, d'en tirer des conclusions morbides et de se sentir coupables. Linda avait conclu que sa maladie provenait du fait qu'elle buvait trop d'eau, et qu'elle ne pourrait jamais rentrer à la maison. Une fois rentrée, elle a présumé qu'elle ne pourrait plus jamais jouer avec les autres enfants. Cela me rappelle une étude effectuée auprès d'enfants hospitalisés auxquels on demandait pourquoi, à leur avis, ils étaient à l'hôpital et attendaient qu'on leur enlève leurs amygdales. Certains, se sentant coupables, croyaient que leurs amygdales avaient enflé parce qu'ils avaient négligé de porter leurs bottes ou leurs manteaux les jours de pluie. Une fillette croyait que le chirurgien allait lui ouvrir la gorge d'une oreille à l'autre, lui renverser la tête et lui fouiller dans la gorge pour faire les excisions. Un garçonnet qu'on avait changé de chambre a présumé que ses parents ne pourraient jamais plus le retrouver pour le ramener à la maison. (De même, quand les parents divorcent, la plupart des enfants croient que c'est leur mauvais comportement qui a brisé le mariage, peut-être parce qu'ils ont entendu les parents se disputer à leur sujet.)

La solution? Les parents tendront l'oreille et ouvriront l'œil à la recherche d'indices susceptibles de révéler si l'enfant se tracasse, à l'occasion d'une maladie ou d'une crise familiale. Posez-lui des questions avec sympathie, pour dissiper ses angoisses. Ne riez pas en vous efforçant de le rassurer; les enfants sont sensibles, ils n'aiment pas que l'on se moque d'eux. Assurez-vous de bien comprendre les inquiétudes de l'enfant; le rassurer à propos de ce qui ne le tracasse pas ne fait que le frustrer. Recommandation générale: écoutez au moins autant que vous parlez.

En un certain sens, il était sain que Linda puisse exprimer si ouvertement ses reproches, en allant même jusqu'à crier «harnais de vache» à sa mère. Cela vaut mieux pour l'enfant que de garder toutes ses émotions et angoisses refoulées en lui. Je ne dis pas que les parents doivent inciter l'enfant à la grossièreté ou la tolérer; les parents qui le font sont généralement ceux qui se sentent coupables ou qui manquent de caractère (deux attitudes peut-être attribuables à autre chose qu'à la maladie grave de l'enfant). De telles attitudes rendent la vie encore plus difficile à l'enfant.

Comme Mme T. *devait* se sentir coupable pendant quelques mois, il a été heureux que Linda ait eu le caractère ouvert — et qu'elle ait eu confiance en l'amour et en la compréhension de sa mère — au point d'exprimer franchement ses reproches.

Linda réussira bien dans la vie, malgré son handicap.

• COMMENT PARLER AUX ENFANTS DE LA SEXUALITÉ ET DE L'AMOUR

À l'ère «scientifique» où nous vivons, nous avons tendance à ramener la sexualité humaine à des termes d'anatomie et de physiologie (comment le corps fonctionne). Voilà qui peut suffire à l'espèce des lapins, mais les êtres humains sont beaucoup plus complexes que cela. Par exemple, ils composent de la musique, peignent des chefs-d'œuvre, écrivent des poèmes, construisent de magnifiques bâtiments, adorent Dieu et se couvrent de vêtements et de bijoux.

L'amour sexuel des humains est beaucoup plus complexe que celui des autres animaux, plus puissant et plus spirituel aussi. Il est tissé avec les autres émotions et relations, comme les fils d'une tapisserie. Il apparaît durant le développement affectif de l'enfant, comme l'a découvert la psychanalyse de l'inconscient.

L'adoration du jeune enfant pour le parent du sexe opposé, dont j'ai parlé au dixième chapitre, explique en partie pourquoi, plus tard dans la vie, l'individu tombera éperdument amoureux de tel type de personne, et pas du tout de tel autre que le reste du monde pourrait considérer comme tout aussi séduisant.

Vers cinq ou six ans, l'enfant se rend compte que ses parents sont l'un à l'autre, sexuellement et sentimentalement. Cette prise de conscience fait naître en lui jalousie et ressentiment. Il présume que le parent de son sexe nourrit les mêmes sentiments négatifs à son égard. Au plus profond de lui-même, le déséquilibre de cette rivalité l'effraie. Ainsi, à six, sept huit et neuf ans, l'enfant réprime un grand nombre des sentiments positifs intenses qu'il éprouve pour ses parents, ainsi que son propre enthousiasme pour le mariage et les enfants. Il transfère alors son admiration sur des héros ou héroïnes, réels ou imaginaires, qu'il connaît par les livres, les bandes dessinées, les films sur les savants, les explorateurs, les inventeurs, les leaders militaires ou civils, les femmes illustres, comme Marie Curie ou Florence Nightingale. Il rêve d'être un héros lui aussi.

Durant la préadolescence (de dix à douze ans) et l'adolescence (de treize à dix-neuf ans), quand les glandes de l'enfant le forcent à se tourner de nouveau vers l'amour et le sexe, ces émotions sont encore imprégnées de l'intense idéalisme et de la spiritualité qui s'y trouvaient à l'âge de trois, quatre ou cinq ans. Désormais, il idéalise et aime, en imagination, les musiciens populaires, chanteurs, acteurs, auteurs et artistes; il a envie d'être comme eux. Il se peut qu'il ait une toquade pour un professeur. Et quand il s'amourache d'une personne de son âge, l'adolescent rêve qu'il accomplit des actes d'héroïsme pour elle, qu'il lui dédie sa vie.

À l'âge adulte, la dimension spirituelle de l'amour sexuel est ce qui inspire en partie les peintres, les sculpteurs, les romanciers, les poètes, les dramaturges et les compositeurs. C'est aussi ce qui donne de la joie à celui qui lit, regarde ou écoute leurs œuvres. Plus important encore, c'est cette dimension spirituelle de l'amour sexuel qui inspire les bons maris et les bonnes épouses à nourrir de hautes aspirations dans leur vie commune et à penser grand bien l'un de l'autre, ce qui fait sortir le meilleur d'eux-mêmes. Les sentiments d'ordre spirituel éprouvés envers l'être aimé — que ce soit dans le mariage à vingt-six ou à soixante-douze ans, dans le jeu du papa et de la maman à quatre ans, ou dans les rêveries à quatorze ans — comprennent la fidélité, le respect, la tendresse, la serviabilité, le désir de plaire et, finalement, dans la plupart des cas, le désir de faire des enfants et de les chérir.

En réalité, l'éducation sexuelle commence vers l'âge de deux ans et demi, quand garçon et fille s'inquiètent de l'absence du pénis chez cette dernière et qu'ils posent des questions à ce sujet. («Rien de mauvais n'est arrivé. La petite fille a été créée pour être différente du petit garçon, comme les mamans sont différentes des papas.») Le garçon veut faire pousser des bébés dans son propre ventre. Vers trois ans ou trois ans et demi, l'enfant commence à demander d'où viennent les bébés. («Ils poussent dans le ventre de la mère, à partir d'un petit œuf.»)

À quatre, cinq ou six ans, l'enfant commence à poser des questions sur le rôle du père. Le parent expliquera que quand le mari et la femme se sentent très amoureux l'un de l'autre et qu'ils sont couchés dans le même lit, l'homme met son pénis dans le vagin de sa femme, et sa semence, appelée sperme, sort de son pénis pour pénétrer dans l'œuf qui devient ensuite un bébé. On mettra l'accent ici sur l'amour mutuel des partenaires.

Lorsque les parents répondent aux questions de leur enfant, non seulement ils satisfont sa curiosité légitime, mais ils lui montrent qu'il est de bon aloi de poser des questions sur le sexe.

Quand l'enfant atteint cinq ou six ans, ses parents et enseignants peuvent garder ouverte la ligne de communication en ayant des animaux de compagnie qui s'accouplent et qui donnent naissance à des petits. Ainsi, les enfants sont encouragés à poursuivre leurs questions. Mais les parents peuvent faire la différence: les lapins s'accouplent avec n'importe quel autre lapin et ils ne prennent soin de leurs bébés que pendant quelques semaines. Les êtres humains, eux, s'éprennent les uns des autres et éprouvent un sentiment bien particulier. Ils se marient parce qu'ils veulent vivre ensemble, prendre soin l'un de l'autre, s'aider et se plaire mutuellement, avoir des enfants de qui prendre soin jusqu'à leur maturité et s'aimer toute la vie. Les parents croyants veulent également que Dieu bénisse leur union.

Avant que les enfants n'atteignent l'âge de neuf ans, il est sage et utile pour les parents de parler de l'accès de croissance de la puberté et du fait qu'il ne se produit pas au même moment pour tous les individus. Les enfants qui se développent plus tôt ou plus tard que les autres et que l'on n'aurait pas rassurés à ce sujet risquent de s'inquiéter. En général, la fille commence à pousser en flèche à dix ans; ses seins apparaissent, de même que les poils de son pubis. Ses premières règles peuvent arriver entre neuf et douze ans. En général, le garçon se met à grandir tout à coup à douze ans, deux ans après la fille. Beaucoup le font à onze ans, quelques-uns à dix ou à quatorze ans. Cette croissance rapide (poids et taille) dure deux ans. Elle ralentit progressivement pendant deux autres années, puis s'arrête. L'âge pubertaire peut varier. Ces variations sont normales, et souvent de nature héréditaire.

Il est bon que les parents abordent des discussions de niveau adolescent sur le sexe, l'amour et les idéaux pendant que leurs enfants sont encore dans leur préadolescence (de dix à douze ans), parce que les adolescents, dans leur soif d'indépendance, pourraient avoir tendance à s'impatienter devant les idées avancées par leurs parents et à considérer comme seule vérité les opinions de leurs amis.

À dix, onze ou douze ans, quand leurs émotions sont devenues plus sentimentales et sexuelles, certains enfants sont trop embarrassés pour poser des questions. Mais ils font des commentaires sur les toquades de leurs amis. Les parents resteront à l'affût et saisiront l'occasion d'apporter leurs propres commentaires et d'entamer des discussions, surtout sur les aspects spirituels de l'amour. Insistez sur le fait qu'il est naturel de s'éprendre rapidement de quelqu'un, mais aussi de vite se lasser de cette personne, et que cette versatilité est attribuable aux changements rapides que connaissent les jeunes à tous les égards, notamment en ce qui a trait à leurs préférences dans le choix de leurs amoureux et amoureuses. Faites remarquer qu'il est naturel que les adolescents veuillent être populaires auprès de leurs pairs, mais que nombre de ceux qui le sont à dix ou douze ans — parce qu'ils parlent facilement, plaisantent, jouent des tours et s'engagent aisément dans des caresses sensuelles — perdent leur charme particulier quelques années plus tard. Le contraire est vrai aussi: ceux qui sont d'abord timorés pourraient bien, plus tard, être appréciés pour leurs qualités uniques. Les parents expliqueront avec sympathie que, vu sa nouveauté, l'attraction sexuelle peut être particulièrement puissante durant la préadolescence et l'adolescence, mais qu'en fin de compte ce qui rend l'amour et le mariage permanents, ce sont les qualités spirituelles qui viennent s'ajouter à l'attraction physique.

Si le sujet de la conversation se porte un jour sur telle camarade de cours enceinte, les parents en profiteront pour dire que la liberté sexuelle exige que les partenaires aient le sens des responsabilités. Dans le cas de cette étudiante, elle et son partenaire n'avaient sans doute pas envisagé les répercussions de leurs gestes sur leur avenir à chacun. Car il est difficile de reprendre l'école après l'accouchement. L'adolescent pourrait être privé de la sécurité que seule une famille stable peut lui donner. Les rapports sexuels répétés aboutissent tôt ou tard à une grossesse, à moins que les partenaires ne soient prudents. Et ainsi de suite. Quand un divorce se produit dans le voisinage, les parents peuvent se demander tout haut si les partenaires de cette union se connaissaient assez bien avant de se marier ou s'ils ont fait assez d'efforts pour s'entraider et continuer à se plaire mutuellement après le mariage.

Il est bon que les préadolescents et les adolescents sachent que les statistiques montrent, même à notre époque de liberté sexuelle, que beaucoup de jeunes souhaitent attendre le mariage pour être sexuellement intimes avec leur partenaire ou veulent au moins être convaincus de leur compatibilité et de la profondeur de leur amour. Cette démarche requiert un grand nombre de mois, puisque chacun des partenaires ne cesse de changer et de se développer.

Les adolescents devraient savoir que ne pas se sentir prêt à s'engager dans des activités sexuelles n'est pas anormal, comme veulent leur faire croire certains de leurs pairs plus émancipés. Cette «timidité» a été, au cours des siècles, la norme de croyance et de comportement, surtout chez les jeunes à qui on a inculqué des idéaux élevés. Certains des plus grands écrivains, artistes et savants du monde étaient trop timides pour fréquenter les personnes du sexe opposé durant leur adolescence, même s'ils se languissaient d'avoir quelque partenaire idéalisé. Ces jeunes timides peuvent devenir de grands amants quand ils se sentent prêts.

Cela aidera les adolescents d'entendre parents et enseignants répéter que rien ne les empêche de dire non. Ce refus ne leur donnera pas une mauvaise réputation et ne les rendra pas impopulaires auprès des autres — sauf auprès de ceux qui veulent les exploiter sexuellement. En fait, ils n'en auront que plus d'attrait aux yeux des jeunes qui nourrissent les mêmes idéaux et qui sont à la recherche de personnes semblables à eux.

Les parents feront remarquer qu'il faut beaucoup d'éducation et un travail acharné pour faire vivre une famille et que, pour rester dans les limites d'un budget, il faut savoir planifier et se priver. L'esprit de coopération et une attitude attentionnée sont essentiels dans le mariage.

Si les parents émettent toutes ces remarques, c'est pour venir à bout de la tendance des préadolescents et des adolescents à confondre béguin et véritable amour, à penser que la grossesse imprévue n'arrive qu'aux autres et que la naissance d'un bébé que l'on aimera et qui nous aimera, en dehors du mariage, leur apportera enfin le bonheur.

Ces commentaires ne seront pas formulés d'un ton austère ou aigri, mais dans un souci de bienveillance. Les parents les présenteront comme étant leurs propres croyances et non pas comme la vérité absolue. Plus important encore, les parents demanderont leur avis à leur enfant et l'écouteront avec beaucoup d'attention. Cela ne signifie pas qu'ils devront accepter ses opinions. Ils l'écouteront, puis expliqueront plus en détail leurs propres points de vue, en prenant toujours garde de ne pas donner l'impression qu'ils ont le monopole de la sagesse. À la fin de la discussion, l'enfant pourrait ne pas avoir l'air convaincu; dans ce cas, les parents décideront avec sagesse de ne pas discuter. Pourtant, l'enfant pourrait être bien plus impressionné qu'il ne l'admet. En d'autres mots, le parent arrive plus souvent à persuader son enfant en manifestant son respect pour l'enfant qu'en discutant.

Je crois qu'il est important pour les parents de discuter avec leurs enfants de ces divers aspects du sexe et de l'amour et d'arriver à en parler avec aisance avant d'aborder le sujet des maladies vénériennes. Sinon, tout devient confus et les enfants ont l'impression que les parents disent que le sexe est répréhensible et dangereux pour les maladies.

Je commencerais par expliquer aux préadolescents (de dix à douze ans) que les maladies infectieuses se propagent de diverses manières: la rougeole, par une fine brume projetée par la toux des victimes de cette maladie; l'impétigo, infection de la peau, par le toucher; les maladies vénériennes, par le contact des organes génitaux.

La blennorragie est une inflammation des voies urinaires chez l'homme ou du vagin (et des trompes de Fallope) chez la femme, accompagnée d'un écoulement purulent, épais et irritant.

La syphilis, elle, est tout à fait différente: elle commence par un ulcère sur le pénis ou dans le vagin. Les microbes se répandent vite dans le flot sanguin et causent bientôt une légère éruption de la peau sur tout le corps. Le dernier stade de la maladie, qui peut mettre de nombreuses années à se développer, consiste en une inflammation de la membrane du cœur, des artères ou du cerveau.

Le SIDA est lui aussi différent des autres maladies transmises sexuellement. Il est causé par un virus (organisme invisible au microscope ordinaire) qui se propage des organes génitaux au sang et détruit le système immunitaire du corps, donc sa capacité de se défendre contre les infections ordinaires. Par conséquent, la personne atteinte du SIDA peut être emportée par une maladie dont la personne en bonne santé se guérirait rapidement en développant des anticorps qui l'immuniseraient. Le plus souvent, le SIDA se transmet du sperme au sang pendant les relations sexuelles, mais aussi du sang au sang, chez les drogués qui partagent les mêmes seringues sans les stériliser. Le SIDA se transmet aussi de la femme à l'homme durant l'acte sexuel, de la mère infectée au fœtus, et par les transfusions sanguines. Le virus du SIDA n'est donc transmissible que de sperme (ou de liquide vaginal) à sang et de sang à sang. Ce n'est pas une maladie extrêmement contagieuse, mais elle est fatale. Le SIDA est en train de se répandre comme une traînée de poudre dans le monde entier.

Les cas de SIDA sont nombreux chez les homosexuels qui pratiquent le coït anal, parce que la membrane du rectum est plus fragile que celle du vagin.

Le SIDA *n'est pas* transmissible par le contact de la main ou du corps ni par les baisers. On *ne peut pas* le contracter pour la simple raison que l'on vit dans la maison d'un sidatique, qu'on est dans la même classe que lui, que l'on nage dans la même piscine, que l'on mange ou boit avec la même vaisselle ou que l'on utilise les mêmes toilettes que lui.

Ce sont les faits. Maintenant, comment aborder le sujet du SIDA avec les préadolescents et les adolescents? J'ai déjà expliqué pourquoi je crois qu'on devrait leur parler des aspects positifs de l'amour et du sexe, notamment de l'aspect spirituel, longtemps avant de leur parler du reste. La raison qui justifie de commencer cette éducation dès la préadolescence, c'est que les enfants sont beaucoup plus disposés à écouter leurs parents avant l'âge de treize ans. Si les préadolescents et les adolescents sont angoissés par le SIDA, ils ont besoin de connaître toutes les façons dont il est impossible de transmettre le virus.

Pour ce qui est des moyens d'éviter cette maladie dans les années à venir, les enfants devraient savoir que la protection la plus sûre, pour les deux partenaires, est l'abstinence jusqu'au mariage ou, du moins, jusqu'à ce qu'ils aient ressenti un profond attachement l'un pour l'autre pendant au moins un an, de préférence pendant plusieurs années, et qu'ils sachent avec qui le partenaire a eu des relations sexuelles dans le passé. Ils doivent également connaître l'état de santé actuel de ces anciens amants.

Les enfants doivent savoir que le plus grand risque vient de la multiplication des partenaires sexuels qui, eux aussi, multiplient probablement les rencontres sexuelles avec d'autres. Plus le nombre de partenaires sexuels est élevé, plus grand est le risque que l'un d'eux soit atteint de la maladie ou soit porteur du virus sans manifester les symptômes du SIDA.

Les adolescents doivent aussi être conscients des risques que courent les drogués qui échangent entre eux les seringues sans les stériliser. On doit également leur faire comprendre que le condom offre beaucoup de protection, même si celle-ci n'est pas parfaite, s'ils ont des relations sexuelles.

Jusqu'où aller quand on parle aux préadolescents et aux adolescents de la relation entre le SIDA et l'homosexualité? À mon avis, cela dépend de l'âge, de la personnalité et du degré d'évolution de l'enfant. Personnellement, je ne parlerais pas à un enfant à l'air innocent du coït anal avant qu'il n'ait atteint quatorze ou quinze ans, à moins qu'il ne me pose des questions à ce sujet. Je crois que cela pourrait choquer l'enfant inutilement. D'autre part, je dirais tout bonnement au garçon de dix ou onze ans que certains hommes préfèrent faire l'amour aux hommes et aux petits garçons plutôt qu'aux femmes. Les enfants des deux sexes doivent être exhortés à ne pas accepter les invitations à la maison ou à l'hôtel de la part d'adultes connus ou inconnus, sans la permission des parents.

Il est étonnant de voir à quel point, aujourd'hui, certains enfants en savent long, grâce aux vidéos, aux films, à la littérature et aux potins, bien que leur information puisse être confuse ou inexacte.

Les deux grands boucliers contre le SIDA, je pense, sont l'éducation et la conviction que la dimension spirituelle de l'amour sexuel est tout aussi importante et digne de respect que la dimension purement physique.

Index

F

Q

R

Table des matières

Achevé d'imprimer au Canada
Imprimerie Gagné Ltée Louiseville